Finding·God
Our Response to God's Gifts

Encontrando a
Nuestra respuesta a
los dones de Dios
Dios

Barbara F. Campbell, M.Div., D.Min.
James P. Campbell, M.A., D.Min.

LOYOLA PRESS.
UN MINISTERIO JESUITA
A JESUIT MINISTRY

IMPRIMATUR

Conforme al canon 827 del Código de Derecho Canónico, el Reverendísimo Francis J. Kane, Vicario General de la Arquidiócesis de Chicago, ha otorgado el 28 de octubre de 2013 aprobación para la publicación. La aprobación para la publicación es una declaración oficial de la autoridad eclesiástica, la cual establece que el material en cuestión carece de errores morales o doctrinales. De lo establecido no se infiere que quienes han otorgado la aprobación están de acuerdo con el contenido, opiniones o expresiones vertidas en el trabajo ni asumen responsabilidad legal alguna relacionada con la publicación.

In accordance with c. 827, permission to publish is granted on March 10, 2011 by Rev. Msgr. John F. Canary, Vicar General of the Archdiocese of Chicago. Permission to publish is an official declaration of ecclesiastical authority that the material is free from doctrinal and moral error. No legal responsibility is assumed by the grant of this permission.

EN CONFORMIDAD / IN CONFORMITY

El Subcomité para el Catecismo de la Conferencia de Obispos Católicos de los Estados Unidos consideró que esta serie catequética, copyright 2015, está en conformidad con el *Catecismo de la Iglesia Católica*.

The Subcommittee on the Catechism, United States Conference of Catholic Bishops, has found this catechetical text, copyright 2013, to be in conformity with the Catechism of the Catholic Church.

Asesores principales /
Senior Consultants
Jane Regan, Ph.D.
Richard Hauser, S.J., Ph.D., S.T.L.
Robert Fabing, S.J., D.Min.

Asesores / *Advisors*
Most Reverend Gordon D. Bennett, S.J., D.D.
George A. Aschenbrenner, S.J., S.T.L.
Paul H. Colloton, O.P., D.Min.
Eugene LaVerdiere, S.S.S., Ph.D., S.T.L.
Gerald Darring, M.A.
Thomas J. McGrath, M.A.

Personal catequético / *Catechetical Staff*
Santiago Cortés-Sjöberg, M.Div.
Armando Daniel García
Jeanette L. Graham, M.A.
Jean Hopman, O.S.U., M.A.
Ricardo López, Ph.D.
Joseph Paprocki, D.Min.
Feliciano Tapia, M.Div.
Lupita Vital Cruz, M.A.

Diseño de portada / *Cover Design:* Loyola Press
Ilustración de portada / *Cover Illustration:* Rafael López
Edición y traducción / *Editorial and Translation:* Loyola Press, Rainbow Creative Concepts, Inc.
Arte, diseño y producción / *Art, Design, and Production:* Loyola Press, Rainbow Creative Concepts, Inc., and Think Bookworks

Encontrando a Dios: nuestra respuesta a los dones de Dios es una expresión de la obra de Loyola Press, un ministerio pastoral de la Provincia de Chicago-Detroit de la Compañía de Jesús.

Finding God: Our Response to God's Gifts *is an expression of the work of Loyola Press, a ministry of the Chicago-Detroit Province of the Society of Jesus.*

ISBN-13: 978-0-8294-3866-6
ISBN-10: 0-8294-3866-1

Copyright © 2015 Loyola Press, Chicago, Illinois.

Impreso en los Estados Unidos de América /
Printed in the United States of America.

LOYOLA PRESS.
UN MINISTERIO JESUITA
A JESUIT MINISTRY

3441 N. Ashland Avenue
Chicago, Illinois 60657
(800) 621-1008
www.loyolapress.com

Reconocemos con gratitud a los autores, editores, fotógrafos, museos y agentes por autorizarnos a reproducir el material con derechos de autor que aparecen en esta obra. Loyola Press ha hecho todos los intentos posibles para identificar a los propietarios de los derechos de autor. En caso de alguna omisión, Loyola Press se complacerá en reconocerlos apropiadamente en las ediciones futuras. Los reconocimientos continúan en la página 223.

Grateful acknowledgment is given to authors, publishers, photographers, museums, and agents for permission to reprint the following copyrighted material. Every effort has been made to determine copyright owners. In the case of any omissions, the publisher will be pleased to make suitable acknowledgments in future editions. Acknowledgments continue on page 223.

14 15 16 17 18 19 20 21 Web 10 9 8 7 6 5 4 3 2 1

Al abrir este libro,
me abro
a la presencia de Dios en mi vida.
Cuando permito que
la gracia de Dios me ayude,
veo con verdad,
escucho con perdón
y actúo con bondad.
Gracias, Dios,
por tu presencia en mi vida.

As I open this book,
I open myself to
God's presence in my life.
When I allow
God's grace to help me,
I see with truth,
hear with forgiveness,
and act with kindness.
Thank you, God,
for your presence in my life.

Amén.

Amen.

Índice

GRADO 6

Contents

Dios, nuestro Creador y Padre

San Jerónimo

Jerónimo nació alrededor del año 345 d. C. en lo que hoy es la parte norte de Italia. En su juventud viajó y estudió en las grandes ciudades europeas de Roma y Tréveris. Luego se fue a vivir al desierto. Mientras estuvo allí, dijo que "no tenía más compañía que los escorpiones y las bestias salvajes". Estudió y dominó el difícil idioma hebreo. Sus conocimientos le ayudaron a desempeñarse como erudito de la Biblia y traductor.

En 382 Jerónimo comenzó a traducir al latín la Biblia completa, a partir de los textos hebreos y griegos. Su trabajo tardó varias décadas y concluyó con una versión de la Biblia en el idioma común de aquella época. La traducción de Jerónimo al latín se convirtió en la obra usada por la Iglesia.

Mientras trabajaba, Jerónimo viajó a muchos lugares. Vivió en Constantinopla, Antioquia, Alejandría y Belén. Cuando comenzó la guerra y muchos refugiados llegaron a Belén, Jerónimo se puso en acción. Renunció temporalmente a su trabajo y estudios para ayudar a las personas necesitadas. Decía: "Tenemos que traducir las palabras de las Sagradas Escrituras en hechos; y en lugar de decir palabras piadosas, tenemos que ponerlas en acción". Su fiesta se celebra el 30 de septiembre.

SESIÓN 1

La Biblia, historia de Dios

Comparte tus historias favoritas de la Biblia con el grupo.

Oración

Dios amoroso, ayúdame a apreciar tu Palabra en la Biblia.

God, Our Creator and Father

Saint Jerome

Jerome was born around A.D. 345 in what is now northern Italy. As a young man, he traveled and studied in the great European cities of Rome and Trier. He then went to live in the desert. While there, he said that he had "no other company but scorpions and wild beasts." He studied and mastered the difficult Hebrew language. His knowledge made it possible for him to become a biblical scholar and translator.

In 382 Jerome began to translate the entire Bible from the Hebrew and Greek texts into Latin. His endeavor took many decades and eventually produced a version of the Bible in the ordinary language of that time. Jerome's Latin translation of the Bible became the standard for use in the Church.

Jerome traveled to many places while he worked. He lived in Constantinople, Antioch, Alexandria, and Bethlehem. When war broke out and many refugees came to Bethlehem, Jerome took action. He gave up his work and study for a time to help people in need. He said, "We must translate the words of the Scriptures into deeds; and instead of speaking saintly words, we must act them." His feast day is September 30.

SESSION 1

The Bible, God's Story

Share your favorite Bible stories with the group.

Prayer

Loving God, help me to appreciate your Word in the Bible.

Cómo se originó la Biblia

La Biblia es la Palabra de Dios. No es un solo libro; es una colección de muchos libros. Varios autores usaron diferentes estilos al escribir estos libros. Sin embargo, el Espíritu Santo los **inspiró** a todos. Es decir, aunque los seres humanos escribieron la Biblia, el Espíritu Santo los guio.

La Biblia tiene dos secciones: el Antiguo Testamento y el Nuevo Testamento.

El Antiguo Testamento

Los judíos escribieron el Antiguo Testamento cientos de años antes de que naciera Jesús. El Antiguo Testamento relata la historia del pueblo hebreo y su fe en Dios. Por ejemplo, el libro de Éxodo cuenta cómo Moisés guio a los hebreos durante la salida de Egipto y en el desierto.

El Nuevo Testamento

Así como el Antiguo Testamento es la historia de los judíos, el Nuevo Testamento es la historia de los primeros cristianos. Los cristianos querían explicar su nueva fe y enseñar a los demás cómo experimentar la Salvación por medio de Jesús. Algunos de los libros son en realidad cartas escritas por líderes como san Pablo. Los libros más importantes del Nuevo Testamento son los Evangelios, que narran el nacimiento de Jesús, su vida, muerte y Resurrección. Aunque algunos de los Evangelios narran la misma historia, cada uno expresa un punto de vista distinto.

¿Sabías que...?

El Antiguo Testamento consta de 46 libros. El Nuevo Testamento consta de 27 libros.

How the Bible Came to Be

The Bible is the Word of God. It is not just one book; it is a collection of many books. Different authors using different styles wrote these books. However, the Holy Spirit **inspired** them all. That is, although human beings wrote the Bible, the Holy Spirit guided them.

The Bible has two sections—the Old Testament and the New Testament.

The Old Testament

Jews wrote the Old Testament hundreds of years before Jesus was born. It tells the story of the Hebrew people and their faith in God. For example, the Book of Exodus tells the story of how Moses led the Hebrews out of Egypt and into the wilderness.

The New Testament

Just as the Old Testament is the story of the Jews, the New Testament is the story of the early Christians. Christians wanted to explain their new faith and teach others how to experience Salvation through Jesus. Some of the books are actually letters written by leaders such as Saint Paul. The most important books in the New Testament are the Gospels, which tell us about Jesus' birth, life, Death, and Resurrection. Although some of the Gospels tell the same stories, each expresses a unique point of view.

Did You Know...?

The Old Testament includes 46 books. The New Testament includes 27 books.

Entender la Biblia

A veces es difícil entender la Biblia. Algunos pasajes describen sucesos y personas de las que hoy conocemos muy poco. Otros pasajes describen cosas que son difíciles de entender porque no pensamos de igual manera que como lo hacía la gente hace mucho tiempo.

Dios autorizó que Iglesia católica y el **Magisterio de la Iglesia** —el papa y los obispos enseñando conjuntamente— interpretaran las Sagradas Escrituras. Sus **interpretaciones**, o explicaciones, de la Biblia nos ayudan a evitar confusiones y nos guían hacia un mejor entendimiento de la Palabra de Dios. Leer la Biblia con la guía del papa y los obispos facilita también la comprensión de la intención de Dios para nosotros y la Salvación del mundo.

Cuando leemos la Biblia con la ayuda del Espíritu Santo y de la Iglesia, aprendemos el significado de la Revelación de Dios en nuestra vida. Esto se aplica especialmente cuando leemos sobre las palabras y acciones de Jesús. La Iglesia nos anima a leer la Biblia para que podamos entender a Dios, fortalecer nuestra relación con él y con los demás, entender su mensaje de amor y perdón, y enseñarle a la nueva generación las creencias de la Iglesia.

Leyendo la Palabra de Dios

Pero deben saber ante todo que nadie puede interpretar por sí mismo una profecía de la Escritura, porque la profecía nunca sucedió por iniciativa humana, sino que los hombres de Dios hablaron movidos por el Espíritu Santo. *2 Pedro 1:20–21*

VE A LA PÁGINA 169

Understanding the Bible

Sometimes the Bible is difficult to understand. Some passages are about events and people we know little about today. Other passages describe things that are difficult to understand because we do not think the same way people did long ago.

God has given the authority to interpret the Scriptures to the Catholic Church and the **Magisterium**—the pope and the bishops teaching together. Their **interpretation,** or explanation of the Bible, helps us avoid confusion and leads us to a better understanding of God's Word. Reading the Bible with the guidance of the pope and the bishops also makes it easier to learn about God's intention for us and for the salvation of the world.

When we read the Bible with the help of the Holy Spirit and the Church, we learn the meaning of God's revelation for our lives. This is especially true when we read about the words and actions of Jesus. The Church encourages us to read the Bible to learn about God, to grow in our relationship with him and others, to understand his message of love and forgiveness, and to teach a new generation what the Church believes.

Reading God's Word

Know this first of all, that there is no prophecy of scripture that is a matter of personal interpretation, for no prophecy ever came through human will; but rather human beings moved by the holy Spirit spoke under the influence of God. *2 Peter 1:20–21*

GO TO PAGE 169

Oración

Oración al Espíritu Santo

Ven Espíritu Santo, llena los corazones de tus fieles.
Y enciende en ellos el fuego de tu amor.
Envía tu Espíritu y serán creadas todas las cosas.
Y renovarás la faz de la tierra.

Oremos:
¡Oh Dios, que has instruido los corazones de tus
fieles con luz del Espíritu Santo!, concédenos
que sintamos rectamente con el mismo Espíritu
y gocemos siempre de su divino consuelo. Por
Jesucristo Nuestro Señor.
Amén.

Has pedido al Espíritu Santo que llene tu corazón.
El Espíritu que renueva la faz de la tierra puede también renovarte. Pide al
Espíritu Santo que te ayude a entender más la Biblia mientras la estudias este año.
Agradece a Dios la gracia y la guía del Espíritu. Descansa con tranquilidad en
presencia de Dios.

Tomar decisiones

En Deuteronomio 30:19–20, Moisés da a los hebreos sus instrucciones finales
antes de entrar a Tierra Santa. Moisés alienta a los hebreos a seguir la Ley de Dios
y tomar la decisión correcta.

Dios nos ha dado la libre voluntad para que tomemos decisiones. Cuando nos
enfrentamos a decisiones difíciles, podemos rezar al Espíritu Santo y leer la
Palabra de Dios como ayuda.

En busca de consejos

Piensa en una ocasión en la que tuviste que tomar una decisión
importante y le pediste consejo a una persona mayor. ¿Cómo te
ayudó esa persona? Escribe tus ideas en una hoja de papel.

Prayer

Prayer to the Holy Spirit

Come, Holy Spirit, fill the hearts of your faithful.
And kindle in them the fire of your love.
Send forth your Spirit and they shall be created.
And you will renew the face of the earth.
Let us pray.

Lord,
by the light of the Holy Spirit
you have taught the hearts of your faithful.
In the same Spirit
help us to relish what is right
and always rejoice in your consolation.
We ask this through Christ our Lord.
Amen.

You have asked the Holy Spirit to fill your heart. The Spirit that renews the face of the earth can renew you as well. Ask the Holy Spirit to help you grow in understanding the Bible as you study it this year. Thank God for the grace and guidance of the Spirit. Rest quietly in God's presence.

Making Choices

In Deuteronomy 30:19–20, Moses gives the Hebrews their final instructions before entering the Holy Land. Moses urges the Hebrews to follow God's Law and make the right choice.

God has given us free will to make choices. When we face tough decisions, we can pray to the Holy Spirit and read God's Word for help.

Seeking Advice

Think of a time when you had to make a serious choice and you asked an older person for advice. How did that person help you? Write your ideas on a separate sheet of paper.

Resumen del tema

La Biblia es la Revelación de Dios. Al leerla, en particular las historias de Jesús, podemos aprender lo que Dios ha hecho por nosotros y cómo podemos ayudar a los demás.

Palabras que aprendí

inspirado
interpretación
Magisterio de la Iglesia
scriptorium *
Vulgata *

Maneras de ser como Jesús

Jesús era judío y estudió las escrituras que ahora componen el Antiguo Testamento. *Para entender qué leyó y estudió Jesús, lee uno o más de los siguientes salmos del Antiguo Testamento: 8, 84, 98, 114 y 150.*

Oración

Gracias, Dios, por la Biblia y las maneras en que me ayuda a aprender sobre ti.

Con mi familia

Actividad Una Biblia familiar generalmente incluye la historia de la familia con información sobre los nacimientos, los fallecimientos y los sacramentos. Reúne o pon al día tu información, revisando la historia de tu familia con un pariente mayor. Escribe a mano o a máquina la información y guárdala en tu Biblia familiar.

Fe para el camino Pregúntense unos a otros: *¿Cuál es tu versículo favorito de la Biblia y por qué te gusta?*

Oración en familia Recen juntos la Oración al Espíritu Santo.

* Estas palabras se enseñan con la lámina de arte. Mira la página 169.

Faith Summary

The Bible is God's revelation. By reading it, especially the stories of Jesus, we learn what God has done for us and how we can help others.

Words I Learned

inspired
interpretation
Magisterium
scriptorium*
Vulgate*

Ways of Being Like Jesus

Jesus was a Jew, and he studied the writings that now make up the Old Testament. *To understand what Jesus read and studied, read one or more of the following psalms from the Old Testament: 8, 84, 98, 114, and 150.*

Prayer

Thank you, God, for the Bible and all the ways it helps me learn about you.

With My Family

Activity A family Bible often contains a family history with information about births, deaths, and sacraments. Collect or update information by discussing your family history with an older relative. Write or type the information and keep it in your family Bible.

Faith on the Go Ask one another: *What is your favorite Bible verse, and why do you like it?*

Family Prayer Pray together the Prayer to the Holy Spirit.

* These words are taught with the Art Print. See page 169.

Dios crea el mundo

Piensa en las maneras en que puedes cuidar de la creación de Dios. Comparte tus ideas con el grupo.

El libro de Génesis

En Génesis podemos leer dos historias sobre cómo Dios creó el mundo.

La primera historia de la Creación

Dios habló y cada parte del universo fue creada: el Sol y la Luna, las aguas y la tierra, las plantas y los animales. Dios incluso creó un hombre y una mujer, y los hizo a su semejanza. Cuando terminó, miró todo y encontró que era bueno.

adaptado de Génesis 1:1–2:4

El escritor de esa historia en Génesis quiso recalcar que Dios creó cada parte del mundo y que Dios encontró que todo era muy bueno. En la historia de la Creación todo lo bueno incluye todas las cosas físicas, como las plantas, los animales, los océanos, las montañas y las rocas, así como los seres humanos. Dios estaba complacido con el resultado.

(Continúa en la página 7).

Oración

Dios Creador, ayúdame a aprender cómo valorar a las personas y toda tu creación, como lo haces tú.

God Creates the World

Think of ways you can care for God's creation. Share your thoughts with the group.

The Book of Genesis

In Genesis we can read two stories about how God created the world.

The First Story of Creation

God spoke, and every part of the universe came into being—the sun and moon, the water and land, the plants and animals. God even made man and woman, and he made them in his own image. When he finished, he looked at everything and found that all of it was good.

adapted from Genesis 1:1–2:4

The writer of this story in Genesis wanted to make clear that God created every part of the world and that God saw everything as very good. Everything good in the Creation story includes all physical things, such as plants, animals, oceans, mountains, and rocks, as well as human beings. God was pleased with how everything turned out.

(Continue to page 7.)

Prayer

Creator God, help me learn to value people and all of creation as you do.

Lejos de casa

Los judíos vivían en **exilio** en Babilonia cuando fue escrita la primera historia de la Creación. Ellos habían sido forzados a dejar su patria y vivir en un lugar cuyas creencias y costumbres les eran extrañas. Las creencias, las costumbres, el lenguaje y la manera de vestir forman la **cultura** de un grupo.

Los babilonios no trataron a los judíos como iguales. Los judíos fueron discriminados por sus orígenes étnicos. La palabra para esta forma de discriminación es *racismo*.

La cultura babilónica era muy diferente de la cultura judía. Los cuentos babilónicos sobre la creación estaban llenos de imágenes de muerte y destrucción causadas por los dioses. La historia judía de la creación es buena y pacífica. En su historia, Dios creó el universo con calma, sabiduría y amor.

Monumento babilónico en honor a un sacerdote del antiguo templo de Merodac (900–800 a. C.)

Conoce a un santo

Santa Francisca Javier Cabrini nació en Italia en 1850. Su devoción por el trabajo misionero la llevó a los Estados Unidos. Allí ayudó a establecer escuelas, hospitales y orfanatos para los inmigrantes italianos que eran maltratados por la sociedad. Ella insistió en que los italianos que vivían en los Estados Unidos fuesen tratados como las demás personas. Ella es la santa patrona de los inmigrantes.

VE A LA PÁGINA 170

Far from Home

The Jews were living in **exile** in Babylon when the first Creation story was written. They had been forced to leave their homeland to live in a place where the beliefs and customs were strange to them. Beliefs, customs, language, and dress make up a group's **culture.**

The Babylonians did not treat the Jews as equals. The Jews were discriminated against because of their ethnic origins. The word for this form of discrimination is *racism.*

The Babylonian culture was very different from the Jewish culture. Images of death and destruction caused by different gods filled the Babylonian creation stories. The Jewish creation story was peaceful and good. In their story God created the universe calmly with wisdom and love.

Babylonian monument honoring a priest from the ancient Temple of Marduk (900–800 B.C.)

Meet a Saint

Saint Frances Xavier Cabrini was born in Italy in 1850. Her devotion to missionary work eventually took her to the United States. While there, she helped establish schools, hospitals, and orphanages for Italian immigrants who were not treated well by society. She insisted that Italians living in the United States be treated the same way as everyone else. She is the patron saint of immigrants.

GO TO PAGE 170

Oración

La magnífica creación de Dios

Imagina que estás en un lugar totalmente oscuro y no puedes ver nada. Escuchas salpicaduras y sientes un viento suave soplando sobre el agua. Dios está a punto de crear el universo.

Imagínate las galaxias, los planetas y las estrellas. Disfruta la belleza de las figuras y los colores. Luego imagínate nuestro sistema solar con su brillante sol amarillo, el gigantesco planeta Júpiter y la Tierra con sus delicados azules y verdes. Esta es tu casa en medio de la creación de Dios.

En la Tierra ves montañas, desiertos, bosques, ríos y lagos. Ves peces en el mar, pájaros en el aire, animales que se arrastran y animales que caminan. Dios ha creado a cada uno de ellos y ha dicho que cada uno es bueno.

Por último, observa la humanidad, a las personas jóvenes y mayores, de muchos tonos de piel, cosechando, cazando, pescando y construyendo maquinarias. Dios ha creado a cada uno de ellos y ha dicho que cada uno es bueno.

Ahora agradece a Dios por todo lo que ha hecho y te ha dado. ¿Qué promesa puedes hacer hoy para ayudar a cuidar de su creación?

Iguales ante los ojos de Dios

La historia de Adán y Eva nos muestra al Dios amoroso que creó al hombre y a la mujer —cada uno una unidad de cuerpo y alma— para ayudar a cuidar de la tierra. Dios creó iguales a la mujer y al hombre. Desde la rebelión de Adán y Eva, la historia nos muestra que las mujeres en muchas culturas no han sido tratadas igual que los hombres. La palabra para esta forma de discriminación es *sexismo*. Como católicos tenemos la obligación de oponernos al sexismo, al racismo y a otras formas de discriminación.

En una hoja de papel escribe tres maneras en que las personas pueden demostrar la bondad.

Prayer

God's Amazing Creation

Imagine that you are in a completely dark place and can see nothing. You hear splashing as you feel a gentle wind blowing over water. God is about to create the universe.

Picture images of galaxies, planets, and stars. Enjoy the beauty of the many shapes and colors. Then imagine our solar system with the bright yellow sun, the giant planet Jupiter, and the delicate blue and green Earth. This is your home in the midst of God's creation.

On Earth you see mountains, deserts, forests, rivers, and lakes. You see fish in the sea, birds in the air, animals that crawl, and animals that walk. God has made each one and said that each one is very good.

Finally, look at humanity, people young and old, of many shades of skin color, harvesting crops, hunting, fishing, and building machines. God has made each one and called each one good.

Now thank God for all that he has made and given you. What promise can you make today to help take care of his creation?

Equal in the Eyes of God

The story of Adam and Eve shows us a loving God who created man and woman—each a unity of body and soul—to help care for the earth. God created women and men as equals. Since the rebellion of Adam and Eve, history shows that women in many cultures have not been treated as equal to men. The word for this kind of discrimination is **sexism**. As Catholics we have a duty to oppose sexism, racism, and other forms of discrimination.

On a separate sheet of paper, write three ways in which people can show their goodness.

Resumen del tema

Dios creó la familia humana a su imagen y semejanza. Nosotros reflejamos la imagen de Dios cuando ayudamos a cuidar la tierra: sus plantas, criaturas y recursos.

Palabras que aprendí

cultura   exilio
racismo   sexismo

Maneras de ser como Jesús

Jesús entendió que su responsabilidad era trabajar con Dios para amar a las personas y cuidar el mundo. *Sé amable con otras personas y cuida de la creación de Dios.*

Oración

Dios, gracias por hacer que la Tierra fuera un buen lugar y por crear a las personas para ser buenas. Ayúdame a actuar de manera tal que le demuestre a la gente que estoy hecho a tu imagen.

Con mi familia

Actividad Esta semana hagan algo en familia para cuidar de la creación de Dios. Recojan basura en su vecindario, planten un árbol o flores, o ayuden en el comedor local de beneficencia.

Fe para el camino Pregúntense unos a otros: *¿Cuáles son las tres cosas que más te gustan de toda la creación de Dios?*

Oración en familia *Querido Dios, gracias por haber creado a nuestra familia. Ayúdanos a cuidarnos los unos a los otros como tú nos cuidas. Amén.*

Faith Summary

God created the human family in his image and likeness. We reflect God's image by helping to care for the earth—its plants, creatures, and resources.

Words I Learned

culture   exile

racism   sexism

Ways of Being Like Jesus

Jesus understood that it was his responsibility to work with God to love people and care for the world. *Be kind to other people and care for God's creation.*

Prayer

God, thank you for making the earth a good place and for creating people to be good. Help me act in ways that show people that I am made in your image.

With My Family

Activity This week do something as a family to care for God's creation. Pick up litter in your neighborhood, plant a tree or flowers, or help at a local soup kitchen.

Faith on the Go Ask one another: *If you had to name your three favorite things that God created, what would they be?*

Family Prayer Dear God, thank you for creating our family. *Help us care for others as you care for us. Amen.*

El pecado y la Salvación

Piensa en maneras en que has mostrado confianza en alguien que te cuida.

SESIÓN 3

Confiar en Dios

Cuando dejamos de confiar en Dios, las cosas empiezan a salir mal. En los capítulos 3 y 4 de Génesis encontramos dos historias que ejemplifican la falta de confianza.

Adán y Eva desobedecen a Dios

Dios puso a Adán y Eva en el **jardín del Edén** y les dio todo lo que necesitaban. Ellos cuidaron el jardín y los animales, y se tenían el uno al otro como compañía. Dios les dijo que si comían el fruto del árbol del conocimiento del bien y el mal, morirían.

Un día una serpiente convenció a Adán y a Eva de que les hacía falta algo. La serpiente dijo que no morirían si comían del árbol, sino que obtendrían la sabiduría de Dios. Se les olvidó que Dios los amaba y cuidaba. No tenían que desobedecerlo para ser sabios. Ellos podían caminar y hablar con Dios a diario. A pesar de ello, Adán y Eva comieron el fruto. Ese acto de desobediencia resultó en el pecado original. Todo cambió. Dios expulsó del jardín a Adán y a Eva. La vida se hizo más difícil para los seres humanos.

adaptado de Génesis 2:15–3:24

(Continúa en la página 11).

Oración

Dios, mi Creador, ayúdame a amarte y confiar en ti para hacer lo correcto y evitar lo que está mal.

Sin and Salvation

Think of ways that you have shown trust in someone who cares for you.

Trusting God

When we stop trusting God, things start going wrong. In Genesis Chapters 3 and 4, we find two stories that show lack of trust.

Adam and Eve Disobey God

God placed Adam and Eve in the **Garden of Eden** and gave them everything they needed. They tended the garden, cared for the animals, and had each other for companionship. God told them that if they ate the fruit from the tree of knowledge of good and evil, they would die.

One day a snake convinced Adam and Eve that they were missing out on something. The snake said that they would not die if they ate from the tree but would have wisdom like God's. They forgot that God loved and cared for them. They did not need to disobey him in order to be wise. They could walk and talk with God every day. Even so, Adam and Eve ate the fruit. That act of disobedience resulted in Original Sin. It changed everything. God sent Adam and Eve out of the garden. Life became more challenging for human beings.

adapted from Genesis 2:15–3:24

(Continue to page 11.)

Prayer

God, my Creator, help me love and trust you so that I do what is right and avoid what is wrong.

Caín y Abel

Después de salir del jardín, Adán y Eva tuvieron dos hijos, Caín y Abel. Ellos nunca habían caminado ni hablado con Dios como lo habían hecho sus padres; por lo tanto, no es sorprendente que Caín y Abel no se llevaran bien. La mayoría de los hermanos discuten a veces, pero Caín se enojó tanto un día que mató a su hermano Abel.

Dios tuvo misericordia de Caín y le permitió seguir viviendo, pero lo envió lejos de su hogar. Caín tuvo su propia familia, y sus hijos también tuvieron familias. Con el paso del tiempo la población creció. Para entonces, Adán y Eva habían muerto y nadie recordaba el jardín ni cómo era caminar y hablar con Dios.

adaptado de Génesis 4:1–16

Al estar lejos de la presencia de Dios, la gente comenzó a hacerse daño. Cuando las personas dejan de confiar en Dios, también dejan de confiar unos en otros.

La misericordia de Dios

¿Cuándo necesitas la misericordia de Dios? Quizás no has hecho lo que debías haber hecho. Completa estas oraciones.

Cuando te desobedezco al _____, Señor, ten piedad.

Cuando necesito _____, Señor, ten piedad.

Cuando tengo problemas _____, Señor, ten piedad.

Leyendo la Palabra de Dios

Pongo enemistad entre ti y la mujer,
 entre tu descendencia y la suya:
ella te herirá la cabeza
 cuando tú hieras su talón.

Génesis 3:15

VE A LA
PÁGINA 171

Cain and Abel

After leaving the garden, Adam and Eve had two sons, Cain and Abel. They had never walked and talked with God as their parents had, so it's no surprise that Cain and Abel didn't get along. Most brothers argue sometimes, but Cain became so angry one day that he killed his brother, Abel.

God had mercy on Cain and allowed him to live, but he sent Cain away from home. Cain had his own family, and his children had families as well. As time passed, the population grew. By then, Adam and Eve were dead and no one remembered the garden and what it was like to walk and talk with God.

adapted from Genesis 4:1–16

Away from God's presence, people started hurting one another. When people stop trusting God, they stop trusting one another as well.

God's Mercy

When do you need God's mercy? Maybe you have failed to do something you should have done. Complete these sentences.

When I disobey you by _____, Lord, have mercy.

When I need to _____, Lord, have mercy.

When I have trouble _____, Lord, have mercy.

Reading God's Word

I will put enmity between you and the woman,
    and between your offspring and hers;
He will strike at your head,
    while you strike at his heel.

Genesis 3:15

GO TO
PAGE 171

Oración

Avemaría

Con las palabras del ángel a María, "Salve, llena eres de gracia", comenzó algo nuevo. María dio a luz a Jesús, quien nos libera y salva. Reza el Avemaría ahora, haciendo pausas para reflexionar sobre cada frase.

> *Dios te salve, María, llena eres de gracia;*
> *el Señor es contigo.*

Dios le dio la gracia a María para realizar lo que le había encargado. Dios también nos da la gracia para vivir como Jesús quiere que lo hagamos.

> *Bendita Tú eres entre todas las mujeres,*
> *y bendito es el fruto de tu vientre, Jesús.*

María fue especial por la buena voluntad que tenía para cumplir con el llamado de Dios. Dios también nos llama para que seamos un signo de su amor en el mundo.

> *Santa María, Madre de Dios, ruega por nosotros, pecadores,*
> *ahora y en la hora de nuestra muerte.*

María ora por nuestras necesidades y las del mundo. Pedimos que nos apoye cuando presentamos nuestras necesidades a Dios. Pide a María que esté contigo cuando presentes a Dios tus necesidades.

> *Amén.*

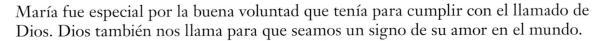

La misericordia de Dios, nuestra confianza

Adán, Eva y Caín tomaron decisiones que demostraron su falta de confianza en Dios. Aunque habían pecado, Dios tuvo misericordia de ellos. En la historia del arca de Noé, Dios prometió que nunca nos abandonaría. Tenemos que recordar siempre que podemos depositar nuestra confianza en él.

Palabras de sabiduría

Muchos versículos de la Biblia nos enseñan a poner nuestra fe y confianza en el Señor. Lee Proverbios 3:5–6, 1 Juan 1:9 y Jeremías 17:7. En una hoja de papel vuelve a escribir los versículos en tus propias palabras.

Prayer

Hail Mary

With the words of the angel to Mary, "Hail, full of grace," something new began. Mary gave birth to Jesus, who redeems and saves us. Pray the Hail Mary now, stopping to reflect on each sentence.

Hail Mary, full of grace, the Lord is with you.

God gave Mary grace to accomplish what he called her to do. God also gives us grace to live as Jesus wants us to live.

Blessed are you among women,
and blessed is the fruit of your womb, Jesus.

Mary was special because of her willingness to answer God's call. God also calls us to be a sign of his love in the world.

Holy Mary, Mother of God, pray for us sinners,
now and at the hour of our death.

Mary prays for our needs and the needs of the world. We ask her to support us as we present our own needs to God. Ask Mary to be with you as you present your needs before God.

Amen.

God's Mercy, Our Trust

Adam, Eve, and Cain made decisions that showed a lack of trust in God. Even though they sinned, God had mercy on them. In the story of Noah and the ark, God promised that he would never give up on us. We must always remember to place our trust in him.

Words of Wisdom

Many Bible verses teach us to put our faith and trust in the Lord. Read Proverbs 3:5–6, 1 John 1:9, and Jeremiah 17:7. On a separate sheet of paper, rewrite the verses in your own words.

Resumen del tema

La historia de Caín y Abel muestra lo rápido que las personas comenzaron a pecar después que Adán y Eva perdieron su confianza en Dios y lo desobedecieron. Dios renovó esta confianza a través de Noé y prometió ayudarnos aun cuando pecamos. Cuando confiamos en Dios y obedecemos sus órdenes, podemos evitar el pecado y vivir juntos en paz.

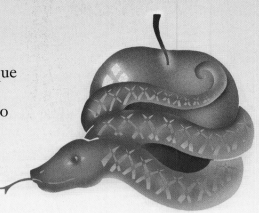

Palabras que aprendí

jardín del Edén

Maneras de ser como Jesús

Después de su bautizo, Jesús fue tentado. Él resistió la tentación porque recordó los mandamientos de Dios en el Antiguo Testamento. *Apóyate en los versículos de las Escrituras para fortalecer tu fe en Dios.*

Oración

Dios, gracias por no abandonar a las personas, aunque a menudo nos olvidemos de ti. Ayúdame a escucharte y hacer lo que me pides que haga.

Con mi familia

Actividad Busca un objeto que le recuerde a tu familia el amor y la misericordia de Dios. Puede ser una fotografía, una estatuilla o cualquier objeto que evoque un momento en el que Dios cuidó de tu familia. Pon este objeto a la vista en un lugar prominente de tu casa.

Fe para el camino Pregúntense unos a otros: *Si fueras a dibujar o ilustrar la misericordia de Dios, ¿cómo se vería?*

Oración en familia Recen juntos el Avemaría.

Faith Summary

The story of Cain and Abel shows how quickly people began to sin after Adam and Eve lost trust in God and disobeyed him. God renewed that trust through Noah and through his promise to help us even though we sin. When we trust God and obey his commands, we can avoid sin and live peacefully together.

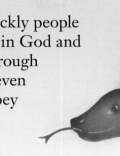

Words I Learned

Garden of Eden

Ways of Being Like Jesus

After his baptism, Jesus was tempted. He resisted temptation by remembering God's commands in the Old Testament. *Rely on verses from the Scriptures to strengthen your faith in God.*

Prayer

God, thank you for not giving up on people, even though we often forget you. Help me listen to you and do what you prompt me to do.

With My Family

Activity Find an object that will remind your family of God's love and mercy. It may be a photograph, a statue, or any object that reminds you of a time when God took care of your family. Display this object in a prominent place in your home.

Faith on the Go Ask one another: *If you were to draw a picture to illustrate God's mercy, what would it look like?*

Family Prayer Pray together the Hail Mary.

Abrahán escucha a Dios

¿Qué cosas que te piden tus padres son difíciles para ti?

Sara y Abrahán tienen un hijo

La historia de Sara y Abrahán ocurre muchos años después de Noé y el Diluvio Universal, cuando ya el mundo había sido poblado otra vez.

Abrahán y Sara habían estado casados por mucho tiempo, pero no tenían hijos. Una noche Dios llevó a Abrahán afuera y le dijo: "Mira el cielo y cuenta las estrellas si puedes". Él le dijo a Abrahán que tendría tantos descendientes como estrellas hay en el cielo nocturno.

Años después Sara todavía no había quedado embarazada. Entonces llegaron tres visitantes, enviados por Dios, a ver a Abrahán y a Sara. Ellos anunciaron que en un año Sara tendría un hijo varón. Aunque Abrahán y Sara pensaban que eran demasiado mayores para tener niños, Sara dio a luz a Isaac un año después.

adaptado de Génesis 15:1–5; 18:1–10

(Continúa en la página 15).

Abrahán y los tres ángeles, Ludovico Carracci, 1555–1619.

Oración

Dios, Creador mío, a lo largo de los años has fortalecido la fe de la gente. Por favor, fortalece la mía ahora.

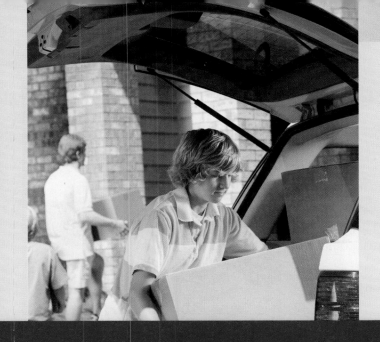

Abraham Listens to God

What are some things that your parents ask you to do that are difficult for you?

Sarah and Abraham Have a Child

The story of Sarah and Abraham takes place many years after Noah and the Flood, when the world had many people in it once again.

> Abraham and Sarah had been married a long time, but they did not have children. One night God took Abraham outside and said, "Look up at the sky and count the stars if you can." He told Abraham that he would have as many descendants as there are stars in the night sky.
>
> Years later Sarah had still not become pregnant. Then three visitors, sent from God, came to Abraham and Sarah. They said that in a year Sarah would have a son. Even though Abraham and Sarah thought they were too old to have children, Sarah gave birth to Isaac one year later.
>
> *adapted from Genesis 15:1–5; 18:1–10*

(Continue to page 15.)

Abraham and the Three Angels, Lodovicom Carracci, 1555–1619.

Prayer

God, my Creator, over the years you have strengthened people's faith. Please strengthen mine now.

Abrahán es puesto a prueba

Cuando Isaac era joven, Dios llamó a Abrahán y le ordenó que matara a Isaac y lo quemara en el altar. Abrahán obedeció a Dios y llevó a Isaac a una montaña, donde construyó un altar. Mientras Abrahán se preparaba para matar a su hijo, apareció un mensajero de Dios y detuvo a Abrahán justo a tiempo. Dios le permitió a Abrahán sacrificar un animal como ofrenda en lugar de Isaac.

adaptado de Génesis 22:1–13

¿Por qué Dios puso a prueba a Abrahán?

La historia de Abrahán se hizo muy popular en la cultura judía en aquellos tiempos en los que el sacrificio de los primogénitos era una costumbre común en la región. Como crítica a esta práctica, los escribas y autores judíos contaron esta historia en la cual Dios detuvo a Abrahán de matar a Isaac.

En el mundo antiguo la historia de Abrahán apartó al judaísmo de las demás religiones. La historia no solamente condenó el sacrificio de niños, sino que también proporcionó un modelo humano del judío perfecto, Abrahán, quien era totalmente devoto y obediente a Dios. Abrahán e Isaac forman parte de los **patriarcas**, o fundadores del pueblo hebreo, del antiguo Israel. Los patriarcas, junto a los profetas y otros personajes del Antiguo Testamento, han sido y siempre serán honrados como santos por la Iglesia.

Leyendo la Palabra de Dios

Comprendan entonces que los verdaderos hijos de Abrahán son los que tienen fe.

Gálatas 3:7

VE A LA PÁGINA 172

Abraham Is Tested

When Isaac was a young boy, God called out to Abraham and told him to kill Isaac and burn him on an altar. Abraham obeyed God's request and brought Isaac up a mountain, where he built an altar. As Abraham prepared to take his son's life, a messenger of God appeared and stopped Abraham just in time. God allowed Abraham to offer an animal instead of Isaac as a sacrifice.

adapted from Genesis 22:1–13

Why Did God Test Abraham?

The story of Abraham became a popular tale in Jewish culture at a time when sacrificing a firstborn child was a common practice in the area. In an attempt to criticize this practice, Jewish storytellers and writers offered this story in which God stopped Abraham from killing Isaac.

In the ancient world, the story of Abraham set Judaism apart from other religions. The story not only condemned child sacrifice but also provided a human model of the perfect Jew, Abraham, who was completely obedient and faithful to God. Abraham and Isaac are listed among the **patriarchs,** or founders of the Hebrew people, within ancient Israel. Patriarchs, along with prophets and other Old Testament characters, have been and always will be honored as saints by the Church.

Reading God's Word

Realize then that it is those who have faith who are children of Abraham.

Galatians 3:7

GO TO
PAGE **172**

Oración

Esperanza y confianza

Abrahán y Sara no tenían por qué tener esperanza, y sin embargo Dios los guió a aumentar su fe y su confianza. La esperanza es una característica cristiana importante. Tenemos esperanza porque creemos que Dios nos cuida y nos muestra cómo vivir. Reza el Acto de Esperanza.

Acto de Esperanza

*Señor Dios mío, espero por tu gracia
la remisión de todos mis pecados;
y después de esta vida,
alcanzar la eterna felicidad,
porque tú lo prometiste que eres
infinitamente poderoso,
fiel, benigno y lleno de misericordia.
Quiero vivir y morir en esta esperanza.
Amén.*

Ahora agradece a Dios con tus propias palabras por su gracia y por la esperanza de poder vivir con él eternamente. Descansa en su presencia.

Los mensajeros de Dios

Dios hizo un milagro con Sara y Abrahán: les dio un hijo a una edad avanzada. Dios también envió mensajeros a Abrahán y a Sara. Recuerda que llegaron tres visitantes a ver a Abrahán y le dijeron que Sara tendría un hijo. Los visitantes eran ángeles enviados por Dios. Asimismo, cuando Abrahán estaba a punto de matar a su hijo, Dios envió a un ángel para detenerlo. Los ángeles ayudan a la gente a entender el plan de Dios y les dan a las personas el valor para seguir las instrucciones de Dios.

Lee los siguientes pasajes bíblicos: Mateo 1:18–21, Lucas 2:8–14 y Marcos 1:12–13. Cada unos de estos pasajes cuenta la historia de un ángel que se aparece y realiza una obra divina. En una hoja de papel escribe lo que el ángel hizo en cada uno de los pasajes.

Prayer

Hope and Trust

Abraham and Sarah had reasons not to hope, yet God led them to increased faith and trust. Hope is an important Christian characteristic. We hope because we believe that God cares for us and shows us how to live. Pray the Act of Hope.

Act of Hope

O my God, relying on your infinite mercy
*   and promises,*
I hope to obtain pardon of my sins,
the help of your grace,
and life everlasting, through the merits
*   of Jesus Christ,*
my Lord and Redeemer.
Amen.

Now thank God in your own words for his grace and for the hope that you will live with him forever. Rest in his presence.

The Messengers of God

God performed a miracle for Sarah and Abraham in their old age by giving them a son. God also sent messengers to Abraham and Sarah. Recall the three visitors who came to Abraham and told him that Sarah would have a son. The visitors were angels sent by God. Also, when Abraham was about to kill his son, God sent an angel to stop him. Angels help people understand God's plan, and they give people the courage to follow God's instructions.

Read the following Scripture passages: Matthew 1:18–21, Luke 2:8–14, and Mark 1:12–13. Each passage refers to a story in which an angel appears and performs and act of God. On a separate sheet of paper, write what the angel did in each passage.

Resumen del tema

Dios llamó a Abrahán y a Sara para que creyeran en él. Dios también nos llama a creer en lo que él dice y a obedecerlo porque confiamos en él.

Palabras que aprendí

Pueblo Elegido*
patriarcas

Maneras de ser como Jesús

Cuando Jesús vivió en la Tierra, aprendió a confiar en Dios. Dios le pidió a Jesús que hiciera cosas muy difíciles. Jesús oraba cuando su confianza en Dios era puesta a prueba. *Cuando se pone a prueba tu confianza en Dios, reza como lo hizo Jesús para tener fuerza.*

Oración

Dios, gracias por darnos la historia de Abrahán y Sara. Tú mantienes tus promesas y haces cosas grandes por nosotros. Ayúdame a confiar siempre en ti.

Con mi familia

Actividad Escriban juntos una oración especial pidiéndole a Dios ayuda para que tu familia tenga fe en sus promesas. Coloca la oración en la puerta del refrigerador u otro sitio donde todos puedan verla y recordar que deben confiar en Dios todos los días.

Fe para el camino Pregúntense unos a otros: *¿Qué puedes hacer para demostrar tu confianza en Dios cuando estás preocupado por tus amigos, tu escuela o la familia?*

Oración en familia *Querido Dios, ayúdanos a confiar en ti cuando enfrentamos un reto en la vida. Amén.*

* Estas palabras se enseñan con la lámina de arte. Mira la página 172.

Faith Summary

God called Abraham and Sarah to believe in him. God also calls us to believe what he says and to obey him because we trust in him.

Words I Learned

Chosen People*
patriarchs

Ways of Being Like Jesus

When Jesus lived on the earth, he learned to trust God. God asked Jesus to do some very difficult things. Jesus prayed when his trust in God was put to the test. *When your trust in God is challenged, pray as Jesus did to find strength.*

Prayer

God, thank you for the story of Abraham and Sarah. You keep your promises and do great things for us. Help me always to trust in you.

With My Family

Activity Together write a special prayer asking God to help your family have hope in his promises. Post the prayer on the refrigerator or another place where everyone can see it as a reminder to trust God every day.

Faith on the Go Ask one another: *When you are worried about friends, school, or family, what can you do to show that you put your trust in God?*

Family Prayer *Dear God, help us put our trust in you when we face challenges in life. Amen.*

* These words are taught with the Art Print. See page 172.

Celebrando el Tiempo Ordinario

Durante el año litúrgico la iglesia conmemora la vida de Jesús, desde la preparación para su llegada y su nacimiento (el Adviento y la Navidad), a lo largo de su Pasión y muerte (la Cuaresma y la Semana Santa), hasta su Resurrección y Ascensión y la venida del Espíritu Santo a los apóstoles en Pentecostés (Pascua de Resurrección). Durante el Tiempo Ordinario somos llamados a seguir a Jesús cada día.

La Iglesia celebra el Tiempo Ordinario dos veces al año. El primer período ocurre entre la Navidad y el Miércoles de Ceniza. El segundo tiempo ocurre después de la Pascua de Resurrección y continúa hasta el Adviento, al final del otoño. Al acercarse el final del Tiempo Ordinario, la Iglesia celebra el Día de Todos los Santos y el Día de Todos los Fieles Difuntos. El Tiempo Ordinario dura, en total, 33 o 34 semanas.

Tiempo Ordinario no significa "tiempo cualquiera", sino "tiempo contado". Proviene de la palabra *ordinal* del latín y se refiere al tiempo contado en cierto orden.

Oración

Querido Jesús, camina a mi lado cada día del Tiempo Ordinario. Ayúdame a sentir tu presencia y a seguir tu camino.

Celebrating Ordinary Time

During the liturgical year, the Church remembers the life of Jesus, from the preparation for his coming and his birth (Advent and Christmas), through his Passion and Death (Lent and Holy Week), to his Resurrection and Ascension and the sending of the Holy Spirit to the apostles at Pentecost (Easter). During Ordinary Time, we are called to follow Jesus every day.

The Church celebrates Ordinary Time twice during the year. Following the Christmas season and until Ash Wednesday is the first period. The second follows the Easter season and goes until the Advent season in late fall. Near the end of Ordinary Time, the Church celebrates All Saints Day and All Souls Day. The whole season of Ordinary Time lasts 33 or 34 weeks.

Ordinary time does not mean "common time," but rather "counted time." It comes from the word *ordinal* and refers to time in a certain order.

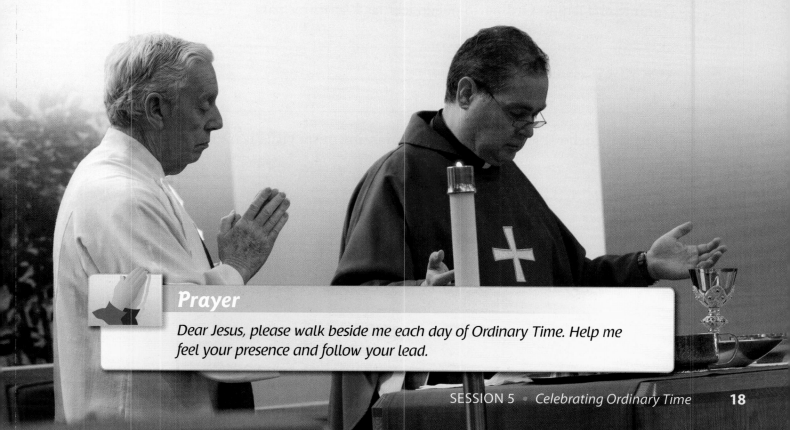

Prayer

Dear Jesus, please walk beside me each day of Ordinary Time. Help me feel your presence and follow your lead.

Vivimos las Sagradas Escrituras durante el Tiempo Ordinario

El Tiempo Ordinario es una oportunidad para crecer en nuestra fe. Desarrollamos un entendimiento más profundo de la manera en que Jesús quiere que vivamos. Reflexionamos sobre la invitación de Jesús para amar a Dios, servir a los demás y evitar el pecado, e intentamos aceptar esta invitación. Buscamos la presencia de la gracia de Dios para entender las Sagradas Escrituras. Le agradecemos las múltiples oportunidades que nos da para escuchar, asimilar y responder a la Palabra de Dios.

Querido Dios:

Cuando vamos a misa los domingos, escuchamos la lectura de los Evangelios. Estamos escuchando la Palabra de Dios hablada. En el espacio disponible, escribe una oración corta para orarla en silencio después de escuchar el Evangelio. Agradece a Dios por haber compartido su Palabra contigo y pídele ayuda para entender mejor su mensaje.

¿Cómo puedo crecer?

Durante el Tiempo Ordinario leemos las Sagradas Escrituras para acercarnos a Dios. Completa las siguientes oraciones.

Durante el Tiempo Ordinario puedo leer las Escrituras para _____

_____ .

Al leer las Escrituras me siento _____

_____ .

Cuando escucho la lectura de las Escrituras, me gusta visualizar en mi

mente _____

_____ .

Leyendo la Palabra de Dios

Encamíname fielmente,
  enséñame, pues tú eres mi Dios salvador,
  y en ti espero todo el día.

Salmo 25:5

We Experience Scripture During Ordinary Time

Ordinary Time is a time to grow in our faith. We develop a deeper understanding of how Jesus wants us to live. We reflect upon and try to accept Jesus' invitation to love God, serve others, and avoid sin. We seek the presence of God's grace to help us grow in our understanding of Scripture. We thank him for the many opportunities he gives us to better hear, take to heart, and respond to the Word of God.

When we go to Mass on Sundays, we hear a reading from the Gospels. We are listening to the spoken Word of God. In the space provided, write a short prayer to pray silently after you hear the Gospel. Thank God for sharing his Word with you and ask him to help you better understand his message.

Dear God,

How Can I Grow?

During Ordinary Time we read Scripture to help us grow closer to God. Complete the following sentences.

During Ordinary Time I can read Scripture in order to _____

_____.

Reading Scripture makes me feel like _____

_____.

When I hear Scripture being read, I like to picture in my mind _____

_____.

Reading God's Word

Guide me in your truth and teach me,
for you are God my savior.

Psalm 25:5

La misa durante el Tiempo Ordinario

Durante el Tiempo Ordinario escuchamos lecturas de las Sagradas Escrituras que nos ayudan a crecer en nuestra relación con Jesús. A menudo la primera lectura es sobre los hebreos, nuestros ancestros en la fe. La segunda lectura describe la vida de las primeras comunidades cristianas. En los Evangelios escuchamos sobre la vida y el ministerio de Jesús.

Vitral con la imagen de san Marcos como un león en la Catedral de Ripon, en Inglaterra.

Lo que vivimos

Antes de la proclamación del Evangelio, nos hacemos la Señal de la Cruz sobre la frente, la boca y el corazón. Pedimos a Dios, mediante su Palabra, que esté presente en nuestros pensamientos, nuestros labios y nuestros corazones.

Observa el *Leccionario*, el libro que contiene las lecturas de la misa. Si es posible, mira su tapa. Puedes ver los símbolos de los escritores del Evangelio, es decir, los evangelistas: un hombre con alas para Mateo, un león con alas para Marcos, un buey con alas para Lucas y un águila para Juan. Estos símbolos nos recuerdan la abundancia de la Buena Nueva.

Símbolos de mi fe

Dibuja un símbolo cristiano en el recuadro de la derecha. En las líneas de abajo explica lo que significa este símbolo para ti.

_____

_____

_____

_____

_____

_____

_____

VE A LA PÁGINA 173

Mass During Ordinary Time

During Ordinary Time we hear Scripture readings that help us grow in our relationship with Jesus. The first reading is often about the Hebrews, our ancestors in faith. The second reading describes life in the early Christian communities. In the Gospel we hear about the life and ministry of Jesus.

What We Experience

Before the Gospel is proclaimed, we trace the Sign of the Cross on our forehead, mouth, and heart. We ask God, through his Word, to be in our thoughts, on our lips, and in our hearts.

Stained-glass window depicting Saint Mark as a lion at Trinity Church, Ripon, England.

Notice the *Lectionary*, the book containing the readings for Mass. If possible, look at its cover. You might see the symbols of the Gospel writers, or Evangelists: a winged man for Matthew, a winged lion for Mark, a winged ox for Luke, and an eagle for John. These symbols remind us of the richness of the Good News.

Symbols of My Faith

Draw a Christian symbol in the box to the right. On the lines below, explain the meaning of this symbol to you.

_____

_____

_____

_____

_____

_____

_____

GO TO
PAGE 173

Resumen del tema

El Tiempo Ordinario tiene lugar fuera de los tiempos que celebran los aspectos específicos del misterio de Cristo. Celebramos el Tiempo Ordinario en dos partes durante el año litúrgico. Usamos este tiempo para crecer en nuestra fe y entendimiento de las Sagradas Escrituras para poder vivir de la manera en que Jesús nos lo pide.

Maneras de ser como Jesús

Jesús bendijo a sus doce apóstoles y comió con ellos en la Última Cena. *Reza antes de la comida para agradecer a Jesús las múltiples bendiciones que te ha dado.*

Oración

Dios querido, gracias por habernos dado este tiempo para escuchar tu Palabra y acercarnos más a ti. Esperamos siempre sentir el calor de tu luz sobre nuestros hombros.

Con mi familia

Actividad Cuando vayas a misa durante el Tiempo Ordinario, busca ejemplos de las ideas y los símbolos sobre los que leíste. Comenta lo que ves.

Fe para el camino Pregúntense unos a otros: *¿Por qué es importante leer las Sagradas Escrituras? ¿Cómo crees que esto te ayuda a acercarte a Dios?*

Oración en familia Usa el Tiempo Ordinario para invitar a miembros de tu familia a crecer en su fe preparando una caja para guardar oraciones y peticiones especiales.

Faith Summary

Ordinary Time falls outside of the seasons celebrating specific aspects of the mystery of Christ. We celebrate Ordinary Time in two parts during the liturgical year. We use this time to help us grow in our faith and our understanding of Scriptures so that we can live the way Jesus wants us to live.

Ways of Being Like Jesus

Jesus blessed and broke bread at the Last Supper with his twelve apostles. *Pray before mealtime to thank Jesus for the many blessings he has given you.*

Prayer

Dear God, thank you for giving us this time to listen to your Word and grow closer to you. May we always feel the warmth of your light on our shoulders.

With My Family

Activity When you go to Mass during Ordinary Time, look for examples of the ideas and symbols you read about. Talk about what you see.

Faith on the Go Ask one another: *Why is reading Scriptures so important? How do you think it helps you grow closer to God?*

Family Prayer Use Ordinary Time to invite family members to grow in faith by keeping a prayer jar for special prayer intentions or requests.

Jesús, nuestro Señor y Salvador

San Juan Neumann

Juan Neumann fue un obispo muy influyente de los Estados Unidos. Juan nació en 1811 en Bohemia, que hoy forma parte de la República Checa. Estudió para ser sacerdote en Bohemia pero fue ordenado en la ciudad de Nueva York. Luego de su ordenación, el padre Juan fue enviado al noroeste del estado de Nueva York, cerca de Búfalo.

Muchas personas de esa zona eran inmigrantes alemanes, irlandeses, franceses o escoceses. El padre Juan hablaba ocho idiomas, por lo que podía comunicarse con sus nuevos feligreses. Sirvió en Nueva York, Pensilvania y Ohio a lo largo de varios años. En 1852, en reconocimiento de su magnífica labor, fue nombrado obispo de Filadelfia. Como obispo, creó cerca de 100 escuelas católicas, escribió libros de enseñanza religiosa, incluyendo un catecismo para niños, ayudó a los pobres e incitó la devoción a Jesucristo en el Santísimo Sacramento.

Juan Neumann fue obispo de Filadelfia durante ocho años. Falleció repentinamente en 1860 mientras caminaba por una calle de la ciudad. Los católicos de Filadelfia lamentaron la pérdida de su guía espiritual. La Iglesia lo conmemora el 5 de enero.

SESIÓN 6

Dios es fiel

¿De qué maneras se manifiesta Dios a través de alguien que conoces para traer el bien al mundo?

Oración

Dios amoroso, ayúdame a ver tu presencia en todos los sucesos ordinarios de mi vida.

Saint John Neumann

John Neumann was a very influential United States bishop. John was born in 1811 in Bohemia, which is now part of the Czech Republic. John studied for the priesthood in Bohemia, but he was ordained in New York City. Soon after his ordination, Father John was sent to northwestern New York State, near Buffalo.

Many people there were German, Irish, French, or Scottish immigrants. Father John knew eight languages, so he was able to communicate with his new parishioners. Over the years he served in New York, Pennsylvania, and Ohio. In 1852, in recognition of his wonderful work, Father John was appointed bishop of Philadelphia. As bishop, he established nearly 100 Catholic schools, wrote religious instruction books, including a children's catechism, helped those who were poor, and strongly encouraged devotion to Jesus Christ in the Blessed Sacrament.

John Neumann served as bishop of Philadelphia for eight years. He died suddenly in 1860 while leisurely walking along a city street. The Catholics of Philadelphia mourned the loss of their spiritual leader. The Church honors him on January 5.

SESSION 6

God Is Faithful

In what ways does God work through someone you know to bring good into the world?

Prayer

Loving God, help me see your presence in all the ordinary events in my life.

Jacob engaña a su hermano

Jacob y Esaú fueron hermanos gemelos que compitieron entre sí desde el día en que nacieron. Esaú nació primero, con Jacob detrás, ¡sujetándolo del talón! Los gemelos no se parecían en nada, ni en sus rasgos físicos ni en su personalidad. Desafortunadamente, cada uno de sus padres favorecía al otro hijo. El padre, Isaac, favorecía a Esaú. La madre, Rebeca, favorecía a Jacob. Eso probablemente empeoró la rivalidad entre los hermanos.

Esaú iba a recibir el derecho de primogenitura —un honor que otorga un padre al varón que nació primero— pero Jacob quería ese derecho para sí. Un día Esaú regresó a casa después de una cacería. No había comido y tenía hambre. Jacob, que estaba cocinando, aprovechó la oportunidad. Convenció a Esaú de vender su derecho de primogenitura por un guiso.

Esa no fue la única vez que Jacob se aprovechó de Esaú. Cuando su padre estaba a punto de morir, quiso dar su bendición final a Esaú. Como estaba viejo y no veía bien, Isaac le pidió a Esaú que saliera de cacería y le trajera provisiones para preparar su plato favorito. Mientras Esaú estaba fuera, Rebeca ayudó a Jacob a fingir que él era Esaú. Jacob engañó a su padre para que este le diera la bendición. Esaú se enfureció tanto que juró matar a Jacob. Rebeca temió por la vida de Jacob y le dijo que se fuera a casa del hermano de ella, Labán, que vivía en Harán. Jacob nunca regresó a casa de sus padres.

adaptado de Génesis 25:19–34; 27:1–45

(Continúa en la página 24).

Conexión con la liturgia

Durante el Rito de la Paz el sacerdote proclama: "La paz esté con ustedes". Nosotros respondemos: "Y con tu espíritu". Luego el sacerdote nos invita a darnos fraternalmente la paz.

Jacob Deceives His Brother

Jacob and Esau were twin brothers who competed with each other from the day they were born. Esau was born first—with Jacob holding onto his heel! The twins were nothing alike, in looks or personalities. Unfortunately their parents each favored a different son. Their father, Isaac, favored Esau. Their mother, Rebecca, favored Jacob. This likely worsened the competition between the brothers.

Esau was to receive the birthright—a special honor and inheritance passed from father to firstborn son—but Jacob wanted the birthright for himself. Esau returned home from hunting one day. He had not eaten and so was hungry. Jacob, who had been cooking, realized that this was his opportunity. He convinced Esau to trade his birthright to Jacob for a bowl of stew.

That wasn't the only time Jacob took advantage of Esau. When their father was near death, he wished to give his final blessing to Esau. Old and unable to see well, Isaac asked Esau to go hunting and bring back food for his favorite meal. While Esau was gone, Rebecca helped Jacob pretend to be Esau. Jacob tricked his father into giving the blessing to him instead. Esau became so enraged that he vowed to kill Jacob. Rebecca feared for Jacob's life and told him to flee to her brother Laban in Haran. Jacob never returned to his parents' home.

adapted from Genesis 25:19–34; 27:1–45

(Continue to page 24.)

Link to Liturgy

During the Sign of Peace, the priest proclaims "The peace of the Lord be with you always." We respond "And with your Spirit." The priest then invites us to offer the sign of peace to others.

Raquel se encuentra con Jacob en el pozo, Harold Copping, 1927.

Jacob es engañado

Antes de escaparse a Harán, Jacob fue a ver a Isaac. Él le dijo a Jacob que escogiera una de las hijas de Labán como esposa. Poco después de su llegada, Jacob se encontró con Raquel, hija de Labán. Jacob aceptó trabajar para su tío por siete años para ganar el permiso de desposarla. Entonces aprendió lo que significa ser engañado. Labán le cambió a la hija y Jacob se casó por error con Lea, la hermana mayor de Raquel. El rostro de Lea estaba cubierto con un velo durante la boda. Jacob estaba acongojado, pero todavía quería casarse con Raquel. En la antigua cultura hebrea, los hombres a menudo tenían más de una esposa. Labán aceptó que Jacob se casara con Raquel bajo una condición: Jacob tenía que trabajar para él otros siete años como pago. Al pasar los años, Dios guio el destino de Jacob. Él habló con Jacob y volvió a hacer la promesa que le había hecho a Abrahán y a Isaac. Luego le dio a Jacob un nombre nuevo: Israel. Posteriormente Jacob se encontró con Esaú, el hermano a quien había engañado. Esaú perdonó a Jacob y su rivalidad finalmente terminó.

adaptado de Génesis 29:15–30

Los buenos resultados provienen del Dios amoroso

Sin duda, Jacob tenía sus imperfecciones. Era ambicioso y mentiroso. Aunque era un pecador, Dios tenía planes para Jacob. Ni siquiera los errores de Jacob pudieron arruinar los planes de Dios. La historia de Jacob es un buen ejemplo de la **Divina Providencia**. La Divina Providencia es la manera en la que la sabiduría y el amor de Dios influyen en todo lo que él ha creado. Como nos muestra la historia de Jacob, Dios pudo obtener buenos resultados a partir de malas decisiones. Tanto Jacob como su abuelo Abrahán cumplieron con los planes de Dios y la fe que tenían en él creció durante ese proceso.

VE A LA PÁGINA 174

Rachel meets Jacob at the well, Harold Copping, 1927.

Jacob Is Tricked

Before fleeing to Haran, Jacob met with Isaac. He told Jacob to choose one of Laban's daughters as a wife. Shortly after arriving, he met Laban's daughter Rachel. Jacob agreed to work for his uncle for seven years to win permission to marry her. He then learned what it was like to be on the receiving end of trickery. Laban switched daughters at the last minute and Jacob mistakenly married Rachel's older sister Leah. Leah's face was covered with a heavy veil during the wedding. Jacob was heartbroken and still wanted to marry Rachel. In ancient Hebrew culture, men often had more than one wife. Laban agreed to let Jacob marry Rachel on one condition—Jacob had to work an additional seven years as payment. Over time God guided Jacob's destiny. He spoke to Jacob and reestablished the promise he had made to Abraham and Isaac. Then he gave Jacob the new name Israel. After that, Jacob faced Esau, the brother he had tricked years before. Esau forgave Jacob and their competition finally ended.

adapted from Genesis 29:15–30

Good Results from a Loving God

Jacob certainly had his flaws. He was ambitious and deceitful. He was a sinner, yet God had plans for Jacob. Even Jacob's mistakes could not ruin God's plans. Jacob's story is a good example of **Divine Providence.** Divine Providence is the way God's wisdom and love influence all he has created. As Jacob's story shows, God was able to bring about good results from bad choices. Both Jacob and his grandfather Abraham fulfilled God's plan, and their faith for him grew in the process.

GO TO PAGE 174

Oración

Dios obtiene buenos resultados

Con esta oración puedes ofrecerle a Dios cada parte de tu vida, incluyendo tus pecados y errores.

Ofrecimiento de obras

Dios Padre nuestro,
yo te ofrezco toda mi jornada,
mis oraciones, pensamientos,
afectos y deseos, palabras,
obras, alegrías y sufrimientos,
en unión con tu Hijo Jesucristo,
que sigue ofreciéndose a Ti en la Eucaristía,
por la salvación del mundo.
Amén.

Reza esta oración en silencio. Cuando llegues a las palabras "mis oraciones, pensamientos, afectos y deseos, palabras, obras, alegrías y sufrimientos", haz una lista mental de esas cosas y ofrécelas a Dios.

Recuerda que Dios te ama

Dios puede obtener buenos resultados a partir de nuestros pecados y errores. Pero a veces las personas cuentan con Dios para resolverles un problema cuando hacen algo malo a propósito. Eso nunca es aceptable. Es una falta de respeto al amor de Dios y a su paciencia.

Aceptar las consecuencias

Lee de nuevo los relatos de Jacob. Anota las consecuencias de sus acciones en una hoja aparte.

Prayer

God Brings Good Results

With this prayer you can offer God every part of your life, including your sins and mistakes.

Morning Offering

My God, I offer you my prayers, works, joys, and sufferings of this day in union with the holy sacrifice of the Mass throughout the world. I offer them for all the intentions of your Son's Sacred Heart, for the salvation of souls, reparation for sin, and the reunion of Christians. Amen.

Pray this prayer silently. When you come to the words "my prayers, works, joys, and sufferings," list in your mind some of those things and offer them to God.

Remember That God Loves You

God can take our sins and mistakes and bring about good results. But sometimes people may count on God to get them out of trouble when they deliberately do something wrong. This is never acceptable. It shows disrespect for God's love and patience.

Accepting Consequences

Read Jacob's stories again. On a separate sheet of paper, list the consequences of his actions.

Resumen del tema

Aunque Jacob era ambicioso y mentiroso, Dios tenía planes para él. La Divina Providencia puede lograr buenos resultados a partir de malas decisiones y situaciones.

Palabras que aprendí

Divina Providencia

Maneras de ser como Jesús

Cuando Jesús necesitaba reflexionar en cómo Dios obraba a través de él, pasaba su tiempo en soledad, rezando y escuchando a Dios. *Pasa tiempo en silencio rezando y pensando cómo Dios obra a través de ti y a través de las personas que conoces.*

Oración

Dios amoroso, gracias por ser fiel conmigo incluso cuando peco. Ayúdame a confiar en ti sin importar lo que me ocurra.

Con mi familia

Actividad Pídele a un miembro de tu familia que te ayude a hacer un álbum de recortes titulado "Historia de la fe de nuestra familia". Incluye fotografías de eventos especiales, información sobre parientes que hayan hecho obras religiosas e historias sobre oraciones que hayan recibido respuesta.

Fe para el camino Pregúntense unos a otros: *¿Qué sucesos de tu vida muestran que Dios es fiel?*

Oración en familia Recen juntos el Ofrecimiento de obras. Intenten convertir esta oración en parte de la rutina matutina de la familia.

Faith Summary

Although Jacob was ambitious and deceitful, God still had a plan for him. Divine Providence can bring about good results from bad choices and situations.

Words I Learned

Divine Providence

Ways of Being Like Jesus

When Jesus needed to reflect on how God was working through him, he would spend time alone praying and listening to God. *Spend quiet time praying and thinking about how God works through you and the people you know.*

Prayer

Loving God, thank you for being faithful to me even when I sin. Help me trust in you through everything that happens to me.

With My Family

Activity Ask a family member to help you begin a "History of Our Family's Faith" scrapbook. Include photos of special events, information about relatives who have done religious work, and stories of answered prayers.

Faith on the Go Ask one another: *What are some events in your life that show God is faithful?*

Family Prayer Pray together the Morning Offering. Try to make it a part of your family's morning routine.

La pascua judía y la Eucaristía

¿Cómo celebra tu familia los eventos importantes? Piensa en una celebración en la que participaste el año pasado.

SESIÓN 7

Dios guía a una nación hacia la libertad

Durante una época de gran hambruna, los hijos de Jacob y sus familias emigraron a Egipto, esperando encontrar alivio allí. José, uno de los hijos de Jacob, ya vivía en Egipto y era un importante funcionario del gobierno. La familia de Jacob fue próspera en Egipto y después de muchas generaciones sus descendientes colmaron el país. Dios le dio a Jacob el nombre de Israel, y sus descendientes se llamaron **israelitas**. También eran conocidos como hebreos.

Mucho tiempo después de la muerte de José, el **faraón** —gobernador de Egipto— temía que los hebreos hubieran crecido demasiado en número y en poder, y que dominaran su país. Para prevenir que esto ocurriera, el faraón esclavizó a los hebreos. Los hebreos trabajaron y sufrieron bajo el dominio de los egipcios durante casi cuatro siglos, pero nunca perdieron la esperanza. Siguieron rezando al Dios de Abrahán, Isaac y Jacob para que los salvara. Dios respondió al llamado de su Pueblo Elegido y escogió a un hombre llamado Moisés para liberarlos de la esclavitud. Moisés era hebreo, pero había sido criado por la hija del faraón como hijo suyo.

adaptado de Éxodo 1:1—2:10

(Continúa en la página 28).

Oración

Dios fiel, ayúdame a recordar el sacrificio de Jesús cuando celebramos la Eucaristía.

Passover and the Eucharist

How does your family celebrate important events? Think about a celebration you took part in during the past year.

God Leads a Nation to Freedom

During a time of terrible famine, Jacob's sons and their families moved to Egypt, hoping to find relief there. Jacob's son Joseph already lived in Egypt and was serving as an important government official. Jacob's family prospered in Egypt, and after many generations his descendants filled the country. God had given Jacob the name of Israel, and so his descendants came to be called **Israelites.** They were also known as Hebrews.

Long after Joseph's death, the **pharaoh**—Egypt's ruler—feared that the Hebrews had grown so great in number and strength that they might take over his country. To prevent this from happening, the pharaoh enslaved the Hebrews. They labored and suffered under Egyptian rule for nearly four centuries, but the Hebrews never gave up hope. They continued to pray to the God of Abraham, Isaac, and Jacob to save them. Responding to the cries of his Chosen People, God chose a man named Moses to lead them out of slavery. Moses was a Hebrew, but he had been brought up as the son of the pharaoh's daughter.

adapted from Exodus 1:1—2:10

(Continue to page 28.)

Prayer

Faithful God, help me remember the sacrifice of Jesus when we celebrate the Eucharist.

Dios se revela a Moisés

Aunque Moisés fue criado como egipcio por la hija del faraón, él sabía que era hebreo. Sentía mucha simpatía por los esclavos hebreos. Un día Moisés vio a un egipcio abusando de un esclavo hebreo. Él intervino y mató al egipcio. Cuando el faraón se enteró, Moisés escapó del país. Se radicó en la tierra de Madián, donde Dios se le reveló. Moisés estaba pastoreando un rebaño de ovejas cuando oyó una voz que provenía de un arbusto en llamas. Dios le dijo que era el Dios de Abrahán y Jacob, y que había venido a liberar a los esclavos hebreos. Moisés preguntó por el nombre de Dios. Dios respondió en hebreo: "**Yavé**", que significa "Soy el que soy".

adaptado de Éxodo 2:11—3:17

El nombre de Yavé refuerza la Alianza que Dios pactó con los hebreos para estar siempre con ellos. Hoy en día Dios nos muestra su presencia por medio del Espíritu Santo.

Moisés acepta su misión

La hija del faraón sacó del agua un bebé y lo llamó Moisés, que significa "nacido" en egipcio. *Moisés* también se parece a la palabra hebrea que significa "sacar de".

Moisés vivió como egipcio, pero Dios lo eligió para liberar de la esclavitud al pueblo hebreo. Moisés dudaba que pudiera tener éxito en una tarea tan difícil. Cuando aceptó la misión sabía que tendría que confiar y seguir a Dios. Moisés regresó a Egipto para convencer al faraón de que liberara a los esclavos hebreos. El faraón era testarudo y no creía que Dios ayudaría a los hebreos. Dios tuvo que hacer muchos milagros para que el faraón cambiase de opinión. La pascua judía fue el último de esos milagros. Hoy en día el pueblo judío sigue conmemorando, mediante la celebración de la pascua judía, que Dios los liberó de la esclavitud.

VE A LA
PÁGINA 175

God Appears to Moses

Though Moses was raised as an Egyptian by the pharaoh's daughter, he knew he was a Hebrew. He felt great sympathy for the enslaved Hebrews. One day Moses saw an Egyptian abusing a Hebrew slave. He intervened and killed the Egyptian. When the pharaoh found out, Moses fled the country. He settled in the land of Midian, where God appeared to him. Moses was tending a flock of sheep when he heard a voice coming from a flaming bush. God said that he was the God of Abraham and Jacob and that he had come to free the Hebrew slaves. Moses asked God's name. God responded in Hebrew, "**Yahweh,**" which means "I am who I am."

adapted from Exodus 2:11—3:17

The name Yahweh reinforces the Covenant that God made with the Hebrew people to be with them always. Today God makes his presence known to us through the Holy Spirit.

Moses Accepts His Mission

The pharaoh's daughter drew a baby out of the water and gave him the name Moses, which means "is born" in Egyptian. *Moses* is also similar to the Hebrew word that means "to draw out."

Moses lived as an Egyptian, but God chose him to lead the Hebrew people out of slavery. Moses was hesitant that he might not succeed at such a difficult task. When he accepted the mission, he knew he would have to trust and follow God. Moses returned to Egypt to convince the pharaoh to free the Hebrew slaves. The pharaoh was stubborn and did not believe that God would help the Hebrews. God had to perform many mighty wonders before the pharaoh would change his mind. The Passover was the last of these wonders. Today the Jewish people still celebrate Passover as a memorial to God for freeing them from slavery.

GO TO PAGE 175

Oración

Salmo 23

Cuando nos reunimos para la Eucaristía, recordamos cómo Dios nos guía y nos cuida. Le damos las gracias. Busca el Salmo 23 en la Biblia y rézalo con el resto del grupo como la oración del día.

Reflexiona durante unos minutos sobre la bondad y el amor de Dios.

Celebración de la Eucaristía

La pascua judía sigue siendo celebrada hoy en día por el pueblo judío para conmemorar que Dios los liberó de la esclavitud. La Última Cena fue una cena de pascua judía que Jesús compartió con sus discípulos antes de ser crucificado. Durante la cena Jesús nos dio por primera vez el don de sí mismo mediante la Eucaristía.

En cada misa celebramos el sacrificio que hizo Jesús para salvar a la humanidad del pecado. En la **Liturgia Eucarística** el sacrificio de Jesús se hace presente

mientras compartimos su Cuerpo y su Sangre consagrados. La Liturgia Eucarística es el corazón de nuestra fe católica. La celebración de la Eucaristía nos fortalece y nos une en una comunidad de fe. Todos los católicos del mundo, incluyendo los de las **iglesias católicas orientales**, celebran la Eucaristía.

Una familia de fe

En una hoja de papel describe dos rituales o tradiciones de tu familia. Comenta cómo crees que estos fortalecen y unen a tu familia.

Psalm 23

When we gather for the Eucharist, we remember how God leads and cares for us. We give thanks. Find Psalm 23 in the Bible and pray it as a group for your prayer today.

Now spend a few minutes reflecting on God's goodness and love.

Celebrating the Eucharist

Passover is still celebrated by Jewish people today as a memorial to God for freeing them from slavery. The Last Supper was a Passover meal that Jesus shared with his disciples before he was crucified. During that meal Jesus gave the gift of himself in the Eucharist for the very first time.

In every Mass we celebrate the sacrifice that Jesus made to save humanity from sin. In the **Eucharistic liturgy,** Jesus' sacrifice becomes present to us as we share in his

Body and Blood. The Eucharistic liturgy is the heart of our Catholic faith. The Eucharist strengthens and unites us as a community of faith. Catholics throughout the world, including **Eastern Catholic Churches,** celebrate the Eucharist.

A Family of Faith

On a separate sheet of paper, describe two of your family's rituals or traditions. Tell how you think they strengthen and unite your family.

Resumen del tema

Los judíos conmemoran durante la pascua judía la noche en que Dios tuvo misericordia de sus hijos mientras castigaba a los egipcios por haber esclavizado al pueblo hebreo. La última comida de Jesús fue una cena de pascua judía, pero él le añadió un nuevo significado a esa cena, y nosotros celebramos ese significado en la Liturgia Eucarística.

Palabras que aprendí

iglesias católicas orientales　　**faraón**
Liturgia Eucarística　　**sabbat***
israelitas　　**Yavé**

Maneras de ser como Jesús

Jesús realizó muchos milagros durante su vida. En una ocasión transformó unos panes en suficiente comida para alimentar a millares de personas. *Para ayudar a alimentar a los necesitados, contribuye a las colectas de alimentos de tu localidad.*

Oración

Gracias, Jesús, por ayudarnos a entender de una nueva manera la alianza entre Dios y nosotros. Permitiste que se derramase tu propia sangre para salvarnos del pecado.

Con mi familia

Actividad Cuando participes con tu familia en la misa, pon atención especial a la Plegaria Eucarística. Después de la misa, comenta las frases y acciones que te llamaron la atención.

Fe para el camino Pregúntense unos a otros: *¿Qué cosa podrías sacrificar para ayudar a una persona necesitada?*

Oración en familia *Gracias, Señor, por el don de tu Cuerpo y tu Sangre en la Eucaristía. Ayúdanos a llevar a los demás tu mensaje de amor y sacrificio. Amén.*

* Esta palabra se enseña con la lámina de arte. Mira la página 175.

Faith Summary

During Passover Jews recall the night that God spared their children as he punished the Egyptians for enslaving the Hebrew people. Jesus' last meal was a Passover meal, but he added a new meaning to this meal, one that we celebrate in the Eucharistic liturgy.

Words I Learned

Eastern Catholic Churches   **pharaoh**
Eucharistic liturgy   **Sabbath***
Israelites   **Yahweh**

Ways of Being Like Jesus

Jesus performed many miracles during his life. On one occasion he turned a few loaves of bread into enough food to feed thousands. *Help to feed those in need by contributing to local food drives.*

Prayer

Thank you, Jesus, for helping us to understand God's covenant with us in a new way. You allowed your own blood to be shed so that we would be saved from sin.

With My Family

Activity When you participate in Mass with your family, pay special attention to the Eucharistic Prayer. After Mass, discuss phrases and actions that stood out for you.

Faith on the Go Ask one another: *What is one thing you could sacrifice to help a person in need?*

Family Prayer *Thank you, Lord, for the gift of your Body and Blood in the Eucharist. Help us spread your message of love and sacrifice to others. Amen.*

* This word is taught with the Art Print. See page 175.

Dios guía a su pueblo

Piensa en algunos viajes que hayas hecho —por vacaciones, para visitar a amigos y parientes o viajes a sitios importantes—.

SESIÓN 8

El gran Éxodo

Después de la pascua judía, el faraón ya no pudo rechazar la petición de Moisés de que liberara a los hebreos de la esclavitud. Él reconoció el increíble poder de Dios y permitió que Moisés y los hebreos se fueran de Egipto. Después de cientos de años de esclavitud, Moisés y los hebreos comenzaron su **Éxodo** —un viaje largo— a la libertad y a la Tierra Prometida.

Los israelitas deambularon por el desierto durante 40 años antes de llegar a la tierra de **Canaán**. Padecieron muchas penurias y ansiedad en el recorrido, y a veces perdieron la confianza en Dios. A menudo se quejaban con Moisés por haberlos sacado de Egipto para morir en el desierto. Estaban muy asustados, pero a lo largo del viaje Dios les suministró todo lo que necesitaban. Les dio el **maná** —un alimento caído del cielo— y agua cuando no la encontraban. Les dio una nube durante el día y una columna de fuego por la noche para guiarlos por el camino.

adaptado de Éxodo 12:31—13:22

Oración

Dios fiel, dirígeme y guíame para comprometerme más a vivir mi fe.

God Leads His People

Think about some of the trips you have taken—vacations, visits to friends and relatives, or trips to important places.

The Great Exodus

After the Passover, the pharaoh could no longer refuse Moses's request to release the Hebrews from slavery. He recognized the incredible power of God and so allowed Moses and the Hebrews to leave Egypt. After hundreds of years of slavery, Moses and the Hebrews began their **Exodus**—a long journey—to freedom and the Promised Land.

The Israelites wandered in the desert for 40 years before they settled in the land of **Canaan.** They experienced great hardship and anxiety on their journey and lost their trust in God many times. They often complained to Moses for bringing them out of Egypt to die in the desert. They were frightened, but throughout their journey God provided everything they needed. He gave them **manna**—food that fell from the sky—and water where there was none to be found. He provided a cloud by day and a pillar of fire by night to guide them along the way.

adapted from Exodus 12:31—13:22

Prayer

Faithful God, lead me and guide me to be more committed to my journey of faith.

Dios salva a los israelitas

Los acontecimientos más milagrosos del Éxodo ocurrieron cuando los hebreos cruzaron el mar Rojo. Después de que Moisés y los hebreos salieran de Egipto, el faraón cambió de opinión y quiso destruirlos. Envió un ejército muy grande a perseguirlos. El ejército egipcio alcanzó a los hebreos y los rodeó a orillas del mar Rojo. En ese momento Dios le ordenó a Moisés que se parara frente al mar y alzara su bastón. Cuando lo hizo, el agua se partió y se abrió un camino seco hacia el otro lado.

Moisés y su pueblo cruzaron el mar por el camino seco. El ejército egipcio los siguió de cerca hasta que se dieron cuenta de que los hebreos tenían a Dios de su lado. Los egipcios trataron de regresar, pero antes de que llegaran a la ribera, Dios le ordenó a Moisés que volviera a alzar su bastón. Cuando lo hizo, las paredes de agua se derrumbaron y destruyeron al ejército egipcio.

adaptado de Éxodo 14:5–31

Moisés partiendo las aguas del mar Rojo, ilustración bíblica, siglo XV.

Confiar en Dios en todo momento

¿Estás dispuesto a confiar en Dios en situaciones difíciles? Completa las oraciones de abajo para mostrar que confías en Dios.

Cuando no tengo éxito en _____, confío en que Dios _____

_____.

Cuando siento _____, confío en que Dios _____

_____.

Cuando necesito _____, confío en que Dios _____

_____.

VE A LA
PÁGINA 176

God Saves the Israelites

The most miraculous events of the Exodus occurred when the Hebrews crossed the Red Sea. After Moses and the Hebrews left Egypt, the pharaoh changed his mind and wanted to destroy them. He sent a grand army to pursue them. The Egyptian army closed in on the Hebrews, trapping them at the edge of the Red Sea. At that moment God told Moses to stand before the sea and raise his staff. As he did, the water parted and a path of dry ground stretched across to the other side.

Moses and his people crossed the sea on the dry path. The Egyptian army followed close behind until they realized that the Hebrews had God on their side. Then the Egyptians began to retreat, but before they could return to the shore, God told Moses to raise his staff again. As he did, the walls of water crashed down and destroyed the Egyptian army.

adapted from Exodus 14:5–31

Moses releasing the waters of the Red Sea, Bible illumination, 15th century.

Trusting God Through It All

Are you ready to trust God in difficult situations? Complete the sentences below to show your trust in God.

When I do not succeed at _____, I trust that God _____

_____.

When I feel _____, I trust that God _____

_____.

When I need _____, I trust that God _____

_____.

GO TO PAGE 176

Oración

Escribe una oración personal

Moisés confió en que Dios lo ayudaría a guiar a los hebreos fuera de Egipto. En una hoja de papel escribe una oración pidiéndole a Dios que te ayude a confiar en que él siempre te dirigirá, guiará y protegerá.

Es tu oración personal. ¡Sé creativo!

Reza tu oración en silencio, sabiendo que te encuentras en presencia de Dios.

Explora los Diez Mandamientos

Dios les dio a Moisés y al pueblo hebreo los Diez Mandamientos, que son instrucciones para tener una buena relación con Dios. En una hoja de papel vuelve a escribir cada mandamiento con tus propias palabras. Puedes convertir frases negativas en positivas y viceversa. Por ejemplo, después de "No robarás" puedes escribir "Sé generoso con tu prójimo". No estás reescribiendo la Biblia sino explorando el significado de estos versículos.

1. Yo soy el Señor, tu Dios. Amarás a Dios sobre todas las cosas.

2. No tomarás el nombre de Dios en vano.

3. Santificarás las fiestas.

4. Honrarás a tu padre y a tu madre.

5. No matarás.

6. No cometerás actos impuros.

7. No robarás.

8. No darás falso testimonio ni mentirás.

9. No consentirás pensamientos ni deseos impuros.

10. No codiciarás los bienes ajenos.

Prayer

Write a Personal Prayer

Moses trusted that God would help him lead the Hebrews out of Egypt. On a separate sheet of paper, write a prayer asking God to help you trust that he is always there to lead, guide, and protect you.

This is your personal prayer. Be creative!

Silently pray your prayer to yourself, knowing that you are in the presence of God.

Exploring the Ten Commandments

God gave Moses and the Hebrew people the Ten Commandments as instructions to have a good relationship with God. On a separate sheet of paper, rewrite each Commandment in your own words. You can rewrite negative statements to make them positive or vice versa. For example, after "You shall not steal," you could write "Be generous to others." You are not rewriting the Bible but rather exploring the meaning of these verses.

1. I am the Lord your God: you shall not have strange gods before me.

2. You shall not take the name of the Lord your God in vain.

3. Remember to keep holy the Lord's day.

4. Honor your father and your mother.

5. You shall not kill.

6. You shall not commit adultery.

7. You shall not steal.

8. You shall not bear false witness against your neighbor.

9. You shall not covet your neighbor's wife.

10. You shall not covet your neighbor's possessions.

Resumen del tema

Dios renovó su Alianza con Abrahán liberando a los hebreos de la esclavitud y protegiéndolos a lo largo de su Éxodo de Egipto.

Palabras que aprendí

Canaán
Éxodo
maná

Maneras de ser como Jesús

Jesús sabía que los Diez Mandamientos y las demás enseñanzas del Antiguo Testamento eran importantes. Él añadió otro significado a nuestra fe, pero no descartó la fe de Abrahán, Isaac, Jacob y Moisés. *Sigue los Diez Mandamientos para parecerte más a Jesús.*

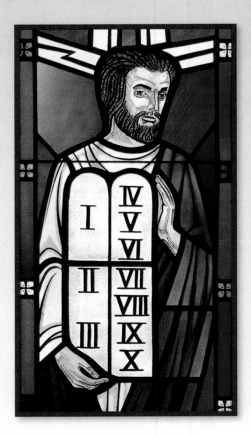

Oración

Querido Dios, gracias por ayudarme a encontrar mi camino cada día.

Con mi familia

Actividad En algún momento de esta semana, pide a cada uno de tus parientes que te ayude a escribir 10 mandamientos de tu familia para seguirlos. Cuando hayan decidido cuáles son los mandamientos, exhíbelos en un lugar donde todos puedan verlos.

Fe para el camino Pregúntense unos a otros: *¿De qué manera puedes mostrar tu confianza en Dios?*

Oración en familia *Querido Dios, guíanos para que tomemos buenas decisiones y sigamos tus mandamientos cada día. Amén.*

Faith Summary

God renewed his Covenant with Abraham by freeing the Hebrews from slavery and protecting them throughout their Exodus from Egypt.

Words I Learned

Canaan
Exodus
manna

Ways of Being Like Jesus

Jesus knew that the Ten Commandments and the other teachings of the Old Testament were important. He added new meaning to our faith, but he did not set aside the faith of Abraham, Isaac, Jacob, and Moses. *Follow the Ten Commandments to be more like Jesus.*

Prayer

Dear God, thank you for helping me to find my way each day.

With My Family

Activity Sometime during this week, ask everyone in your family to help write 10 family commandments to follow. When you have decided on these commandments, display them in a place where everyone can see them.

Faith on the Go Ask one another: *In what ways can you show your trust in God?*

Family Prayer *Dear God, guide us to make good choices and follow your Commandments every day. Amen.*

Ser fiel a Dios

Piensa en todas las decisiones que tomas cada día. ¿Cómo puedes distinguir entre las buenas y las malas decisiones?

SESIÓN 9

Decisiones

En Génesis leímos sobre Noé y el Diluvio Universal. En la historia del Éxodo Dios partió el mar Rojo para salvar a los hebreos y luego destruyó al ejército egipcio. El Antiguo Testamento también relata historias personales sobre algunas personas que tuvieron que tomar decisiones difíciles que cambiaron su vida. Estas historias nos ayudan a entender por qué es importante tomar buenas decisiones en nuestra vida. Estas historias también nos muestran las consecuencias de tomar malas decisiones. Podemos aplicar las lecciones de estas historias a las decisiones que nosotros tomamos. Las historias de David y Rut nos muestran cómo las decisiones morales pueden afectar nuestra relación con Dios.

David, rey de Israel

Luego del Éxodo los hebreos se asentaron en Canaán y establecieron un reino. David, su segundo rey, unió a varias tribus bajo su mando y estableció la capital en **Jerusalén**. El reino de David era próspero y el pueblo lo aprobaba. Él era fiel y confiaba en Dios. Al crecer su poder, David se volvió arrogante y usó ese poder para conseguir lo que deseaba.

Con el tiempo, la arrogancia de David lo condujo a tomar varias decisiones malas. Le faltó el respeto al amor de Dios y pensó que podía hacer lo que quisiera sin tener que atenerse a las consecuencias.

(Continúa en la página 36).

Oración

Dios generoso, muéstrame cómo puedo tomar buenas decisiones que te honren.

Being Faithful to God

Think about all the choices you make each day. How do you tell the difference between a good choice and a bad choice?

Choices

In Genesis we read about Noah and the great flood. In the Exodus story, God parted the Red Sea to save the Hebrews and then destroyed the Egyptian army. The Old Testament also tells personal stories about people who had to make difficult decisions that changed their lives. These stories help us understand why it is important to make good decisions in our lives. These stories also show us the consequences of making bad decisions. We can apply the lessons from these stories to the decisions we make. The stories of David and Ruth show how moral choices can affect our relationship with God.

David, King of Israel

After the Exodus the Hebrews settled in Canaan and established a kingdom. David, their second king, united the various tribes under one rule and established **Jerusalem** as the capital. David's kingdom was prosperous, and the people approved of him. He was faithful and trusted in God. As David's power grew, he became arrogant and used his power to get whatever he wanted.

David's arrogance eventually led him to make several bad decisions. He disrespected God's love and thought that he could do anything without having to face the consequences.

(Continue to page 36.)

Prayer

Generous God, show me how I can make good choices that will honor you.

La decisión de David

Un día, mientras su ejército peleaba lejos, David vio a Betsabé, esposa de Urías, un capitán de su ejército. David sintió una atracción instantánea hacia Betsabé y quiso estar con ella.

David sabía que era incorrecto estar con una mujer casada. Sin embargo, sintió envidia y resentimiento hacia Urías por tener lo que él quería. Al final lo que motivó la decisión de David fue la envidia y la lujuria, más que sus conocimientos del bien y el mal. Eligió estar con Betsabé mientras Urías estaba lejos. Al cometer un acto impuro, David quebró uno de los mandamientos de Dios.

Cuando David se enteró de que Betsabé estaba encinta con su hijo, trató de encubrir su pecado. Envió a Urías al frente de combate para que muriera. Urías murió en la batalla y David se casó rápidamente con Betsabé.

adaptado de 2 Samuel 11:1–27

David tomó decisiones que quebraron dos mandamientos importantes de Dios. Aunque Dios perdonó a David por sus malas decisiones, él tuvo que vivir con las terribles consecuencias de sus acciones por el resto de su vida.

Leyendo la Palabra de Dios

Dos ciegos, que estaban sentados al costado del camino, al oír que Jesús pasaba, se pusieron a gritar: "¡[Señor,] Hijo de David, ten compasión de nosotros!".

Mateo 20:30

VE A LA
PÁGINA 177

David's Choice

One day, while his army was away at war, David saw Bathsheba, the wife of Uriah, an army captain. David felt an instant attraction to Bathsheba and wanted to be with her.

David knew that it would be wrong to be with a married woman. Nevertheless, he became envious and resentful of Uriah for having what he wanted. David ultimately based his decision on envy and lust, rather than on his knowledge of right and wrong. He chose to be with Bathsheba while Uriah was away. By committing adultery, David broke one of God's Commandments.

When David had learned that Bathsheba was pregnant with his child, he tried to cover up his sin. He arranged for Uriah to be in the front lines of battle so that he would be killed. Uriah did die in battle, and David quickly married Bathsheba.

adapted from 2 Samuel 11:1–27

David's decisions broke two of God's important Commandments. Although God forgave David for his poor choices, he had to live with the awful consequences of his actions for the rest of his life.

Reading God's Word

Two blind men were sitting by the roadside, and when they heard that Jesus was passing by, they cried out, "[Lord,] Son of David, have pity on us!"

Matthew 20:30

GO TO PAGE 177

Oración de perdón

Todos necesitamos el perdón de Dios por las malas decisiones que tomamos. El rey David tomó malas decisiones, pero en su corazón quería amar a Dios y ser la persona que Dios quería que fuera. El Salmo 51 es una oración de perdón que muestra el arrepentimiento de David. Usa esta oración adaptada del Salmo 51 como modelo para pedirle perdón a Dios.

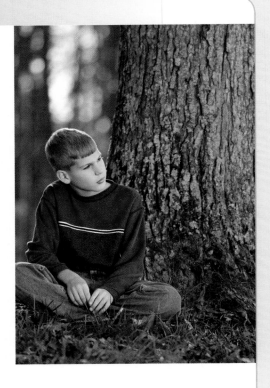

Grupo A: *Dios, estás lleno de tanta bondad y compasión. Ayúdame a borrar mis pecados y errores. Límpiame de toda culpa y dame un corazón puro.*

Grupo B: *Reconozco mi culpa y sé que he pecado contra ti. Merezco las consecuencias de mis acciones. Dame más fuerzas para seguir el camino correcto, pase lo que pase.*

Grupo A: *No alejes de mí tu presencia por haber pecado. Al perdonarme y ayudarme, los demás sabrán lo que significa ser un hijo de Dios.*

Grupo B: *Devuélveme la alegría. Ayúdame a disfrutar el ser tu hijo.*

Todos: *Gracias por tu perdón y por darme un nuevo comienzo. Amén.*

Decisiones morales

Tener la libertad de tomar decisiones, es decir, tener libre voluntad, no significa que podemos hacer lo que queramos. Dios nos recuerda que la capacidad de decidir no es solo un don, sino también una responsabilidad. No siempre es fácil tomar buenas decisiones. A veces no podemos predecir las consecuencias de nuestras decisiones. Incluso cuando la decisión moral correcta es obvia, ciertas emociones como la envidia, el miedo y la lujuria nos dificultan hacer lo correcto. Cuando tenemos que tomar decisiones morales, es importante recordar las instrucciones de Dios y de la Iglesia. Debemos tener en cuenta las consecuencias de nuestras acciones. Aunque no siempre tomemos las decisiones correctas, Dios ofrece perdón a los que lo buscan.

En una hoja de papel describe una ocasión en la que tuviste que tomar una decisión difícil. Si tuvieras que tomar la decisión otra vez, ¿harías lo mismo? ¿Cuáles fueron las consecuencias de tu decisión?

Prayer

Prayer of Forgiveness

We all need God's forgiveness for the bad choices we make. King David made some bad decisions, but deep in his heart he wanted to love God and be the person God wanted him to be. Psalm 51 is a prayer of forgiveness that highlights David's sorrow. Use this prayer adapted from Psalm 51 as a model to ask God for forgiveness.

Group A: *God, you have so much goodness and compassion. Please help me to put my sins and mistakes behind me. Wash away my guilt and give me a clean heart.*

Group B: *I know that I've done wrong and that I've sinned against you. I deserve the consequences of my actions. Give me greater strength to follow the right way, no matter what.*

Group A: *Please don't turn away from me because I've done wrong. When you forgive me and help me, others will see what it means to be a child of God.*

Group B: *Help me to be happy again. Help me to enjoy being your child.*

All: *Thank you for your forgiveness and for giving me a fresh start. Amen.*

Moral Decisions

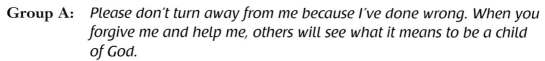

Having freedom of choice, or free will, does not mean we can do anything we please. God reminds us that choice is not only a gift granted to us but also a responsibility. We may not always find it easy to make good choices. Sometimes we cannot predict the consequences of our decisions. Even if the right moral choice is obvious, emotions such as envy, fear, and lust make it difficult to do the right thing. When we face moral decisions, it is important to remember the instructions of God and the Church. We should consider the consequences of our actions as well. Although we may not always make the right decisions, God offers forgiveness to those who seek it.

On a separate sheet of paper, describe a time when you had to make a difficult decision. If you had to choose again, would you make the same decision? What were the consequences of your decision?

Resumen del tema

Las historias bíblicas sobre las decisiones morales nos enseñan que nuestras decisiones pueden tener un impacto positivo o negativo en nuestras relaciones con Dios y con otras personas.

Palabra que aprendí

Jerusalén

Maneras de ser como Jesús

Jesús sabía que tomar buenas decisiones morales podía ser difícil. *Piensa en las consecuencias de las decisiones importantes y luego actúa según las instrucciones de Dios.*

Oración

Gracias, Dios, por darnos ejemplos de decisiones buenas y malas en las Sagradas Escrituras. Ayúdame a aprender de estas historias para así evitar tomar malas decisiones.

Con mi familia

Actividad Durante una cena, inicia una conversación en familia sobre las buenas decisiones que cada uno ha tomado esa semana y cómo lo hicieron.

Fe para el camino Pregúntense unos a otros: *¿Qué puedes hacer para asegurarte de tomar decisiones que mejoren tu relación con Dios?*

Oración en familia *Querido Dios, recuérdanos siempre buscar tu ayuda cuando tomamos decisiones difíciles. Amén.*

Faith Summary

Stories of moral choices in the Bible teach us how decisions can affect relationships with God and with other people in both positive and negative ways.

Word I Learned

Jerusalem

Ways of Being Like Jesus

Jesus knew that making the right moral choice was sometimes difficult. *Think about the consequences of important decisions and then act according to God's instructions.*

Prayer

Thank you, God, for giving us examples in the Scriptures of both good and bad choices. Help me learn from those stories to avoid making bad choices myself.

With My Family

Activity At dinner one night, lead your family in a discussion about the good decisions you have each made during the week and how you made them.

Faith on the Go Ask one another: *What can you do to ensure you make choices that improve your relationship with God?*

Family Prayer Dear God, remind us to always seek your help as we make difficult decisions. Amen.

Celebrando el Adviento

El Adviento es el tiempo del año litúrgico de la Iglesia en el que nos preparamos para celebrar el nacimiento de Jesús. Durante el Adviento nos preguntamos si estamos viviendo nuestra vida de la manera en que Jesús nos lo pidió. El Adviento también es un tiempo de esperanza, en el cual le pedimos a Dios que nos acompañe mientras nos preparamos para recibir a Emanuel, que significa "Dios con nosotros".

El Adviento dura cuatro semanas. El primer Domingo de Adviento marca el comienzo del nuevo año litúrgico. El 8 de diciembre celebramos la Inmaculada Concepción de la Virgen María, una festividad que conmemora a María. El período del Adviento termina en Nochebuena.

La palabra *Adviento* viene de la palabra del latín *adventus*, que significa "llegada" o "venida". El Adviento es un tiempo de gracia durante el cual nos preparamos para la venida de Jesús.

Oración

Querido Dios, gracias por habernos dado estas cuatro semanas de preparación para el nacimiento de tu Hijo. Estamos sumamente agradecidos por todas las personas que nos ayudan a lo largo de este camino que hemos tomado para darle la bienvenida a Jesús.

Celebrating Advent

Advent is the season in the Church's liturgical year when we prepare for the celebration of Jesus' birth. During Advent we ask ourselves if we are living the life Jesus calls us to live. Advent is also a time of hope when we ask God to be with us as we prepare to welcome Emmanuel, which means "God with us."

There are four weeks in the Advent season. The first Sunday of Advent marks the beginning of the new liturgical year. On December 8, we celebrate the Immaculate Conception, a feast honoring Mary. The Advent season ends on Christmas Eve.

The word *Advent* comes from the Latin word *adventus*, which means "arrival" or "coming." Advent is a season of grace during which we prepare ourselves for the coming of Jesus.

Prayer

Dear God, thank you for giving us these four weeks to prepare to celebrate the birth of your Son. We are so thankful for all the people that help us along this path we're traveling to welcome Jesus.

Reflexionamos durante el Adviento

El Adviento se celebra con espíritu de reflexión, anticipación, preparación y anhelo. Es un tiempo para reflexionar sobre cómo era el mundo antes del nacimiento de Jesús, cuando el Pueblo de Dios anticipaba la llegada del Salvador prometido. El anhelo del pueblo de Dios se muestra en las profecías de Isaías.

> No harán daño ni estrago por todo mi Monte Santo, porque se llenará el país de conocimiento del Señor, como colman las aguas el mar.
>
> *Isaías 11:9*

El Pueblo de Dios esperaba con ilusión la llegada del tiempo predicho en esta Escritura. Estaban llenos de esperanza y fe. Hoy en día también compartimos esa anticipación, esperanza y fe.

Somos el Pueblo de Dios

No importa si nacimos miles de años antes del nacimiento de Jesús o apenas hace 11 o 12 años, todos formamos parte del Pueblo de Dios. Al igual que los que nacieron hace miles de años anticiparon la llegada del Señor, nosotros nos preparamos a celebrar el nacimiento de Jesús y anticipamos su segunda venida. En una hoja de papel escribe una carta a un pariente lejano. Comparte lo que significa el Adviento para ti.

Leyendo la Palabra de Dios

Ustedes también, tengan paciencia y anímense, que la llegada del Señor está próxima.

Santiago 5:8

We Reflect During Advent

Advent is celebrated with a spirit of reflection, anticipation, preparation, and longing. It is a time to reflect on the world as it was before the birth of Jesus, when God's people anticipated the coming of the promised Savior. The longing of God's people is shown in the prophecies of Isaiah.

> There shall be no harm or ruin on all my holy mountain; for the earth shall be filled with knowledge of the LORD, as water covers the sea.
>
> *Isaiah 11:9*

God's people looked forward to the time foretold in this Scripture. They were filled with hope and faith. Today we share in the same anticipation, hope, and faith.

We Are God's People

Whether we were born thousands of years before Jesus' birth or just 11 or 12 years ago, we are all God's people. As those born thousands of years ago anticipated the coming of the Lord, we prepare for the celebration of Jesus' birth and anticipate his second coming. On a separate sheet of paper, write a letter to a distant relative. Share what Advent means to you.

Reading God's Word

You too must be patient. Make your hearts firm, because the coming of the Lord is at hand.

James 5:8

La misa durante el Adviento

Durante el Adviento escuchamos lecturas del Antiguo Testamento que nos hablan de cómo el Pueblo de Dios esperaba al Salvador. A veces escuchamos las lecturas de Isaías que anuncian la venida de Jesús.

Pero retoñará el tocón de Jesé, de su cepa brotará un vástago sobre el cual se posará el Espíritu del Señor: espíritu de sensatez e inteligencia, espíritu de valor y de prudencia, espíritu de conocimiento y respeto del Señor.

Isaías 11:1–2

En este pasaje la imagen de un vástago brotando en el tocón, o tronco, de Jesé, el padre de David, anuncia la llegada de Jesús y los acontecimientos milagrosos que siguieron.

Lo que vivimos

Durante el Adviento el altar se cubre con una tela morada y el sacerdote lleva vestimentas moradas. En los vitrales podría estar plasmada la relación entre el tiempo anterior y posterior a Jesús, y estos pueden incluir a los profetas que anunciaron su nacimiento.

Cómo acercarnos más a Jesús

Nuestras reflexiones sobre nosotros mismos y sobre el tiempo anterior a Jesús nos ayudan a acercarnos más a él. Nuestros amigos, nuestra familia y nuestra parroquia también nos ayudan a acercarnos más a Jesús. Menciona a dos personas en tu vida y explica cómo te ayudan a acercarte más a Jesús.

1. _____ me ayuda a acercarme más a Jesús al _____
   _____.

2. _____ me ayuda a acercarme más a Jesús al _____
   _____.

VE A LA
PÁGINA 178

Mass During Advent

During Advent, we hear readings from the Old Testament that tell about God's people as they await the Savior. Sometimes we hear readings from Isaiah that foretell Jesus' coming.

> But a shoot shall sprout from the stump of Jesse, and from his roots a bud shall blossom. The spirit of the LORD shall rest upon him: a spirit of wisdom and of understanding, A spirit of counsel and of strength, a spirit of knowledge and of fear of the LORD.   *Isaiah 11:1–2*

In this passage the imagery of a blossoming bud from the stump of Jesse, David's father, foretells Jesus' coming and the miraculous things to follow.

What We Experience

During Advent, the altar is draped with a purple cloth and the priest wears purple vestments. Images in the stained-glass windows might depict the connection between the time before and after Jesus, and may include the prophets who foretold Jesus' birth.

Growing Closer to Jesus

Our reflections of ourselves and of the time before Jesus help us grow closer to him. Our friends, family, and parish can also help us grow closer to Jesus. Name two people in your life and describe how they help your relationship with Jesus grow.

1. _____ helps me grow closer to Jesus by _____

   _____.

2. _____ helps me grow closer to Jesus by _____

   _____.

GO TO PAGE 178

Resumen del tema

El año litúrgico de la Iglesia comienza el primer Domingo de Adviento. Este tiempo nos permite prepararnos para celebrar el nacimiento de Jesús. También reflexionamos sobre los tiempos en los que el Pueblo de Dios esperaba la venida del Salvador. Al igual que las personas de los tiempos antiguos, nosotros esperamos con anhelo la venida de Jesús.

Palabras que aprendí

Árbol de Jesé*

Maneras de ser como Jesús

Jesús perdonó nuestros pecados. *Siempre debes estar preparado para perdonar a un amigo o pariente que haya tomado una mala decisión.*

Oración

Querido Dios, gracias por todas las personas maravillosas que has traído a mi vida. Por favor, ilumínanos mientras realizamos nuestro recorrido durante el tiempo de Adviento.

Con mi familia

Actividad Cuando vayas a misa durante el Adviento, busca ejemplos de las cosas mencionadas en la página anterior. Comenta lo que veas.

Fe para el camino Pregúntense unos a otros: *¿De qué manera puedes darle la bienvenida a Jesús en tu vida?*

Oración en familia Aprovecha el tiempo de Adviento para enviarle una carta a un pariente que vive lejos y decirle que lo recuerdas en tus oraciones.

* Estas palabras se enseñan con la lámina de arte. Mira la página 178.

Faith Summary

The Church's liturgical year begins on the first Sunday of Advent. The season gives us time to prepare our celebration of Jesus' birth. We also think back to the time when God's people were awaiting the coming of the Savior. Just like the people of ancient times, we wait with hope for the coming of Jesus.

Words I Learned

Jesse Tree*

Ways of Being Like Jesus

Jesus forgave our sins. *Always be willing to forgive a friend or family member who has made a bad choice.*

Prayer

Dear God, thank you for all the wonderful people you have placed in my life. Please shine your light upon us as we make our journey through the season of Advent.

With My Family

Activity When you go to Mass during Advent, look for examples of things described on the previous page. Talk about what you see.

Faith on the Go Ask one another: *In what ways can you welcome Jesus into your life?*

Family Prayer Use Advent as a time to send a letter to a relative who lives far away, saying that you remember him or her in your prayers.

* These words are taught with the Art Print. See page 178.

Santa Elena

Elena nació en el siglo III d. C. en una parte del imperio romano al norte de Italia. Pertenecía a una familia pobre y trabajó en la posada de su padre, donde conoció muchos viajeros de todo el mundo. Elena se casó con uno de esos viajeros, que era general del imperio romano.

El matrimonio con un oficial romano cambió la vida de Elena. Al poco tiempo su esposo pasó de ser un general en el ejército romano a ser el emperador de Roma. Elena dio a luz un hijo y lo llamó Constantino. Al morir el esposo de Elena, Constantino se hizo emperador y nombró a su madre emperatriz.

Los romanos habían perseguido a los cristianos durante 200 años. Bajo el mandato de Constantino la persecución terminó. Él les permitió a los cristianos rendir culto a Dios sin temor. Elena se convirtió en una devota de Jesucristo y fue bautizada. Usó su poder como emperatriz para ayudar a mucha gente. Después de visitar Belén y Jerusalén, Elena ordenó la construcción de iglesias en estas ciudades sagradas para que las personas acudieran a ellas a orar. La Iglesia rinde honor a santa Elena el 18 de agosto.

SESIÓN 11

La presencia de Dios en el Templo

Describe un lugar que te hace sentir como si Dios estuviese junto a ti.

Oración

Dios amoroso, dame la gracia para reconocer tu presencia y ayudar a otras personas a darte la bienvenida a su vida.

Saint Helena

Helena was born during the third century A.D. in a part of the Roman Empire to the north of Italy. She came from a poor family and worked at her father's inn, where she met many travelers from all over the world. Helena married one such traveler, a general in the Roman Empire.

Marriage to a Roman officer changed Helena's life. Her husband soon became more than a general in the Roman army—he became the emperor of Rome. Helena, meanwhile, gave birth to a son and named him Constantine. After her husband's death, Constantine became the emperor, and he named his mother empress of Rome.

For 200 years Roman rulers had persecuted Christians. Under Constantine's rule the persecution ended. He allowed Christians to worship without fear. Helena became a devout follower of Jesus Christ and was baptized. She used her power as empress to help as many people as she could. After visiting Bethlehem and Jerusalem, Helena ordered that churches be built in the holy cities so that people could come to pray. The Church honors Saint Helena on August 18.

SESSION 11

God's Presence in the Temple

Describe a place that makes you feel as if God were right there beside you.

Prayer

Loving God, give me the grace to know your presence and to help other people to welcome you into their lives.

El Arca de
la Alianza

El Templo de Salomón

El rey David había soñado durante muchos años con construir un gran templo para rendirle honor a Dios. Había reunido materiales para construirlo y tenía los planos para su diseño. Sin embargo, Dios tenía otros planes y eligió a Salomón, hijo de David, para cumplir ese sueño. Luego de la muerte de David, Salomón se hizo rey y reclutó a miles de hombres para empezar a construir el Templo en el monte Sion —una colina alta en Jerusalén—.

Luego del Éxodo de Egipto, los hebreos habían rendido culto a Dios en una tienda de campaña. Tenían que armar y desarmar la tienda mientras viajaban por el desierto. La tienda contenía el **Arca de la Alianza**. Se dice que en esta gran caja de oro estaban las tablas de piedra con los Diez Mandamientos que Moisés recibió en el monte Sinaí.

El Templo fue diseñado y construido por los mejores diseñadores y constructores de la época —todos siguiendo las instrucciones de Dios—. Después de siete años de trabajo, el pueblo finalmente tenía un templo en el corazón del reino. Representantes del reino entero acudieron a la dedicación del Templo. Una gran procesión cargó el Arca de la Alianza al ***Sanctasanctórum***, o Lugar Santísimo, el cuarto más sagrado dentro del Templo. Durante la ceremonia Salomón le pidió a Dios que recordara su promesa a Moisés: que Dios siempre estaría presente entre su pueblo. Salomón también le recordó al pueblo que Dios había permanecido fiel a ellos. Ordenó a las personas a que respondieran a Dios en sus corazones y cumplieran sus mandamientos.   *adaptado de 1 Reyes 6:1–8:26*

(Continúa en la página 45).

The Ark of
the Covenant

Solomon's Temple

For many years King David had dreamed of building a great temple to honor God. He had
set aside materials to build it and had plans for its design. God, however, had other plans
and chose David's son, Solomon, to fulfill that dream. After David's death, Solomon, now
the king, enlisted thousands of men to begin construction of a temple on Mount Zion—
a tall hill in Jerusalem.

Since the Exodus from Egypt, the Hebrews had worshiped God in a tent. They had to set
up the tent and then tear it down as they traveled across the desert. The tent contained
the **Ark of the Covenant.** This large gold box is said to have held the actual stone
tablets with the Ten Commandments that Moses had received on Mount Sinai.

The most talented builders and artists of the time designed and built the Temple—all
according to God's instructions. After seven years of work, the people finally had a
temple at the heart of their kingdom. Representatives of the entire kingdom attended the
dedication of the Temple. A grand procession carried the Ark of the Covenant into the
Holy of Holies, the most sacred room inside the Temple. At the ceremony Solomon
asked God to remember his promise to Moses—that God would always be present
among his people. Solomon also reminded the people that God had continued to be
faithful to them. He instructed them to respond to God in their hearts and obey the
commandments.   *adapted from 1 Kings 6:1–8:26*

(Continue to page 45.)

La presencia de Dios en el Templo

En el judaísmo de los primeros tiempos el Templo era parte importante de la vida diaria. Las personas rendían culto y celebraban fiestas y festivales para recordar la fidelidad de Dios y alabar su santidad. Se realizaban **sacrificios** de animales en estas ceremonias. Los devotos ofrecían sus animales y los sacerdotes los sacrificaban en un altar afuera del edificio principal del Templo. Los sacrificios eran una manera concreta para los devotos de agradecerle a Dios todo lo que les había dado.

A lo largo de los siglos las personas han interpretado la presencia de Dios de varias maneras. Durante el Éxodo los hebreos veían una nube durante el día y una columna de fuego durante la noche, y creían que Dios viajaba con ellos, guiándolos. Después hicieron una tienda de campaña especial, llamada tabernáculo, en la cual rendían culto a Dios. Luego Salomón construyó el Templo. Dios dio a conocer su presencia a través de los sacerdotes, profetas y reyes. Llamó a los sacerdotes para que ofrecieran sacrificios en el Templo. Llamó a los profetas para que ayudaran a las personas a entender cómo él quería que se cuidaran unos a otros. Llamó a los reyes para cuidar a las personas y reinar de manera justa.

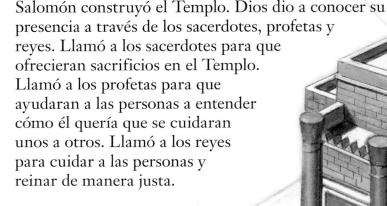

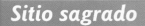

Sitio sagrado

Los constructores terminaron de construir el Templo de Salomón en el monte Sion en 953 a. C. Aunque no quedan restos arqueológicos, la Biblia describe el Templo con lujo de detalle en 1 Reyes 7:13–51. Había dos pilares grandes de bronce a cada lado de la entrada y el interior del Templo estaba decorado con esculturas de madera recubiertas en oro.

VE A LA PÁGINA 179

God's Presence in the Temple

In ancient Judaism the Temple was an important part of life. People worshiped and celebrated feasts and festivals to recall God's faithfulness and to praise his holiness. Animal **sacrifices** were common at these ceremonies. Worshipers offered animals, and priests sacrificed them on an altar outside the central Temple building. Sacrifices were a concrete way for worshipers to offer thanks for all that God had provided.

Throughout the centuries people have understood God's presence in many ways. During the Exodus the Hebrews saw a cloud by day and a pillar of fire by night and believed that God was traveling along with them, guiding their way. Eventually they made a special tent, called a tabernacle, in which to worship God. Then Solomon built the Temple. God made his presence known through the priests, prophets, and kings. He called priests to offer sacrifices in the Temple. He called prophets to help people understand how he wanted them to care for one another. He called kings to care for the people and rule in a just way.

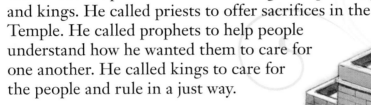

Sacred Site

Workers completed construction of Solomon's Temple on Mount Zion in 953 B.C. Although there are no archaeological remains, the Bible describes the Temple in great detail in 1 Kings 7:13–51. Two large bronze pillars rested on each side of the entrance, and the interior of the Temple was decorated with gold-plated wooden sculptures.

GO TO PAGE 179

Habita en nosotros, Espíritu Santo

Después de ser bautizados nosotros nos convertimos en templos —santuarios en los cuales habita el Espíritu Santo—. Imagina que estás ante la presencia de Jesús resucitado. Reza estas peticiones en silencio. Haz una pausa después de cada una, busca a Jesús dentro de ti y pídele que te ayude a ser un templo digno del Espíritu Santo.

*Haz que yo sea hermoso con amor y compasión que ayudarán
a sanar a los demás.*
℞. *Jesús, mi Señor, haz que yo sea un templo digno del Espíritu Santo.*

Haz que yo sea abierto, apacible y agradable con todas las personas.
℞. *Jesús, mi Señor, haz que yo sea un templo digno del Espíritu Santo.*

*Haz que yo sea feliz, lleno de alegría para darles felicidad
a los demás.*
℞. *Jesús, mi Señor, haz que yo sea un templo digno del Espíritu Santo.*

*Haz que yo sea honesto y justo para que los demás sepan que
pueden acudir a mí si necesitan ayuda y esperanza.*
℞. *Jesús, mi Señor, haz que yo sea un templo digno del Espíritu Santo.*

Somos la Iglesia

Hoy en día todos somos la Iglesia porque Dios vive en nosotros. El Espíritu Santo nos ayuda a mostrar a los demás la presencia de Dios y su amor a través de nuestras acciones. Como Iglesia y Pueblo de Dios, somos llamados a amar a los demás como Dios nos ama a nosotros. Esto quiere decir que no podemos discriminar a otras personas por su historia, raza, sexo o creencias. La **discriminación** puede hacer que las personas sientan que no son suficientemente buenas para Dios o que él no las ama.

El sacramento del Orden

Los hombres llamados a recibir el sacramento del Orden son signos visibles del sacerdocio de Jesús. El Espíritu Santo llama a los sacerdotes y los obispos a ofrecer el sacrificio de la misa y a ser líderes de la Iglesia. Los diáconos son llamados a recordarles a los cristianos que deben servirse unos a otros. En una hoja de papel escribe maneras en las que puedas mostrar a los demás que tú eres la Iglesia.

Prayer

Dwell in Us, O Holy Spirit

After Baptism we become temples—sanctuaries in which the Holy Spirit may dwell. Imagine yourself in the presence of the risen Jesus. Silently pray these petitions. Pause after each one, look to Jesus within you, and ask him to make you a worthy temple of the Holy Spirit.

Make me beautiful with love and compassion that will bring healing to others.
R̸. *Lord Jesus, make me a worthy temple of the Holy Spirit.*

Make me open, peaceful, and welcoming to all people.
R̸. *Lord Jesus, make me a worthy temple of the Holy Spirit.*

Make me joyful, full of happiness that will give joy to others.
R̸. *Lord Jesus, make me a worthy temple of the Holy Spirit.*

Make me truthful and just so that others know they can come to me for help and hope.
R̸. *Lord Jesus, make me a worthy temple of the Holy Spirit.*

We Are the Church

Today we are all the Church because God dwells within us. The Holy Spirit helps us show God's presence and love to others through our actions. As the Church and the People of God, we are called to love others as God loves us. This means that we cannot discriminate against others on the basis of their background, race, sex, or beliefs. **Discrimination** can make people feel they are not good enough for God or that he does not love them.

The Sacrament of Holy Orders

The men called to receive the Sacrament of Holy Orders are visible signs of the priesthood of Jesus Christ. The Holy Spirit calls priests and bishops to offer the Sacrifice of the Mass and to serve as leaders in the Church. Deacons are called as visible reminders for Christians to serve one another. On a separate sheet of paper, write ways you can show others that you are the Church.

Resumen del tema

El Templo de Jerusalén era un lugar donde las personas podían sentir la presencia de Dios. Después de su Resurrección, Jesucristo envió al Espíritu Santo para que reuniera a un nuevo Pueblo de Dios, la Iglesia, donde Dios está presente hoy en día.

Palabras que aprendí

Arca de la Alianza
discriminación
Sanctasanctórum
sacrificio

Maneras de ser como Jesús

Jesús amaba el Templo y lo trataba como la casa de su Padre. *Respeta tu iglesia, a las demás personas y a ti mismo como templos del Espíritu Santo.*

Oración

Jesús, mi guía, gracias por ayudarme a abrir mi corazón para que el Espíritu Santo habite en mi vida.

Con mi familia

Actividad ¿Qué objeto puede mostrar tu familia en tu hogar para que las demás personas sepan que Dios reside allí? Pide a los miembros de tu familia que te ayuden a encontrar un lugar para exhibir una obra de arte o una foto que muestre que tu hogar es un lugar sagrado.

Fe para el camino Pregúntense unos a otros: ¿Qué harías si vieras a alguien discriminando a otra persona?

Oración en familia Querido Dios, *ayúdanos a honrarnos unos a otros como templos de tu Espíritu Santo.*

Faith Summary

The Temple in Jerusalem was a place where people could experience God's presence. After his Resurrection, Jesus Christ sent the Holy Spirit to gather a new People of God, the Church, where God is present today.

Words I Learned

Ark of the Covenant
discrimination
Holy of Holies
sacrifice

Ways of Being Like Jesus

Jesus loved the Temple, and he treated it as his Father's house. *Respect your church, other people, and yourself as temples of the Holy Spirit.*

Prayer

Jesus, my guide, thank you for helping me to open myself to the Holy Spirit dwelling in my life.

With My Family

Activity What can your family display in your home to tell others that God dwells there? Ask your family members to help you find a place to display a piece of art or a picture showing that your home is a holy place.

Faith on the Go Ask one another: *If you saw someone discriminating against another person, what would you do?*

Family Prayer Dear God, *help us to honor ourselves and others as temples of your Holy Spirit.*

Salmos, las oraciones de Jesús

¿Cuál es tu manera favorita de rezar? ¿Qué palabras usas cuando rezas a solas?

Una colección de oraciones

El libro de los Salmos es una colección de 150 canciones y poemas sagrados que nos sirven de modelos para rezar. Muchos católicos rezan salmos todos los días en la **Liturgia de las Horas**, la oración oficial de la Iglesia. La Liturgia de las Horas incluye oraciones específicas que se rezan a diferentes horas del día. Los salmos nos ayudan a unir nuestros sentimientos y situaciones con las oraciones de la Iglesia. Los salmos más comunes expresan alabanza, lamentación (tristeza), agradecimiento, intercesión (peticiones) y sabiduría.

Rezar juntos y a solas

Cuando participamos en la misa o en otras liturgias, nos unimos en una **oración comunitaria**. Compartimos la experiencia de hablar con Dios y de escucharlo. El pueblo hebreo también practicaba la oración comunitaria y usaba muchos de los salmos.

Cuando hablamos con Dios a través de una **oración personal** —una conversación privada con Dios— nuestra vida espiritual se desarrolla y nuestra fe crece.

Oración

Jesús, mi Señor, ayúdame a aprender a expresarle a Dios mi gratitud, mis necesidades, mi tristeza y mis alegrías al orar los salmos como lo hiciste tú.

Psalms, the Prayers of Jesus

What is your favorite way to pray? What words do you use when you pray alone?

A Prayer Collection

The Book of Psalms is a collection of 150 sacred songs and poems that are models for how we can pray. Many Catholics pray psalms every day in the **Liturgy of the Hours**—the official prayer of the Church. The Liturgy of the Hours includes specific prayers to say at different times of the day. The psalms help us unite our own feelings and situations with the prayers of the Church as a whole. The most common types of psalms express praise, lament (sadness), thanksgiving, intercession (need), and wisdom.

Prayer Together and Alone

When we participate in Mass or other liturgies, we join in **communal prayer.** We share the experience of speaking with and listening to God. The Hebrew people also practiced communal prayer and used many of the psalms.

Our spiritual life develops and our faith grows when speak and listen to God during **personal prayer**—our own conversations with God.

Prayer

Lord Jesus, help me learn to express to God my thanks, my needs, my sadness, and my joys by praying the psalms as you did.

Literatura sapiencial

Hay varios libros del Antiguo Testamento que exploran el significado de la vida y nos dan consejos prácticos para el vivir diario. Estos libros en conjunto se conocen como **literatura sapiencial**. Estos son los libros sapienciales:

Job	la historia de un hombre, que explora el significado del sufrimiento
Proverbios	consejos cortos y poéticos para el diario vivir
Eclesiastés	un libro que explora el significado de la existencia humana
Cantar de los Cantares	un poema de amor con muchos significados
Sabiduría (de Salomón)	versos poéticos sobre la justicia y la sabiduría
Eclesiástico	versos poéticos sobre las obligaciones, la humildad y la ley

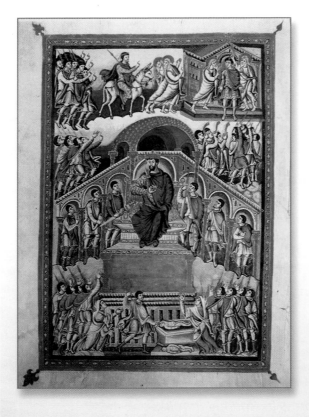

¿Por qué la sabiduría?

La sabiduría es uno de los dones del Espíritu Santo. La sabiduría nos trae entendimiento y nos ayuda a seguir a Jesucristo. A través de la sabiduría el Espíritu Santo nos prepara para reconocer a Cristo y recibirlo como Hijo de Dios y Salvador del mundo.

María, que confió en Dios con plena obediencia, es llamada Trono de la Sabiduría. El Espíritu Santo preparó al mundo mediante María para el nacimiento de Jesús. María tenía la sabiduría y la fe para cooperar con Dios y dar a luz a nuestro Salvador.

VE A LA PÁGINA 180

Wisdom Literature

There are several books in the Old Testament that explore the meaning of life and give us practical advice for everyday living. Together these books are known as **Wisdom Literature.** These are the Wisdom books:

Job	one man's story that explores the meaning of suffering
Proverbs	short, poetic advice for everyday life
Ecclesiastes	a book that explores the meaning of human existence
Song of Songs	a love poem with many meanings
Wisdom of Solomon	poetic verses about justice and wisdom
Sirach	poetic verses about duty, humility, and the law

Why Wisdom?

Wisdom is one of the gifts of the Holy Spirit. Wisdom gives us understanding and helps us follow Jesus Christ. Through wisdom the Holy Spirit prepares us to recognize Christ and receive him as the Son of God and Savior of the world.

Mary, who trusted God with perfect obedience, is called the Seat of Wisdom. The Holy Spirit worked through Mary to prepare the world for the birth of Jesus. Mary had the wisdom and faith to cooperate with God and give birth to our Savior.

GO TO PAGE 180

Oración

Reza un salmo

Los salmos nos permiten rezar sobre muchos aspectos de la vida. Cuando estamos felices y llenos de esperanza, podemos rezar salmos de alabanza y agradecimiento. Cuando nos sentimos abandonados o solos, podemos rezar salmos pidiéndole a Dios que esté con nosotros. Cuando nos sentimos perdidos, podemos rezar salmos que nos guíen hacia la luz de la promesa de Dios. Reza este salmo en grupo. El Grupo A y el Grupo B pueden leer los versículos alternadamente.

Grupo A: Que el Señor te responda en el día del aprieto, que te proteja el Nombre del Dios de Jacob.

Grupo B: Que te auxilie desde el santuario, que te apoye desde Sión.

Grupo A: Que tenga en cuenta todas tus ofrendas y halle enjundioso tu holocausto.

Grupo B: Que te conceda lo que deseas y cumpla todos tus proyectos.

Todos: Y nosotros celebraremos tu victoria, alzaremos estandartes en nombre de nuestro Dios. El Señor cumplirá todas tus peticiones.

Grupo A: Ahora sé que el Señor da la victoria a su Ungido.

Grupo B: Que le responde desde su santo cielo con los prodigios victoriosos de su diestra.

Grupo A: Confían unos en los carros, otros en la caballería; nosotros confiamos en el Señor nuestro Dios;

Grupo B: Ellos se encorvaron y cayeron; nosotros nos erguimos y nos mantenemos de pie.

Todos: ¡Señor, da la victoria al rey! ¡Respóndenos cuando te invocamos!

adaptado de Salmo 20

Los salmos y los tiempos litúrgicos

Lee los versículos de los Salmos 51:4, 96:12–13, 104:30 y 118:17. En una hoja de papel escribe el tiempo litúrgico de la Iglesia —Navidad, Cuaresma, Pascua o Pentecostés— que corresponde a cada salmo. Luego escribe la razón de tu elección.

Pray a Psalm

The psalms give us a way to pray about many aspects of life. When we are happy and full of hope, we can pray psalms of praise and thanksgiving. When we feel abandoned or sad, we can pray psalms asking God to be with us. When we have lost our way, we can pray psalms that lead us toward the light of God's promise. Pray this psalm together. Group A and Group B may read alternate verses.

Group A: The LORD answer you in time of distress; the name of the God of Jacob defend you!

Group B: May God send you help from the temple, from Zion be your support.

Group A: May God remember your every offering, graciously accept your holocaust.

Group B: Grant what is in your heart, fulfill your every plan.

All: May we shout for joy at your victory, raise the banners in the name of our God. The Lord grant your every prayer!

Group A: Now I know victory is given to the anointed of the LORD.

Group B: God will answer him from the holy heavens with a strong arm that brings victory.

Group A: Some rely on chariots, others on horses, but we on the name of the LORD our God.

Group B: They collapse and fall, but we stand strong and firm.

All: LORD, grant victory to the king; answer when we call upon you.

adapted from Psalm 20

Psalms and Seasons

Read the verses from Psalms 51:4, 96:12–13, 104:30, and 118:17. On a separate sheet of paper, write the Church season—Christmas, Lent, Easter, or Pentecost—to which each psalm applies. Then write the reason for your choice.

Resumen del tema

El libro de Salmos y la literatura sapiencial contienen oraciones que nos ayudan a expresar los problemas y las alegrías de nuestra vida. A veces podemos rezar con otras personas, mediante la oración comunitaria, y a veces rezamos a solas, mediante la oración personal.

Salmo 100, por Laura James, 2004, acrílico sobre lienzo.

Palabras que aprendí

oración comunitaria
oración personal
Liturgia de las Horas
literatura sapiencial

Maneras de ser como Jesús

Siendo un niño judío, Jesús aprendió a leer los libros del Antiguo Testamento y probablemente se aprendió de memoria muchos de los salmos. *Reza los salmos con las mismas palabras con que rezó Jesús.*

Oración

Dios, Padre, gracias por darnos los salmos como oraciones que nos ayudan a comunicarnos contigo acerca de las penas y las alegrías de nuestra vida.

Con mi familia

Actividad Elige un salmo para estudiarlo y rezarlo en familia durante la semana. Durante la última comida de la semana, recen juntos el salmo y coméntenlo.

Fe para el camino Pregúntense unos a otros: *¿Cuál es tu manera favorita de hablar con Dios?*

Oración en familia *Padre celestial, danos sabiduría para enfrentar los retos de la vida.*

Faith Summary

The Book of Psalms and the Wisdom Literature contain prayers that help us express the real problems and joys in life. Sometimes we pray with others, through communal prayer, and sometimes we pray alone, through personal prayer.

Words I Learned

communal prayer
personal prayer
Liturgy of the Hours
Wisdom Literature

Ways of Being Like Jesus

As a Jewish boy, Jesus learned to read the books of the Old Testament and probably memorized many of the psalms. *Pray the psalms and pray the same words that Jesus prayed.*

Psalm 100, Laura James, 2004, acrylic on canvas.

Prayer

Father God, thank you for giving us the psalms as prayers to help us communicate with you about the struggles and pleasures of life.

With My Family

Activity Choose a psalm for your family to study and pray for the week. At the last meal of the week, pray the psalm together and discuss it.

Faith on the Go Ask one another: *What is your favorite way to talk with God?*

Family Prayer *Heavenly Father, grant us wisdom to face all of life's challenges.*

La misión de la Iglesia

Piensa en una actividad que realiza tu iglesia para proclamar la presencia de Jesús. Compártela con los demás.

SESIÓN 13

La Iglesia conduce en la fe

Después de que el Espíritu Santo se les apareció a Pedro y los apóstoles, ellos formaron la primera Iglesia. Hoy en día la Iglesia sigue siendo el signo y el instrumento de la comunión de Dios con toda la humanidad. La Iglesia une a las personas de todo el mundo. No tenemos que realizar el viaje hacia Dios a solas. La Iglesia, como Pueblo de Dios, nos conduce, enseñándonos la verdad y comunicándonos la fe.

Dios estableció la Iglesia como medio para la Salvación de todos. Dios nos llama para que seamos miembros de la Iglesia. A través de Jesucristo en la Iglesia recibimos perdón por nuestros pecados y llegamos a formar parte de la familia de Dios. Al ser miembros de la Iglesia, el Espíritu Santo nos ayuda a creer en Cristo y a vivir como signos de la presencia de Dios en el mundo. Actuamos como miembros de la familia de Dios al celebrar los sacramentos, practicar la fe y hacer buenas obras.

Oración

Jesús, ayúdame a mostrar tu presencia a todo el que me conozca.

The Mission of the Church

Think of an activity in your church that proclaims Jesus' presence. Share it with others.

The Church Leads in Faith

After the Holy Spirit appeared to Peter and the apostles, they formed the early Church. Today the Church is still the sign and instrument of God's communion with all humanity. The Church unites people from around the world. We do not have to travel alone on our journey to God. The Church as the People of God goes ahead of us, teaching the truth and communicating faith.

God established the Church as the means of Salvation for all. God calls us to be members of the Church. Through Jesus Christ in the Church, we receive forgiveness from our sins and become part of God's family. As members of the Church, the Holy Spirit enables us to believe in Christ and to live as signs of God's presence in the world. When we celebrate the sacraments, practice our faith, and do good works, we act as members of God's family.

Prayer

Jesus, help me to make you present to everyone I meet.

Dios y su pueblo

En el jardín del Edén, Dios estaba presente con Adán y Eva y ellos hablaban y caminaban con él. Desde su desobediencia y su exilio del jardín, Dios nos ha estado atrayendo hacia él para tener una relación personal con nosotros.

- ► La familia de Noé permaneció fiel a Dios aunque nadie más lo hizo.
- ► Abrahán y su tribu se convirtieron en el Pueblo de Dios, los hebreos, que fueron la presencia de Dios entre los pueblos del mundo.
- ► David reinó sobre el pueblo como rey y representante de Dios.
- ► Salomón construyó el Templo, en el cual se rendía culto a Dios, que estaba presente allí.
- ► Jesús vino para ser la presencia de Dios entre nosotros. A través de su vida, sus milagros y sus enseñanzas, nos demostró cómo es Dios.
- ► Jesucristo volvió al Padre y estableció la Iglesia para que esta fuera la presencia de Dios en la tierra.

Como Pueblo de Dios, somos templos del Espíritu Santo. Llevamos la presencia de Dios en nuestro corazón. También somos la familia de Dios. Podemos hablar con Dios y escucharlo a través de la oración y los sacramentos.

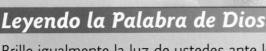

Leyendo la Palabra de Dios

Brille igualmente la luz de ustedes ante los hombres, de modo que cuando ellos vean sus buenas obras, glorifiquen al Padre de ustedes que está en el cielo.

Mateo 5:16

VE A LA PÁGINA 181

God and His People

In the Garden of Eden, God was present with Adam and Eve, and they walked and talked with him. Ever since their disobedience and exile from the garden, God has been bringing us back to a personal relationship with him.

▶ Noah's family stayed faithful to God even when no one else did.

▶ Abraham and his tribe became God's people, the Hebrews, who were God's presence among all other peoples of the world.

▶ David established rule over the people as king and God's representative.

▶ Solomon built the Temple, in which God could be present and be worshiped.

▶ Jesus came as God's presence among us. He demonstrated what God is like through his life, miracles, and teachings.

▶ Jesus Christ returned to the Father and established the Church to be God's presence on earth.

The People of God are all temples of the Holy Spirit. We carry God's presence in our hearts. We are also God's own family. We can talk with God and listen to him through prayer and the sacraments.

Reading God's Word

Just so, your light must shine before others, that they may see your good deeds and glorify your heavenly Father.

Matthew 5:16

GO TO
PAGE 181

Oración

Rezar el Padrenuestro

Al rezar el Padrenuestro, piensa en el significado más profundo de esas palabras.

Padre nuestro que estás en el cielo,

Es maravilloso poder llamarte Padre, porque tú me has creado. Soy tu hijo, pero tú eres "nuestro" Padre. Estás en el cielo, pero aún así estás conmigo.

santificado sea tu Nombre; venga a nosotros tu Reino; hágase tu voluntad en la tierra como en el cielo.

Tu nombre es sagrado y haces sagrada toda tu creación, incluyéndome a mí. Guíame por el camino de la santidad. Yo rezo por que venga tu Reino. Ayúdame a servir a tu Reino.

Danos hoy nuestro pan de cada día;

Me has dado vida. Ayúdame a recordar que es "nuestro" pan, una hogaza que debo compartir con los demás.

perdona nuestras ofensas, como también nosotros perdonamos a los que nos ofenden;

¿Cómo puedo pedir perdón si no estoy dispuesto a perdonar? Tu perdón no tiene límites. Que no haya límites en mi perdón.

no nos dejes caer en la tentación, y líbranos del mal.

Dame la fortaleza para enfrentar los retos diarios y tomar buenas decisiones.

Amén.

La Iglesia respeta otras religiones

A través de su gracia, Jesucristo puede salvar a las personas que no son miembros de la Iglesia. Los judíos respondieron a la Revelación de Dios en el Antiguo Testamento. Los musulmanes —es decir, los seguidores del islamismo— creen en el único Dios de Abrahán y sus descendientes. Como católicos, debemos reconocer y respetar el valor de otras religiones.

Imágenes de la Iglesia

Hay muchas imágenes que se usan para describir a la Iglesia. Entre ellas, la Iglesia es representada como la esposa de Cristo, el templo del Espíritu Santo y el Cuerpo de Cristo. Piensa en otra imagen que podrías usar para describir a la Iglesia. Completa la siguiente oración en una hoja de papel. La Iglesia es como _____ porque _____. Luego, haz un dibujo de esa imagen.

Prayer

Praying the Lord's Prayer

As you pray the Lord's Prayer, think about the deeper meaning of the words.

Our Father, who art in heaven,

> How wonderful that I can call you Father, because you have created me. I am your child, but you are "our" Father. You are in heaven, but you are still with me.

hallowed be thy name; thy kingdom come, thy will be done on earth as it is in heaven.

> Your name is holy, and you make all creation holy, including me. Keep me on the path to holiness. I pray for your kingdom to come. Help me to serve your kingdom.

Give us this day our daily bread,

> You have given me life. Help me to remember that it is "our" bread, one loaf that I must share with many.

and forgive us our trespasses, as we forgive those who trespass against us,

> How can I ask for forgiveness if I am not willing to forgive? There is no limit to your forgiveness. May there be no limit to mine.

and lead us not into temptation, but deliver us from evil.

> Give me the strength to face the daily struggles to make good choices.

Amen.

The Church Respects Other Religions

Jesus Christ, through his grace, can still save people who are not members of the Church. Jews responded to God's Revelation in the Old Testament. Muslims—followers of Islam—believe in the one God of Abraham and his descendants. As Catholics we recognize and respect the value of other religions.

Images of the Church

Many images are used to describe the Church. Among them are the images of the Church as the Bride of Christ, the Temple of the Holy Spirit, and the Body of Christ. Think of another image you could use to describe the Church. Complete this sentence on a separate sheet of paper: The Church is like _____ because _____. Then draw a picture of your image.

Resumen del tema

Jesucristo nos llama a ser miembros de la Iglesia, que es el signo de la comunión de Dios con la humanidad. La misión de la Iglesia es proclamar la presencia de Cristo en la actualidad.

Palabra que aprendí

crucificado*

Maneras de ser como Jesús

Jesús nos enseñó que no debemos discriminar contra otras personas. *Respeta a las personas de otras religiones.*

Oración

Jesús, gracias por incluirme en tu familia, la Iglesia, y por ayudarme a ser un signo de tu presencia en el mundo.

Con mi familia

Actividad Asigna a cada miembro de tu familia una parte diferente del "cuerpo". La "boca" de la familia debe guiar las oraciones, las "manos" deben ayudar con los quehaceres y los "ojos" deben leer la Biblia. Al final de la semana, comenten de qué manera todas las partes trabajan juntas, al igual que el Cuerpo de Cristo.

Fe para el camino Pregúntense unos a otros: *¿Cómo podemos trabajar juntos en familia para ser la Iglesia para otros?*

Oración en familia Dios, Padre, enséñanos a ser miembros fieles del Cuerpo de Cristo. Amén.

* Esta palabra se enseña con la lámina de arte. Mira la página 181.

Faith Summary

Jesus Christ calls us to be members of the Church—the sign of God's communion with humanity. The mission of the Church is to proclaim Christ's presence today.

Word I Learned

crucified*

Ways of Being Like Jesus

Jesus taught us not to discriminate against other people. *Respect people of other religions.*

Prayer

Jesus, thank you for including me in your family, the Church, and for helping me be a sign of your presence in the world.

With My Family

Activity Assign each person a different family "body" part. Have the "mouth" of the family lead prayers, the "hands" help out with chores, and the "eyes" read from the Bible. At the end of the week, discuss how all the parts work together just like the Body of Christ.

Faith on the Go Ask one another: *How can we work as a family to be the Church to others?*

Family Prayer Father God, *teach us to be faithful members of the Body of Christ. Amen.*

* This word is taught with the Art Print. See page 181.

Atributos de la Iglesia

Si alguien te pidiera que explicaras el propósito de la Iglesia, ¿qué le dirías? Comparte lo que significa la Iglesia para ti y para tu familia.

SESIÓN 14

Atributos de la Iglesia

El **Credo Niceno** fue escrito hace siglos para ayudar a los cristianos a recordar las creencias importantes de su fe. En el Credo Niceno identificamos los cuatro atributos de la Iglesia. Los cuatro atributos de la Iglesia son las cualidades que Jesucristo comparte con su Iglesia a través del Espíritu Santo. Los cuatro atributos de la Iglesia son que ella es una, santa, católica y apostólica.

La Iglesia es una

Dios es uno en el Padre, el Hijo y el Espíritu Santo. La Iglesia también es una. Jesucristo es el fundador de la Iglesia. Jesús nos trajo de vuelta a Dios y nos convirtió en la familia de Dios. La Iglesia es una en el Espíritu Santo, y el Espíritu Santo habita en todos los creyentes.

La Iglesia es santa

La Iglesia es santa porque vive en comunión con Jesucristo —la fuente de la santidad—. La Iglesia guía a los demás hacia la santidad a través del Espíritu Santo. Las personas pueden ver la santidad de la Iglesia en el amor que sus miembros se manifiestan unos a otros y en los sacrificios que realizan por el mundo.

(Continúa en la página 57).

Oración

Jesús, guíame para amar a tu Iglesia y así poder llevar tu mensaje por todo el mundo.

Marks of the Church

If someone asked you to explain the purpose of the Church, what would you say? Share what the Church means for you and your family.

Marks of the Church

The **Nicene Creed** was written centuries ago to help Christians remember the important beliefs of the faith. In the Nicene Creed, we identify the four Marks of the Church. The four Marks of the Church are qualities that Jesus Christ shares with his Church through the Holy Spirit. The four Marks of the Church are that it is one, holy, catholic, and apostolic.

The Church Is One

God is one in the Father, Son, and Holy Spirit. The Church is also one. Jesus Christ is the founder of the Church. Jesus brought us back to God and made us into the family of God. The Church is one in the Holy Spirit, and the Spirit dwells in those who believe.

The Church Is Holy

The Church is holy because the Church lives in union with Jesus Christ—the source of holiness. The Church leads others to holiness through the Holy Spirit. People can see the holiness of the Church in the love that Church members have for one another and in the many sacrifices they make for the sake of the world.

(Continue to page 57.)

Prayer

Jesus, lead me to love your Church so that I can bring your message to the world.

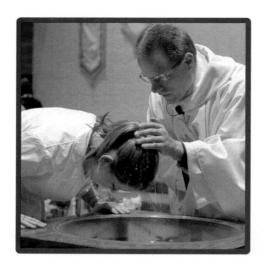

La Iglesia es católica

Católico significa "universal". La Iglesia es universal de dos maneras. Primero, la Iglesia es universal porque todas las personas bautizadas son parte de la Iglesia y poseen los medios para obtener la salvación. En segundo lugar, la misión de la Iglesia es universal porque la Iglesia es llamada a proclamar a Cristo a toda la humanidad.

La Iglesia es apostólica

La Iglesia es apostólica porque su tradición proviene directamente de los apóstoles. A través del Espíritu Santo la Iglesia conserva y continúa las enseñanzas de los apóstoles. El papa y los obispos son los sucesores de los apóstoles.

María, el ejemplo perfecto de santidad

Los cristianos fieles reflejan la santidad de Dios. María es el mejor ejemplo de santidad. María nos antecede en la santidad que es el misterio de la Iglesia. El *Magníficat*, que es su canción de respuesta a Dios, se encuentra en Lucas 1:46–55. En esa canción María alaba a Dios por haberle dado el don de la gracia.

Leyendo la Palabra de Dios

El Poderoso ha hecho grandes cosas por mí, su nombre es santo.

Lucas 1:49

VE A LA PÁGINA 182

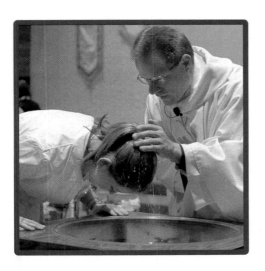

The Church Is Catholic

Catholic means "universal." The Church is universal in two ways. First, the Church is universal because all baptized people are part of the Church and possess the means of salvation. Second, the mission of the Church is universal because the Church is sent to proclaim Christ to the entire human race.

The Church Is Apostolic

The Church is apostolic because it traces its tradition directly from the apostles. With the Holy Spirit, the Church preserves and continues the teaching of the apostles. The pope and bishops are the successors of the apostles.

Mary, the Example of Perfect Holiness

Faithful Christians reflect the holiness of God. Mary is the greatest example of holiness. Mary goes before us in the holiness that is the mystery of the Church. Her song of response to God, titled the *Magnificat*, is in Luke 1:46–55. In that song Mary praises God for the gift of grace.

Reading God's Word

The Mighty One has done great things for me,
   and holy is his name.

Luke 1:49

GO TO
PAGE 182

Oración

Rezar el Credo Niceno

Al rezar, piensa en el significado del Credo.

Creo en un solo Dios, Padre todopoderoso,
Creador del cielo y de la tierra,
de todo lo visible y lo invisible.
> Dios creador, tú creas y cuidas todas las cosas.

Creo en un solo Señor, Jesucristo,
> *Hijo único de Dios,*
nacido del Padre antes de todos los siglos:
Dios de Dios, Luz de Luz,
Dios verdadero de Dios verdadero,
> Jesús, Señor, tú eres Dios, pero eres humano, como yo.
> Eres Dios y humano a la vez, y me salvaste.

Creo en el Espíritu Santo, Señor y dador de vida,
que procede del Padre y del Hijo,
> Espíritu santo, nos das vida a través de los sacramentos. Me llevas a la vida de la Trinidad.

Creo en la Iglesia,
que es una, santa, católica y apostólica.
> Mantén la Iglesia sagrada y unida como una.

Espero la resurrección de los muertos y la vida del mundo futuro.
> Espero algún día vivir eternamente en tu presencia.

Paz y unidad

La paz que experimentamos por ser el Pueblo de Dios viene de nuestra confianza en Jesucristo y en la Iglesia. Podemos estar en paz porque nuestros líderes entienden muy bien las enseñanzas de Jesús y los apóstoles. La Iglesia está compuesta de muchas personas y culturas diferentes, pero esta diversidad no afecta su unión. Permanecemos unidos porque veneramos al mismo Dios y recibimos la ayuda y la gracia del mismo Salvador, Jesucristo.

Explora las virtudes

En una hoja de papel explica cómo cada una de las siguientes virtudes nos ayudan a celebrar la unidad y la diversidad de la Iglesia: humildad, gentileza, paciencia y amor.

Prayer

Praying the Nicene Creed

As you pray, think about what the Creed means.

I believe in one God,
the Father almighty,
maker of heaven and earth,
of all things visible and invisible,
> Creator God, you made and care for all things.

I believe in one Lord Jesus Christ,
the Only Begotten Son of God,
born of the Father before all ages.
God from God, Light from Light,
true God from true God,
> Lord Jesus, you are God, but you are human, just like me. God and human together, you saved me.

I believe in the Holy Spirit, the Lord, the giver of life,
who proceeds from the Father and the Son,
> Holy Spirit, you give us life through the sacraments. You bring me into the life of the Trinity.

I believe in one, holy, catholic and apostolic Church.
> Keep the Church holy and united as one.

and I look forward to the resurrection of the dead
and the life of the world to come.
> May I some day live in your presence forever.

Peace and Unity

The peace we experience as God's People comes from our confidence in Jesus Christ and in the Church. We can be at peace because our leaders have a clear understanding of what Jesus and the apostles taught. Many different people and cultures make up the Church, but this diversity does not affect its unity. We remain united because we worship the same God and receive help and grace from the same Savior, Jesus Christ.

Exploring Virtues

On a separate sheet of paper, explain how each of the following virtues helps us to celebrate the unity and diversity of the Church: humility, gentleness, patience, and love.

Resumen del tema

Los cuatro atributos de la Iglesia —una, santa, católica y apostólica— son símbolos de la autoridad y la misión de la Iglesia. A través de la unidad de la Iglesia podemos acercarnos a Cristo y seguir su ejemplo de amor.

Palabras que aprendí

Credo Niceno

Maneras de ser como Jesús

Jesús dijo que el amor es la característica que define al pueblo de Dios y que demuestra la presencia de Dios en el mundo. *Trata a los demás con amor y bondad.*

Oración

Jesús, amigo mío, gracias por crear una Iglesia que comparte tu santidad y tu amor. Ayúdame a amar a la Iglesia y a sus líderes.

Con mi familia

Actividad Después de la misa dominical, lee junto con tu familia el boletín de tu parroquia y haz una lista de todas las cosas que hace tu parroquia para mostrar que la Iglesia es una, santa, católica y apostólica.

Fe para el camino Pregúntense unos a otros: *Si alguien te preguntara qué haces para ejemplificar los atributos de la Iglesia, ¿qué le responderías?*

Oración en familia *Querido Jesús, danos en familia las virtudes que necesitamos para compartir tu amor y tu presencia con las personas que nos rodean.*

Faith Summary

The four Marks of the Church—that it is one, holy, catholic, and apostolic—are symbols of the Church's authority and mission. Through the unity of the Church, we can continue to grow closer to Christ and follow his example of love.

Words I Learned

Nicene Creed

Ways of Being Like Jesus

Jesus said the one characteristic that would set God's people apart and show the world God's presence is love. *Treat others with love and kindness.*

Prayer

Jesus, my friend, thank you for creating a Church that shares in your holiness and love. Help me to love the Church and the Church's leaders.

With My Family

Activity After Sunday Mass look through your parish bulletin with your family and list all the things your parish is doing to show that the Church is one, holy, catholic, and apostolic.

Faith on the Go Ask one another: *If someone asked what you do to live out the Marks of the Church, what would you say?*

Family Prayer *Dear Jesus, grant our family the virtues we need to share your love and presence with those around us.*

Celebrando la Navidad

Tal vez creas que la Navidad es la celebración del nacimiento de Jesús que dura un día, pero la Navidad en realidad es un tiempo del año litúrgico entre el Adviento y el Tiempo Ordinario. El tiempo de Navidad empieza el 24 de diciembre y dura dos o tres semanas. Durante este tiempo le damos la bienvenida a Jesús y celebramos otras fiestas, entre ellas la Epifanía del Señor, 12 días después de la Navidad. Este tiempo litúrgico concluye con el Bautismo del Señor el primer domingo después de la Epifanía. Aunque la Navidad es uno de los tiempos litúrgicos más cortos, también es uno de los más alegres y emocionantes.

La palabra *Navidad* proviene del latín *nativitas*, que significa "nacimiento". Por eso usamos la palabra *Navidad*, porque celebramos el nacimiento de Cristo. El tiempo de Navidad es la alegre conclusión del tiempo de Adviento, que son las cuatro semanas durante las cuales nos preparamos para la llegada de Jesús.

Oración

Querido Jesús, me alegra mucho celebrar tu nacimiento. Por favor, acompáñame mientras aprendo más sobre el tiempo de la Navidad.

Celebrating Christmas

You may think of Christmas as a one-day celebration of Jesus' birth, but Christmas is actually a season of the liturgical year between Advent and Ordinary Time. The Christmas season begins on December 24 and continues for two or three weeks. During this time we welcome Jesus and celebrate other feasts, including the Feast of the Epiphany 12 days after Christmas. The season ends with the Feast of the Baptism of the Lord on the first Sunday after Epiphany. While Christmas is one of the shortest seasons, it is also one of the most joyful and exciting seasons.

The word *Christmas* comes from the Old English *Cristes Maesse*, meaning "Mass of Christ." Today we call it *Christmas* because we celebrate the birth of Christ at Mass. The Christmas season brings a joyful end to the Advent season, the four weeks when we prepare for and await the coming of Jesus.

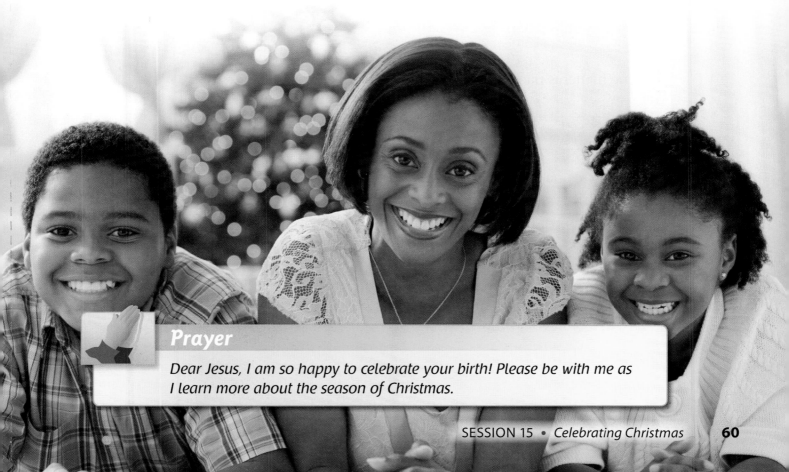

Prayer

Dear Jesus, I am so happy to celebrate your birth! Please be with me as I learn more about the season of Christmas.

Celebramos la Epifanía durante la Navidad

La Navidad es un tiempo de días feriados y fiestas que honran a Jesús y su familia. Una de las fiestas que celebramos es la **Epifanía**. La palabra *epifanía* significa "revelación", es decir, dar a conocer algo. La Epifanía celebra la noticia del nacimiento de Jesús, Hijo de Dios, para el mundo. Los tres Reyes Magos fueron los primeros en proclamar a Jesús como Rey.

Cuando nació Jesús, apareció una estrella sobre el cielo de Belén, donde había nacido Jesús. Los Reyes Magos de Oriente vieron la estrella y salieron en busca del nuevo rey para rendirle honor con valiosos regalos. Durante su viaje los Reyes Magos se detuvieron en Jerusalén para preguntar sobre el rey recién nacido. El Rey Herodes, líder del pueblo judío, llamó en secreto a los Reyes Magos. Herodes tenía miedo de perder su poder ante el nuevo rey y tramó para matarlo. Les dijo a los Reyes Magos que regresaran a Jerusalén después de encontrar al nuevo rey, para que él también pudiera visitarlo y rendirle honor.

Cuando los Reyes Magos encontraron al niño en Belén, se postraron y le ofrecieron sus regalos para rendirle honor. Luego, en un sueño, los Reyes Magos recibieron una advertencia de no volver con el Rey Herodes y entonces regresaron a su país por otro camino. Ese viaje largo y peligroso que realizaron para rendirle honor al niño Jesús fue el primer reconocimiento de que el Salvador había nacido.

adaptado de Mateo 2:1–12

¿De qué maneras puedes rendirle honor a Jesús en tu vida?

_____

_____

¿De qué forma puedes ser como la estrella que guio el camino hacia Jesús?

_____

_____

Leyendo la Palabra de Dios

Al ver la estrella se llenaron de una inmensa alegría. Entraron en la casa, vieron al niño con su madre, María, y postrándose le adoraron.

Mateo 2:10–11

We Celebrate Epiphany During Christmas

Christmas is a season of holidays and feasts honoring Jesus and his family. One of the feasts we celebrate is **Epiphany.** The word *epiphany* means "revelation"—making something known. Epiphany celebrates the news of the birth of God's Son, Jesus, to the world. Three Magi were the first to proclaim Jesus as King.

At the time of Jesus' birth, a star appeared in the sky over Bethlehem where Jesus was born. The Magi from the East saw this star and set out in search of the newborn king to honor him with valuable gifts. During the journey the Magi stopped in Jerusalem to ask about the newborn king. King Herod, the leader of the Jewish people, secretly summoned the Magi. Fearing he might lose his power to this new king, Herod plotted to kill him. He told the Magi to return to Jerusalem once they found the new king so that he might visit and honor him as well.

When the Magi found the child in Bethlehem, they fell to their knees and offered their gifts to honor him. Later, in a dream, the Magi were warned not to return to King Herod and so left for their own country by another route. Their long and dangerous journey to honor the infant Jesus is the first acknowledgment that the Savior had been born.

adapted from Matthew 2:1–12

What are some ways you can honor Jesus in your life?

_____

_____

How can you be like the shining star that guided the way to Jesus?

_____

_____

Reading God's Word

They were overjoyed at seeing the star, and on entering the house they saw the child with Mary his mother. They prostrated themselves and did him homage. *Matthew 2:10–11*

La misa durante la Navidad

Durante el tiempo de Navidad la iglesia se llena de emoción, decoraciones festivas y sonidos de alegres villancicos. Escuchamos lecturas sobre el nacimiento de Jesús, la Sagrada Familia y la Epifanía.

Lo que vivimos

Cuando mires a tu alrededor en la iglesia durante la Navidad, notarás que las vestiduras del sacerdote y los manteles del altar son de un blanco brillante —que es el color de este tiempo litúrgico—. Verás un nacimiento con el niño Jesús. Es posible que veas imágenes de tres camellos y de Gaspar, Melchor y Baltasar, los nombres tradicionales de los Reyes Magos que fueron a Belén guiados por la estrella.

Jesús y los Reyes Magos

La Epifanía es la revelación de Jesús como Hijo de Dios. María y José sabían que él era Hijo de Dios, pero nadie más lo sabía. Los Reyes Magos fueron guiados por una estrella y llegaron con regalos para rendirle honor al rey recién nacido. La llegada de los Reyes Magos fue la señal para el mundo de que el Hijo de Dios, Jesús, había nacido.

Los regalos de los Reyes Magos

Usa el código para descubrir cuáles fueron los regalos que le trajeron los Reyes Magos a Jesús. Luego lee Mateo 2:11 en tu Biblia para comprobar tus respuestas.

L I L

Ñ R I I Z

R N X R V N H L

CLAVE
A=Z
B=Y
C=X
D=W
E=V
F=U
G=T
H=S
I=R
J=Q
K=P
L=O
M=Ñ
N=N
Ñ=M
O=L
P=K
Q=J
R=I
S=H
T=G
U=F
V=E
W=D
X=C
Y=B
Z=A

¿Sabías que…?

El incienso y la mirra provienen de la resina de ciertos árboles.

VE A LA PÁGINA 183

Mass During Christmas

During the Christmas season, the church is filled with a sense of excitement, festive decorations, and sounds of joyful carols. We hear readings about the birth of Jesus, the Holy Family, and Epiphany.

What We Experience

When you look around your church at Christmas, you will notice that the priest's vestments and the altar linens are bright white—the season's liturgical color. You will see a nativity scene with the infant Jesus. You may also see images of three camels and Caspar, Melchior, and Balthazar, traditional names of the Magi who were guided by the star to Bethlehem.

Jesus and the Magi

Epiphany is the revelation of Jesus as the Son of God. While Mary and Joseph knew he was the Son of God, no one else was aware. Led by a star, the Magi arrived with gifts to honor the newborn king. The arrival of the Magi acknowledges to the world that the Son of God, Jesus, has been born.

Gifts of the Magi

Use the code to figure out the gifts the Magi brought to honor Jesus. Then check your answers by reading Matthew 2:11 in your Bible.

KEY
A=Z
B=Y
C=X
D=W
E=V
F=U
G=T
H=S
I=R
J=Q
K=P
L=O
M=N
N=M
O=L
P=K
Q=J
R=I
S=H
T=G
U=F
V=E
W=D
X=C
Y=B
Z=A

T L O W

N B I I S

U I Z M P R M X V M H V

Did You Know...?

Frankincense and myrrh both come from the sap of certain trees.

GO TO
PAGE 183

Resumen del tema

La Navidad va más allá del 25 de diciembre, el día en que celebramos el nacimiento de Jesús. Es un tiempo del año litúrgico en el que celebramos varias fiestas, entre ellas la Epifanía del Señor. Ese día celebramos la visita de los Reyes Magos al niño Jesús, el día que Jesús fue revelado como el Salvador del mundo.

Palabra que aprendí

Epifanía

Maneras de ser como Jesús

Jesús pasó mucho tiempo con sus seguidores. *Participa en las actividades de tu parroquia, como por ejemplo, una colecta de alimentos o un evento social.*

Oración

Querido Dios, ¡gracias por el don de tu Hijo, Jesús! Ayúdame, con tu ejemplo, a mostrarles a los demás cómo quiere Jesús que vivamos.

Con mi familia

Actividad Cuando vayas a la iglesia durante la Navidad, busca ejemplos de las ideas que se describen en esta sesión. Comenta lo que ves con tu familia.

Fe para el camino Pregúntense unos a otros: *¿Qué puedes hacer para ser una "estrella brillante" para Jesús?*

Oración en familia Aprovecha el timpo de la Navidad para rezar y pedirle a Dios que te ayude a convertir las preocupaciones que llegan a tu mente en oraciones por la paz.

Faith Summary

Christmas is more than just December 25, the day we celebrate Jesus' birthday. It is a season of the liturgical year when we celebrate several feasts, including the Feast of the Epiphany. On that day we celebrate the visit of the Magi to the infant Jesus, the day that Jesus was revealed as the Savior of the world.

Word I Learned

Epiphany

Ways of Being Like Jesus

Jesus spent much time with his followers. *Take part in parish activities such as food drives and social events.*

Prayer

Dear God, thank you for the gift of your Son, Jesus! Help me, by my example, show others the way Jesus wants us to live.

With My Family

Activity When you go to church during Christmas, look around for examples of the ideas described in this session. Discuss what you see with your family.

Faith on the Go Ask one another: *What is one thing you can do to be a "shining star" for Jesus?*

Family Prayer Use Christmas as a time to pray and ask for God's help to turn every worry that drifts into your thoughts to a prayer for peace.

Los sacramentos, nuestra forma de vida

San Ignacio de Loyola

En 1540 Ignacio y seis de sus compañeros formaron una comunidad religiosa conocida como la Compañía de Jesús, o los jesuitas. La nueva comunidad eligió a Ignacio como líder. La Compañía de Jesús se expandió rápidamente por toda Europa y llegó a lugares tan lejanos como Japón, donde Francisco Javier, un buen amigo de Ignacio, proclamó el Evangelio como misionero.

Ignacio no hubiera podido realizar su gran trabajo si no hubiese tenido una vida rica en oración. El centro de esa vida rica en oración era la celebración de la misa. Antes de celebrar la misa, Ignacio se preparaba y reflexionaba durante dos horas sobre su encuentro con Jesús en la misa. Ignacio les pedía a sus seguidores que no lo molestaran durante este tiempo. Durante la misa Ignacio rezaba por él mismo, por la comunidad jesuita y por todas las personas a las que servían. Ignacio vivía sus más profundas experiencias con Dios durante esos tiempos de oración. Esas experiencias de plegaria y devoción le otorgaron a Ignacio la gracia para enfrentar sus asuntos personales y los del ministerio jesuita. Su fiesta se celebra el 31 de julio.

SESIÓN 16

Los profetas desafían al pueblo

Algunos amigos nos dirán lo que queremos oír, pero nuestros mejores amigos nos dirán la verdad. ¿Con quién cuentas para vivir tu vida según tu fe?

Oración

Querido Dios, abre mi mente y corazón para escuchar tu verdad.

Sacraments, Our Way of Life

Saint Ignatius of Loyola

In 1540 Ignatius and six of his companions formed a religious community known as the Society of Jesus, or the Jesuits. The new community elected Ignatius as their leader. The Society of Jesus expanded very quickly throughout Europe and as far away as Japan, where Ignatius's dear friend Francis Xavier proclaimed the Gospel as a missionary.

Ignatius could not have kept up the great work that he did without a deep prayer life. The center of Ignatius's prayer life was the celebration of Mass. Before he celebrated Mass, Ignatius took two hours to prepare and reflect on the experience of encountering Jesus in the Mass. Ignatius ordered his followers not to disturb him during this time. During Mass, Ignatius prayed for himself, the Jesuit community, and all the people whom they served. Ignatius had his deepest experiences of God during these times of prayer. These experiences of prayer and devotion gave Ignatius the grace to face the issues in his life and of the Jesuit ministry. His feast day is July 31.

SESSION 16

Prophets Challenge the People

Some friends will tell us what we want to hear, but our best friends will tell us the truth. Who are the people you count on to help you live according to your faith?

Prayer

Dear God, open my mind and heart to hear your truth.

Los profetas

Después del reinado del Rey Salomón, su reino se dividió en dos partes: Israel al norte y Judá al sur. Durante ese tiempo Dios llamó a algunas personas a que fueran **profetas**. Cada profeta proclamó un mensaje que correspondía con su tiempo y situación particulares.

Los profetas jugaban un papel especial en la antigua sociedad judía porque hablaban por Dios. La mayor parte del tiempo los profetas aconsejaban a las personas, especialmente a los reyes, sobre cómo la sociedad podía convivir en armonía con los mandamientos de Dios. Ambos reinos, Israel y Judá, tenían sus propios problemas. Debido a esto, Dios les daba sus propios profetas para solucionar sus asuntos.

Amós y Jeremías

Entre 760 y 750 a. C. el profeta Amós se proclamó en contra de la manera en que las personas ricas del reino del norte trataban a los pobres. La preocupación de Amós por la justicia forma parte de la base de la enseñanza de la Iglesia sobre la justicia hoy en día. El profeta Jeremías pasó su vida en el reino del sur, compartiendo el mensaje de Dios con la gente de Judá. Él criticó severamente a los gobernantes, sacerdotes y al pueblo por desobedecer la alianza establecida con Abrahán y Moisés. Cuando el imperio babilónico conquistó Judá en 587 a. C., Jeremías presenció la destrucción del Templo de Salomón en Jerusalén. Fue uno de los sucesos más tristes de la historia judía y marcó el principio del exilio babilónico. Miles de judíos fueron obligados a dejar Judá y establecerse en Babilonia. Jeremías alentó a los exiliados. Los exhortó a recordar que Dios los amaba sin importar donde estuvieran.

(Continúa en la página 66).

The Prophets

After King Solomon's reign, his kingdom was divided into two smaller kingdoms—Israel to the north and Judah to the south. During this time God called on certain people to be **prophets.** Each prophet proclaimed a message that responded to his own particular time and situation.

Prophets held a unique role in ancient Jewish society because they spoke for God. For the most part, the prophets advised people, especially kings, about how their societies could exist in harmony with God's commandments. Both kingdoms, Israel and Judah, had their own problems. Because of this, God gave them their own prophets to overcome these issues.

Amos and Jeremiah

Between 760 and 750 B.C., the prophet Amos spoke out against the way in which the wealthy people of the northern kingdom were treating those who were poor. Amos's concern for justice is part of the basis for the Church's teachings about justice today. The prophet Jeremiah spent a lifetime in the southern kingdom, sharing God's message with the people of Judah. He harshly criticized the rulers, the priests, and the people for not obeying the terms of the covenant established with Abraham and Moses. When the Babylonian empire conquered Judah in 587 B.C., Jeremiah witnessed the destruction of Solomon's Temple in Jerusalem. This was one of the saddest events in Jewish history. It marked the beginning of the Babylonian exile. Thousands of Jews were forced to leave Judah and settle in Babylon. Jeremiah's advice encouraged the exiles. He urged them to remember that God loved them no matter where they were.

(Continue to page 66.)

Dios llama a Isaías

A veces Dios llama a alguien para que sea profeta de un modo espectacular. Uno de esos llamados fue a Isaías, un hombre que profetizó en Jerusalén antes del tiempo de Jeremías.

Isaías estaba en el Templo de Jerusalén cuando tuvo una visión repentina y poderosa de Dios sentado sobre un enorme trono, vestido con mantos que ondeaban por todo el Templo. Ángeles guardianes de seis alas, llamados **serafines**, flotaban a su alrededor gritando: "¡Santo, santo, santo es el Señor todopoderoso!". El Templo entero tembló y se llenó de humo.

La visión llamó la atención de Isaías. Él respondió: "Soy un hombre de labios impuros que vive entre personas de labios impuros". Isaías sintió que no merecía estar ante la presencia de Dios. Uno de los serafines respondió tomando del altar una de las brasas encendidas y colocándola en la boca de Isaías. El ángel dijo: "Ves, ahora que esto ha tocado tus labios, ha desaparecido tu maldad, tu pecado queda perdonado".

Entonces Isaías escuchó la voz de Dios: "¿A quién enviaré? ¿Quién irá en nuestro nombre?". Isaías, que ya no se sentía indigno de estar ante Dios; dijo: "¡Aquí estoy, mándame!".

adaptado de Isaías 6:1–8.

El hombre que hasta ese momento había sentido que no merecía estar en la presencia de Dios, estaba ahora listo para llevar a cabo su obra.

Un serafín tomando la brasa encendida del altar para purificar la boca de Isaías

Leyendo la Palabra de Dios

Consuelen, consuelen a mi pueblo, dice su Dios.

Isaías 40:1

VE A LA
PÁGINA **184**

God Calls Isaiah

Sometimes God calls someone to be a prophet in a spectacular way. One such calling came to a man named Isaiah, who prophesied in Jerusalem before the time of Jeremiah.

Isaiah was in the Temple of Jerusalem when he had a sudden, powerful vision of God sitting on an enormous throne, wearing clothes that flowed across the room. Six-winged angel guardians, called **seraphim,** hovered above, crying, "Holy, holy, holy is the Lord of hosts!" The entire Temple shook and filled with smoke.

This certainly got Isaiah's attention. He responded, "I am a man of unclean lips, living among a people of unclean lips." Isaiah felt that he was not worthy to be in God's presence. One of the seraphim responded by taking an ember from the live coals on the altar and touching Isaiah's mouth with it. The angel said, "See, now that this has touched your lips, your wickedness is removed, your sin purged."

Then Isaiah heard God's voice saying, "Whom shall I send? Who will go for us?" Isaiah, now free from feeling unworthy to be in God's company, said, "Here I am; send me!"

adapted from Isaiah 6:1–8

The man who had felt unworthy just moments earlier was now ready to do God's work.

Seraphim taking an ember from the live coals on the altar to clean Isaiah's mouth

Reading God's Word

Comfort, give comfort to my people, says your God.

Isaiah 40:1

GO TO
PAGE 184

Oración

Envíame, Señor

Con esta oración puedes pedirle a Dios que te ayude a escuchar a las personas que son como profetas y a ser tú como un profeta para los demás.

> *Dios Santo,*
> *ayúdame a escuchar con mi corazón*
> *cuando me enseñas la verdad sobre mi vida.*
> *Otórgame aceptación al enseñarme mi pecado y*
> *otórgame esperanza al enseñarme cómo cambiar.*
> *Ayúdame a vivir tu verdad en mi propia vida*
> *y a animar a otros para que hagan lo mismo.*
> *Gracias por usar mi mente, mi voz y mi cuerpo*
> *para llevar a cabo tu ministerio en el mundo.*
> *En el nombre de Jesús, mi profeta, mi sacerdote y mi rey. Amén.*

Dedica ahora un momento a agradecer a Dios por enviar profetas. Pídele a Dios que te ayude a vivir como él quiere que vivas. Agradécele su gracia y su guía.

El significado de la reforma

Algunos de los reyes en la historia de Israel y Judá hicieron lo posible por hacer **reformas**, o cambios, a sus sociedades. Le pidieron a su gente que dejara de obrar mal, honrara a Dios y se tratara con respeto entre sí. Hoy en día la reforma continúa siendo parte importante de la sociedad. A veces la gente busca reforma porque las leyes de la sociedad no siempre coinciden con las leyes morales de la fe. Como católicos seguimos las leyes morales de nuestra fe, aun cuando no concuerden con las leyes de la sociedad. ¿Qué harías si Dios te llamara a ser un profeta por la reforma? Escribe tus ideas en una hoja de papel.

Conoce a un profeta moderno

Dorothy Day (1897–1980) ayudó a fundar el Movimiento del Trabajador Católico, una comunidad de personas laicas que ayuda a los necesitados. Day abogaba apasionadamente por la paz y protestó contra la participación de los Estados Unidos en las guerras. En 2000 el arzobispo de Nueva York solicitó formalmente al papa que considerara declarar santa a Dorothy Day.

Prayer

Send Me, Lord

With this prayer you can ask God to help you hear people who are like prophets and to be more like a prophet for others.

Holy God,
help me to listen with my heart
   when you tell me the truth about my life.
Help me to agree when you show me my sin and
   help me to hope when you show me how to change.
Help me to live out your truth in my own life
   and to encourage others to do the same.
Thank you for using my mind, voice, and body
   to carry out your ministry in the world.
In the name of Jesus, my prophet, priest, and king.
Amen.

Now take time to thank God for sending prophets. Ask God to help you live as he calls you to live. Thank him for his grace and guidance.

What It Means to Reform

Some of the kings in the history of Israel and Judah did their best to bring **reform,** or change, to their societies. They called their people to turn from their evil ways, honor God, and treat one another with respect. Reform continues to be an important part of society today. One of the reasons people work for reform is that the laws of society are not always the same as the moral laws required by faith. As Catholics we follow the moral laws of our faith, even when they do not agree with the laws of society. What would you do if you were called by God to be a prophet for reform? Write your ideas on a separate sheet of paper.

Meet a Modern Prophet

Dorothy Day (1897–1980) cofounded the Catholic Worker Movement, a community of laypeople that serves those in need. Day was a passionate advocate for peace and protested the United States' involvement in war. In 2000 the archbishop of New York formally asked the pope to consider declaring Dorothy Day a saint.

Resumen del tema

Los profetas de Dios fueron llamados para recordarle a la gente el mensaje de Dios. A veces señalaban las consecuencias de los pecados de las personas y a veces daban ánimo al pueblo en tiempos difíciles.

Palabras que aprendí

profeta   **reformar**   **serafines**

Maneras de ser como Jesús

Como profeta, Jesús conocía las injusticias de la sociedad y llamaba a las personas a reformarse. *Manifiéstate en contra de las injusticias en tu sociedad y trabaja para hacer reformas.*

Oración

Dios Santo, gracias por haber enviado a tus profetas para decirnos lo que necesitamos escuchar. Ayúdame a estar más dispuesto a escuchar a las personas que tengo en la vida que son honestas conmigo y me dan ánimo.

Con mi familia

Actividad Busca un artículo de revista sobre alguna injusticia social. Pide a los miembros de tu familia que te ayuden a escribir una carta al editor de la revista en respuesta al artículo.

Fe para el camino Pregúntense unos a otros: *¿Qué llamado ha recibido nuestra familia para ayudar a los demás? ¿Cómo respondemos a este llamado?*

Oración en familia *Padre celestial, ayuda a cada uno de nosotros a responder: "¡Aquí estoy, Señor! ¡Mándame!" en cualquier momento y cualquier lugar en que nos llames a servir a los demás. Amén.*

Faith Summary

God's prophets were called to remind people of God's message. Sometimes they pointed out the consequences of people's sinful lives, and sometimes they brought encouragement during hard times.

Words I Learned

prophet   **reform**   **seraphim**

Ways of Being Like Jesus

As a prophet, Jesus was aware of the injustices in society and called on people to reform. *Speak out against the injustices in your society and work for reform.*

Prayer

Holy God, thank you for sending your prophets to tell us what we need to hear. Help me be more open to listening to the people in my life who are honest with me and encourage me.

With My Family

Activity Find a magazine article about a social injustice. With the help of your family, write a letter to the editor of that magazine in response to the article.

Faith on the Go Ask one another: *What is our family being called to do to help others? How can we respond to that call?*

Family Prayer *Heavenly Father, help each of us respond, "Here I am, Lord! Send me!" whenever and wherever you call us to serve. Amen.*

Los profetas traen esperanza

¿Has ido alguna vez a un lugar a donde no querías ir? Tal vez tuviste que mudarte a una nueva ciudad o empezar clases en una escuela nueva. ¿Cómo le sacaste provecho a esa situación?

SESIÓN 17

Los judíos en el exilio

Durante el exilio babilónico, cuando los judíos de Judá tuvieron que mudarse a Babilonia, no sabían si regresarían algún día a Jerusalén. Su ciudad y el Templo habían sido destruidos, y ellos vivían como prisioneros en tierra de sus enemigos. Fueron maltratados y guardaron luto por sus caídos en la guerra. No veían el final de su sufrimiento.

Fue durante ese tiempo que un nuevo profeta comenzó a profetizar ante los judíos exiliados. Él admiraba a Isaías e incluso tomó su mismo nombre. Hoy lo llamamos el Segundo Isaías. Él proclamó que Dios todavía amaba a los judíos y los cuidaría, aun en aquellos tiempos difíciles. El Segundo Isaías recalcó que Dios seguiría abogando por su pueblo, como siempre lo había hecho. Él quería que el pueblo supiera que Dios, quien había sacado a sus antepasados de Egipto, los llevaría a otro éxodo de regreso a la **Tierra Prometida**, la tierra que Dios le había dado a su pueblo.

El Espíritu Santo llamó al Segundo Isaías para consolar a los exiliados. El profeta tenía buenas razones para darles ánimo. El período del exilio (587–537 a. C.) había sido amargo. La gente añoraba con regresar a Jerusalén. Con el paso del tiempo, los recuerdos de su tierra natal se desvanecían más y más.

Oración

Jesús, mi Señor, ayúdame a escuchar el mensaje de los profetas para entender mejor la historia de mi fe católica.

Prophets Give Hope

Have you ever gone somewhere you did not want to go? Maybe you had to move to a new town or start at a new school. How did you make the best of your situation?

The Jews in Exile

During the Babylonian exile, when the Jewish people of Judah were forced to settle in Babylon, they did not know when or if they would ever return home to Jerusalem. Their great city and the Temple had been destroyed, and they were captives living in the land of their enemies. They were severely mistreated, and they mourned for those lost in the war. They saw no end to their misery.

It was during this time that a new prophet began ministering to the exiled Jews. He admired Isaiah and even took the same name. Today we call him Second Isaiah. He proclaimed that God still loved the Jews and would care for them, even during this difficult time. Second Isaiah emphasized that God would continue to act for his people, as always. He wanted them to know that God, who had led their ancestors out of Egypt, would lead them on another exodus back to the **Promised Land**—the land God had given to his people.

The Holy Spirit called on Second Isaiah to comfort the exiles. There was good reason for the prophet to speak encouraging words. The period of exile (587–537 B.C.) had been bitter. The people dreamed of returning to Jerusalem. As time went on, memories of their homeland faded more and more.

Prayer

Lord Jesus, help me to hear the message of the prophets so that I can better know the story of my Catholic faith.

Los primeros cristianos escuchan las profecías

Los escritores del Evangelio usaron el Antiguo Testamento para entender a Jesús y su mensaje. Los escritores encontraron que las enseñanzas del Segundo Isaías eran las más útiles. Ellos escribieron que el mensaje de renovación y esperanza del Segundo Isaías se había cumplido con la vida, muerte y Resurrección de Jesucristo. Lucas, por ejemplo, hace referencia a Isaías 40:3–5 cuando cuenta la historia del ministerio de Juan el Bautista y su promesa de la llegada de Jesús el Mesías (Lucas 3:4–6).

Claro, los judíos exiliados entendieron que la profecía del Segundo Isaías significaba que Dios los salvaría a ellos y que regresarían a sus hogares en Jerusalén. Los primeros cristianos, sin embargo, creían que las profecías del Segundo Isaías y otros profetas se referían a Jesús, quien salvaría a todas las personas, y no solo a los judíos exiliados.

Juan Bautista fue el profeta que habló de la llegada de Jesús el Mesías.

VE A LA PÁGINA 185

Leyendo la palabra de Dios

Una voz grita: En el desierto preparen un camino al Señor.

Isaías 40:3

Early Christians Turn to the Prophecies

The Gospel writers used the Old Testament to help them understand Jesus and his message. The writers found the teachings of Second Isaiah to be the most helpful. They wrote that Second Isaiah's message of renewal and hope was ultimately fulfilled in the life, Death, and Resurrection of Jesus Christ. Luke, for example, refers to Isaiah 40:3–5 as he tells the story of John the Baptist's ministry and his promise that Jesus the Messiah would come (Luke 3:4–6).

Of course, the Jewish exiles understood Second Isaiah's message to mean that God would save them and that they would return home to Jerusalem. Early Christians, however, believed that the messages of Second Isaiah and other prophets referred to Jesus, who would save all people, not just the Jewish exiles.

John the Baptist was a prophet who spoke of the coming of Jesus the Messiah.

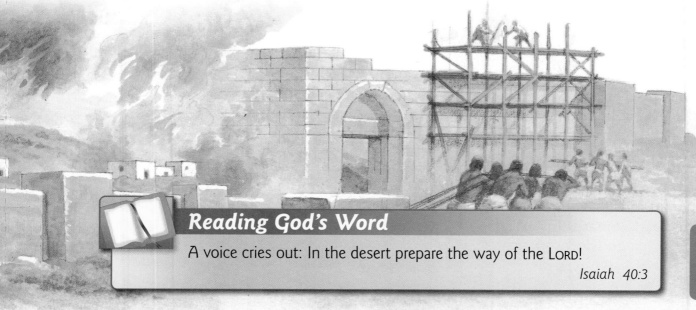

Reading God's Word

A voice cries out: In the desert prepare the way of the LORD!

Isaiah 40:3

GO TO PAGE 185

Oración

Reza un salmo

La primera parte del Salmo 143 es un llamado a Dios para que nos dé fuerza en tiempos difíciles.

Grupo A: *Señor, escucha mi oración:*
Oh, Dios, atiende a mi súplica,
por tu fidelidad y justicia, respóndeme.

Grupo B: *No entres en pleito con tu siervo,*
pues ningún ser vivo es justo ante ti.

Grupo A: *El enemigo me persigue a muerte,*
ya aplasta mi vida contra el suelo.

Grupo B: *Me confina en las tinieblas*
como a los muertos de antaño.

Grupo A: *Ya se me apaga el aliento,*
dentro de mí se estremece mi corazón.

Grupo B: *Recuerdo los tiempos antiguos,*
medito todas sus acciones,
considero la obra de tus manos.

Pídele a Dios lo que más necesitas en este momento. Agradécele su amor y su presencia. Descansa tranquilamente en Dios.

La conexión entre Mateo e Isaías

Los primeros cristianos, especialmente los escritores del Evangelio, encontraron que las enseñanzas del Segundo Isaías eran útiles para entender el mensaje de Jesús. Ellos también creían que las profecías de Isaías se referían a la llegada de Jesús.

Lee estos versículos de Mateo: 1:23, 3:3, 8:17, 26:63 y 27:30. Luego, lee los siguientes versículos de Isaías: 7:14, 40:3, 50:6, 53:4 y 53:7. En una hoja de papel anota un versículo de Mateo y determina qué versículo del libro de Isaías usó Mateo para contar la historia de Jesús. Por último, describe el suceso al cual se refiere cada uno de los versículos.

Prayer

Pray a Psalm

The first part of Psalm 143 is a call to God for strength during difficult times.

Group A: *LORD, hear my prayer;*
in your faithfulness listen to my pleading;
answer me in your justice.

Group B: *Do not enter into judgment with your servant;*
before you no living being can be just.

Group A: *The enemy has pursued me;*
they have crushed my life to the ground.

Group B: *They have left me in darkness*
like those long dead.

Group A: *My spirit is faint within me;*
my heart is dismayed.

Group B: *I remember the days of old;*
I ponder all your deeds;
the works of your hands I recall.

Ask God for what you most need right now. Thank him for his love and presence. Rest peacefully in God.

Connecting Matthew and Isaiah

Early Christians, especially the Gospel writers, found the teachings of Second Isaiah to be helpful in understanding Jesus' message. They also believed that Isaiah's messages referred to the coming of Jesus.

Read these passages from Matthew: 1:23, 3:3, 8:17, 26:63, and 27:30. Then read the following passages from Isaiah: 7:14, 40:3, 50:6, 53:4, and 53:7. On a separate sheet of paper, write the passage and determine the passage from the Book of Isaiah that Matthew used to tell the story of Jesus. Then describe the event to which each passage refers.

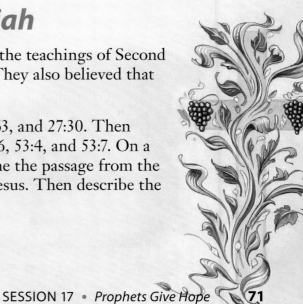

Resumen del tema

El Segundo Isaías profetizó durante el exilio babilónico. Su mensaje a los judíos exiliados fue que recordaran la promesa de Dios y tuvieran esperanza. Los primeros cristianos creían que el Segundo Isaías había predicho la llegada de Jesús.

Palabras que aprendí

Tierra Prometida

Maneras de ser como Jesús

Isaías y los profetas trajeron esperanza durante tiempos difíciles. Todas nuestras esperanzas se cumplen en Jesucristo. *Ofrece esperanza a quienes la necesitan.*

Oración

Gracias, Jesús, por haber cumplido lo que los demás profetas, sacerdotes y reyes iniciaron. Ya no tengo que esperar más por un salvador lejano, tú estás conmigo ahora.

Con mi familia

Actividad Piensa en un amigo o pariente con quien tu familia no ha tenido contacto recientemente. Escribe una carta o envía un pequeño regalo a esa persona para recordarle que tu familia está pensando en él o ella.

Fe para el camino Pregúntense unos a otros: ¿De qué maneras podemos ofrecer esperanza a quienes la necesitan?

Oración en familia Dios todopoderoso, ayúdanos a recordar siempre que debemos dirigirnos a ti, especialmente cuando necesitamos consuelo y esperanza. Amén.

Faith Summary

Second Isaiah prophesied during the Babylonian exile. His message to the exiled Jews was to remain hopeful by remembering God's promise. Early Christians believed Second Isaiah had foretold the coming of Jesus.

Words I Learned

Promised Land

Ways of Being Like Jesus

Isaiah and the prophets offered hope during difficult times. All our hope is fulfilled in Jesus Christ. *Offer hope to those who need it.*

Prayer

Thank you, Jesus, for fulfilling what all the other prophets and priests and kings began. I no longer have to hope for some distant savior—you are with me now.

With My Family

Activity Think of a friend or a relative whom your family has not been in touch with recently. Write that person a card or send a small gift to remind that person that your family is thinking about him or her.

Faith on the Go Ask one another: *In what ways can we offer hope to those in need?*

Family Prayer *Almighty God, help us remember to turn to you always, especially when we are in need of comfort and hope. Amen.*

Sacramentos de la Iniciación

Piensa en algunos sucesos importantes de tu vida que te hayan impactado. ¿Cómo han cambiado tu vida esos sucesos? ¿Cómo reaccionaste ante cada uno?

SESIÓN 18

Entrar a una nueva vida con la familia de Dios

Los sacramentos de la Iniciación son el Bautismo, la Eucaristía y la Confirmación.

Los padres de familia saben que el Bautismo es necesario para la Salvación y bautizan a sus bebés poco después de su nacimiento. El Bautismo convierte al niño en miembro de la Iglesia. La comunidad de fieles se compromete a cuidar y enseñar al niño mientras este crece en la fe.

En la Iglesia de los primeros siglos las personas que querían ser miembros de la familia de Dios generalmente eran adultas. Tenían que pasar por un largo período de conversión. Este tipo de preparación aún existe para el Bautismo de los adultos. Los adultos que pasan por este proceso se llaman **catecúmenos**. Durante este tiempo de preparación, los catecúmenos aprenden lo que Dios ha obrado a través de Jesús, las enseñanzas de la Iglesia y cómo responder al llamado de Dios.

Oración

Jesús, nuestro Señor, llámame a vivir como miembro de tu familia para que pueda disfrutar de la fortaleza que proviene de ti y de tu pueblo.

Sacraments of Initiation

Think of several important events that have impacted your life. How have these events changed you? How did you react to each event?

Entering a New Life with God's Family

The Sacraments of Initiation are Baptism, the Eucharist, and Confirmation.

Parents know that Baptism is necessary for Salvation and have their babies baptized not long after they are born. Baptism marks the baby as a member of the Church. The community of believers makes a commitment to care for and teach the child as he or she grows up in the faith.

In the early Church, people who wanted to become members of God's family traditionally were adults. They had to go through a long conversion period. This type of preparation for adult Baptism still exists. Adults who are going through this process are called **catechumens.** During this time of preparation, catechumens learn about what God has done through Jesus, what the Church teaches, and how to respond to God's call.

Prayer

Lord Jesus, call me to live as a member of your family so that I can enjoy the strength that comes from you and your people.

La Eucaristía

Probablemente recuerdes haber recibido la Primera Comunión. Fue un día especial que celebraste con tu familia. Es posible que hicieran una comida especial después de misa. En la misa el párroco les dio la bienvenida a ti y a los demás que recibieron la Primera Comunión y los acompañó al recibir la Eucaristía.

Cada vez que se celebra la Eucaristía, recordamos el sacrificio que hizo Jesús por nosotros y por nuestra Salvación. La noche antes de morir, Jesús bendijo el pan y lo repartió a sus discípulos diciendo: "Esto es mi Cuerpo". Luego bendijo el vino, lo distribuyó y dijo: "Esto es mi Sangre". Cada vez que se celebra la misa y el sacerdote repite estas palabras de consagración, el pan y el vino se convierten en el Cuerpo y la Sangre de Jesucristo. Cuando recibimos la Comunión, Jesucristo se convierte en el alimento de nuestro viaje.

Había épocas en las que la gente recibía la Eucaristía solo una o dos veces al año. Hoy la Iglesia nos anima a recibir la Eucaristía cada vez que vamos a misa, especialmente los domingos o los días de precepto. Muchos católicos aprovechan la celebración de la Eucaristía en sus parroquias y reciben la Comunión todos los días. De esta manera se preparan para compartir el amor de Dios con todas las personas con las que se encuentran ese día.

La importancia del agua en las Escrituras

El Antiguo Testamento contiene muchas imágenes de agua, que nos ayudan a entender el Bautismo. Cada año durante la **Vigilia Pascual** se bendice el agua bautismal, y las oraciones que rezamos nos evocan imágenes de agua. ¿En qué historias de la Biblia puedes pensar que tienen que ver con agua? En una hoja de papel haz un dibujo que ilustre la historia de la Biblia.

_____

_____

_____

Conexión con la liturgia

Para recordar nuestro Bautismo, al entrar a la iglesia nos bendecimos con agua bendita.

VE A LA
PÁGINA 186

The Eucharist

You probably remember receiving your First Holy Communion. It was a special day that you celebrated with your whole family. It may have included a special meal with your family after Mass. At Mass the parish welcomed you and the others who received their First Holy Communion and joined with you in receiving the Eucharist.

Every time the Eucharist is celebrated, we remember the sacrifice that Jesus made for us and for our Salvation. On the night before he died, he blessed the bread and gave it to his disciples saying, "This is my Body." Then he blessed the wine, distributed it and said, "This is my Blood." Each time Mass is celebrated and the priest repeats these words of consecration, the bread and wine become the Body and Blood of Jesus Christ. When we receive Holy Communion, Jesus Christ becomes food for our journey.

There was a time when people would receive the Eucharist only once or twice a year. Today the Church encourages us to receive the Eucharist every time we attend Mass, especially on Sundays or Holy Days of Obligation. Many Catholics take advantage of the celebration of the Eucharist in their parishes and receive Holy Communion every day. In this way they prepare themselves to share God's love with all people they meet that day.

Importance of Water in Scripture

The Old Testament uses many images of water that can help us understand Baptism. Each year during the **Easter Vigil,** the baptismal waters are blessed, and the prayers we pray call to mind the images of water. What Bible stories can you think of that involve water? On a separate sheet of paper, illustrate the Bible story.

Link to Liturgy

We bless ourselves with holy water as we enter church as a reminder of our Baptism.

GO TO
PAGE 186

Oración

Creciendo en Cristo

Aunque hayas crecido con la fe desde que eras un bebé, siempre habrá algo más que aprender sobre tu vida en la familia de Dios.

*Te damos gracias, nuestro Señor Jesucristo,
por todos los beneficios que nos ha dado,
por todos los dolores e insultos que has soportado por nosotros.
Salvador piadoso, amigo y hermano,
queremos conocerte claramente, amarte más,
y seguirte más de cerca, día a día. Amén.*

Reflexiona sobre la oración mientras piensas en cómo crece tu fe.

Cambios de por vida

Algunas experiencias pueden cambiar nuestra vida. Los sacramentos de la Iniciación nos cambian espiritualmente. A través del Bautismo recibimos la Salvación y una marca permanente, o carácter. Experimentamos el Bautismo una sola vez, pero pertenecemos a Cristo para siempre. Recibimos el don de la gracia santificante. La Eucaristía nos acerca a Dios y a nuestra comunidad católica. Nos nutre y nos fortalece.

La Confirmación intensifica nuestra fe. El Espíritu nos imparte sabiduría para que podamos vivir como Dios quiere que vivamos. La Confirmación estrecha nuestro vínculo con la Iglesia. El Espíritu Santo nos da la fortaleza para conocer a Cristo y vivir como él. Recibimos la gracia para estar más activos en nuestra fe.

Durante la Confirmación somos ungidos en la frente con crisma, un aceite especial bendecido para esta ocasión. El obispo pone sus manos sobre nosotros y dice: "Recibe por esta señal el don del Espíritu Santo". Al igual que el Bautismo, la Confirmación nos deja una marca espiritual permanente y por lo tanto no se puede repetir.

El Bautismo, la Primera Comunión y la Confirmación son acontecimientos importantes en la vida de las personas. ¿Qué significan para ti estas ceremonias? En una hoja de papel escribe tus ideas y dibuja símbolos para cada uno de los sacramentos de la Iniciación.

Prayer

Growing in Christ

Even though you have been growing in faith since you were a baby, there will always be more to learn about life in God's family.

> *Thanks be to you, our Lord Jesus Christ,*
> *For all the benefits that you have given us,*
> *For all the pains and insults that you have borne for us.*
> *Most merciful Redeemer, Friend, and Brother,*
> *May we know you more clearly, Love you more dearly,*
> *And follow you more nearly, Day by day. Amen.*

Reflect on the prayer as you think about your growing faith.

Changed for Life

Some experiences can change our lives. The Sacraments of Initiation change us spiritually. Through Baptism we receive Salvation and a permanent mark, or character. We experience Baptism only once, but we belong to Christ forever. We receive the gift of sanctifying grace. The Eucharist brings us closer to God and our Catholic community. It nourishes and strengthens us.

Confirmation deepens our faith. The Spirit imparts wisdom so that we can live as God wants us to live. Confirmation deepens our bond with the Church. The Holy Spirit gives us strength to know Christ and live like him. We receive the grace to become more active in our faith.

At Confirmation we are anointed on the forehead with Chrism—special oil blessed for this purpose. The bishop lays hands on us and says, "Be sealed with the Gift of the Holy Spirit." Like Baptism, Confirmation leaves a permanent spiritual mark and therefore cannot be repeated.

Baptism, First Holy Communion, and Confirmation are important events in people's lives. What do these ceremonies mean to you? On a separate sheet of paper, write your ideas and draw symbols for each Sacrament of Initiation.

Resumen del tema

El Bautismo, la Eucaristía y la Confirmación son sacramentos de la Iniciación. Cada uno de estos sacramentos nos acerca más a Cristo y a nuestra propia comunidad católica.

Palabras que aprendí

catecúmeno
Vigilia Pascual

Maneras de ser como Jesús

El ministerio público de Jesús comenzó después de que Juan lo bautizara. *Actúa como miembro piadoso y cariñoso de la comunidad cristiana.*

Oración

Jesús, gracias por aceptarme en tu familia. Como miembro de tu familia, sé que siempre habrá quien me ame y siempre habrá otras personas a quienes amar.

Con mi familia

Actividad Prepara un álbum de recortes de tu familia sobre las celebraciones de los sacramentos de la Iniciación. Incluye fotos y descripciones.

Fe para el camino Pregúntense unos a otros: *¿Cómo te da tu fe una base firme para la vida?*

Oración en familia *Ven, Espíritu Santo, renuévanos y fortalécenos a través de los sacramentos para que podamos mostrar esperanza y amor, y podamos aprender a perdonar.*

Faith Summary

Baptism, the Eucharist, and Confirmation are Sacraments of Initiation. Each of these sacraments brings us closer to Christ and to our own Catholic community.

Words I Learned

catechumen
Easter Vigil

Ways of Being Like Jesus

Jesus' public ministry began after John baptized him. *Act as a forgiving and caring member of the Christian community.*

Prayer

Jesus, thank you for accepting me into your family. As a member of your family, I know there will always be someone to love me, and there will always be other people for me to love.

With My Family

Activity Make a family scrapbook of celebrations for the Sacraments of Initiation. Include pictures and descriptions.

Faith on the Go Ask one another: *How does your faith give you a firm foundation for living?*

Family Prayer *Come Holy Spirit, renew us and strengthen us through the sacraments so that we can show hope and love and learn to forgive.*

Sacramentos de la Curación

Recuerdas alguna ocasión en la que estuviste muy enfermo. ¿Cómo cambió la enfermedad tu vida cotidiana? ¿Cómo te ayudaron los demás a recuperarte?

SESIÓN 19

Sanación para el cuerpo

La Iglesia continúa el ministerio de sanación de Jesús mediante el sacramento de la Unción de los Enfermos. Cuando una persona está gravemente enferma, se prepara para una cirugía, tiene una edad avanzada o está en peligro de muerte, puede pedirle la Unción de los Enfermos a un sacerdote. El sacerdote unge a la persona con el óleo de los enfermos, un aceite de oliva que ha sido bendecido por un obispo. Este sacramento ayuda a que el enfermo sienta su sufrimiento físico como más cercano al de Cristo, le otorga fuerza, paz y valor a una persona que enfrenta una enfermedad grave o las dificultades de la vejez, perdona los pecados de las personas que no pueden participar en el sacramento de la Penitencia y la Reconciliación, puede traer curación mediante la voluntad de Dios y ayuda a preparar a los creyentes para la vida eterna.

La dignidad de la vida humana

La Iglesia enseña que la vida humana es sagrada porque viene de Dios. Cuando las personas están gravemente enfermas, deben ser tratadas con dignidad porque Dios las ha creado. El poder sanador de Cristo siempre está con nosotros, sin importar la gravedad de la situación. La Iglesia condena la práctica de la **eutanasia** porque la vida es sagrada. No es aceptable quitarle la vida a una persona sencillamente porque es anciana o está gravemente enferma.

Oración

Jesús, mi guía, ayúdame a saber siempre que estás dispuesto a ofrecerme la sanación del cuerpo y del espíritu.

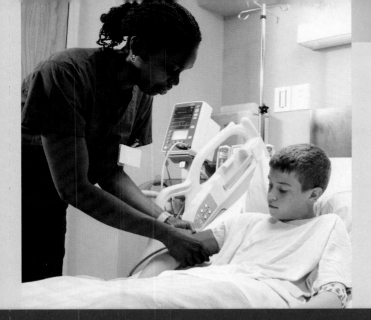

Sacraments of Healing

Recall a time when you were very sick. How did the sickness change your daily life? How did others help you to recover?

Healing for the Body

The Church continues Jesus' healing ministry with the Sacrament of the Anointing of the Sick. When a person is seriously ill, is preparing for surgery, is of advanced age, or is in danger of death, he or she may celebrate the Anointing of the Sick with a priest. The priest anoints the person with the oil of the sick—olive oil that has been blessed by a bishop. This sacrament: helps a sick person identify his or her physical suffering more closely with Christ's; gives strength, peace, and courage to a person who is dealing with serious illness or the difficulties of aging; forgives the sins of a person who is unable to participate in the Sacrament of Penance and Reconciliation; may even bring physical healing if that is God's will; and helps to prepare a believer for eternal life.

The Dignity of Human Life

The Church teaches that human life is sacred because it comes from God. When people are seriously ill, they should be treated with dignity because God created them. Christ's healing power is with us at all times, no matter how bad a situation may look. The Church condemns the practice of **euthanasia** because life is sacred. It is not acceptable to end a person's life just because that person is old or seriously ill.

Prayer

Jesus, my guide, help me always to know that you are ready to offer me healing in body and spirit.

Sanación para el alma

En el sacramento de la Penitencia y la Reconciliación el Espíritu Santo nos da la gracia de la curación del pecado grave y sus efectos. Todo pecado nos separa de Dios y de otras personas. El pecado mortal, en particular, nos separa de Dios, y la persona que no se arrepiente corre peligro de ir al infierno, el castigo eterno de la separación de Dios. Todos los pecados mortales deben confesarse en el sacramento de la Reconciliación.

El sacramento de la Reconciliación se celebra después de un examen minucioso de nuestra conciencia. En este sacramento la persona se confiesa ante el sacerdote, quien ofrece absolución, transmitiendo así el perdón de Dios por los pecados confesados. La tradición católica ofrece algunos pasos para realizar una buena confesión:

1. Hacer un minucioso y honesto examen de conciencia.

2. Expresar verdadero arrepentimiento por los pecados cometidos.

3. Hacer un firme compromiso de cambio.

4. Confesar los pecados al sacerdote.

5. Recibir la absolución.

6. Realizar la penitencia asignada por el sacerdote.

La Reconciliación nos ayuda a reunirnos nuevamente con Dios y con la Iglesia. Calma nuestra conciencia, nos trae paz y nos consuela espiritualmente.

Al llegar la muerte, algunas personas que han sido salvadas aún no están listas para estar ante la presencia de Dios. Estas almas descansan en el purgatorio, que es una etapa temporal de preparación y purificación final. Las oraciones de otros cristianos ayudan a quienes están en el purgatorio a lograr una unión completa con Dios.

VE A LA
PÁGINA 187

Healing for the Soul

In the Sacrament of Penance and Reconciliation, the Holy Spirit gives us the grace of healing from serious sin and the effects of sin. All sin separates us from God and others. Mortal sin especially separates us from God, and someone who does not repent may be in danger of hell—the eternal punishment of separation from God. All mortal sins must be confessed in the Sacrament of Reconciliation.

We celebrate the Sacrament of Reconciliation after a careful examination of conscience. In the sacrament a person makes a confession to a priest, who offers absolution, conveying God's forgiveness of the sins confessed. The Catholic tradition offers us some general steps for making a good confession:

1. Make a thoughtful and honest examination of conscience.

2. Express true sorrow for the sins committed.

3. Make a firm commitment to change.

4. Confess those sins to the priest.

5. Receive absolution.

6. Perform the penance given by the priest.

Reconciliation helps us reunite with God and the Church. It eases our consciences, brings us peace, and comforts us spiritually.

At the time of death, some people who are saved are not yet ready to be in God's presence. These souls rest in Purgatory, which is the temporary state of final preparation and purification. The prayers of other Christians help those in Purgatory to attain full union with God.

GO TO PAGE 187

Oración

Un llamado a la misericordia

Con esta oración pedimos la misericordia y el perdón de Dios.

Acto de Contrición

Dios mío,
me arrepiento de todo corazón
de todos mis pecados
y los aborrezco,
porque al pecar, no sólo merezco
las penas establecidas por ti justamente,
sino principalmente porque te ofendí,
a ti sumo Bien y digno de amor
por encima de todas las cosas.
Por eso propongo firmemente,
con ayuda de tu gracia,
no pecar más en adelante
y huir de toda ocasión de pecado.
Amén.

Pídele a Dios que te ayude a evitar todo lo que te conduzca al pecado y que te dé la fuerza para pedir perdón cuando hayas hecho algo malo. Agradécele el perdón que te da.

Cómo eliminar los efectos del pecado

Cuando una persona es perdonada por haber robado algo, aún tiene que devolver o pagar por lo que robó. Los efectos del pecado pueden permanecer en la vida de una persona incluso después de que los pecados hayan sido perdonados. Después de recibir la absolución, también hay que dar restitución, compensando el daño causado a la víctima.

Después de obtener perdón, la persona podría tener la tendencia a cometer nuevamente un pecado porque la tentación aún existe. La penitencia de oraciones y buenas obras puede ayudar a la persona a superar esta tentación. A través de las oraciones y las buenas obras podemos obtener la indulgencia. La práctica de rezar y recibir indulgencias nos acerca a Dios y a los demás.

Imagina que insultaste a alguien y te sientes culpable por eso. ¿Cómo puedes enmendar lo que dijiste? Escribe tu respuesta en una hoja de papel.

Prayer

A Call for Mercy

We call on God's mercy and forgiveness with this prayer.

Act of Contrition

My God,
I am sorry for my sins with all my heart.
In choosing to do wrong
and failing to do good,
I have sinned against you
whom I should love above all things.
I firmly intend, with your help,
to do penance,
to sin no more,
and to avoid whatever leads me to sin.
Our Savior Jesus Christ
suffered and died for us.
In his name, my God, have mercy.

Ask God to help you avoid what leads to sin and for strength to ask forgiveness when you have done something wrong. Thank him for the forgiveness he offers.

Removing the Effects of Sin

When a person is forgiven for stealing something, he or she must still give back or pay for whatever was stolen. The effects of sin can remain in a person's life even after the sins are forgiven. After receiving absolution, a person must also give restitution by making up for the harm that was done to the victim.

After experiencing forgiveness a person may feel inclined to commit a particular sin again because temptation still exists. A penance of prayers and good deeds may help a person to overcome these temptations. Through prayers and good deeds, we can receive indulgences. The practice of praying for and receiving indulgences can help us grow closer to God and others.

Imagine that you insulted someone and feel guilty about it. How can you make up for what you said? Write your answer on a separate sheet of paper.

Resumen del tema

Al celebrar el sacramento de la Curación podemos experimentar la presencia sanadora de Dios en nuestra vida diaria. La restitución, la penitencia y la indulgencia son maneras de seguir el proceso de reconciliación después de confesarnos y recibir el perdón.

Palabra que aprendí

eutanasia

Maneras de ser como Jesús

Jesús incluyó a todas las personas en su misión de sanar padecimientos físicos y espirituales. *No excluyas a nadie en tus actividades en la escuela, en casa, en tu parroquia y en tu comunidad.*

Oración

Jesús, gracias por sanarme de múltiples maneras. Ayúdame a dirigirme a ti cuando necesite sanación para mi cuerpo y mi espíritu.

Con mi familia

Actividad Piensa en las maneras en las que el mundo necesita sanación. Cada día de esta semana anota un problema mundial en una hoja de papel y pégala en tu refrigerador. Recen en familia por una solución antes de cada comida.

Fe para el camino Pregúntense unos a otros: *¿Cuál es el primer paso que debes dar para traer sanación a tu mundo?*

Oración en familia *Querido Jesús, lamentamos nuestras malas decisiones y nuestros pecados. Recuérdanos que debemos ser generosos y tratar a los demás como lo harías tú. Amén.*

Faith Summary

In celebrating the Sacraments of Healing, we can experience the healing presence of God in our everyday lives. Restitution, penance, and indulgences are ways to continue the reconciliation process even after confession and forgiveness.

Word I Learned

euthanasia

Ways of Being Like Jesus

Jesus included every person in his mission to heal physical and spiritual ailments. *Do not exclude anyone in activities at school, at home, in your parish, and in your community.*

Prayer

Jesus, thank you for healing me in every way. Help me turn to you when I need my body or my spirit to be healed.

With My Family

Activity Think about ways in which the world needs healing. Each day this week, write one global problem on a sheet of paper and attach it to your refrigerator. With your family, pray for a solution before each meal.

Faith on the Go Ask one another: *What first step can you take to bring healing to your world?*

Family Prayer *Dear Jesus, we are sorry for the times we make bad choices and sin. Remind us to be kind and treat others as you would treat them. Amen.*

Celebrando la Cuaresma y la Semana Santa

La Cuaresma es el tiempo del año litúrgico de nuestra Iglesia en el que recordamos el sacrificio más grande de Jesús: su Crucifixión y muerte en la cruz. Es un tiempo de oración y reflexión. Reflexionamos sobre nuestra vida y abrimos nuestro corazón y nuestra mente para aceptar el don de la gracia de Dios.

Celebramos la Cuaresma después de la primera parte del Tiempo Ordinario, que sigue al período de la Navidad. La Cuaresma empieza al final del invierno, el Miércoles de Ceniza, y termina a principios o mediados de la primavera en la tarde del Jueves Santo. El Miércoles de Ceniza se realiza la imposición de ceniza en nuestra frente para recordarnos que somos pecadores. Pedimos perdón a Dios y mostramos nuestro arrepentimiento. Durante la Semana Santa y el Triduo Pascual recordamos la llegada de Jesús a Jerusalén el Domingo de Ramos, la Última Cena el Jueves Santo, su muerte el Viernes Santo y su Resurrección durante la Vigilia Pascual el Sábado Santo. Mientras recordamos el sufrimiento y la muerte de Jesús, rezamos para que estemos listos para celebrar su Resurrección.

Oración

Querido Jesús, gracias por caminar a mi lado durante este tiempo de Cuaresma. Ayúdame a estar listo para asistir a los necesitados.

Celebrating Lent and Holy Week

Lent is the season in our Church's liturgical year when we remember Jesus' greatest sacrifice—his Crucifixion and Death on the cross. It is a time for prayer and reflection. We reflect on how we have been living, and we open our hearts and minds to accept God's gift of grace.

We celebrate Lent following the first part of Ordinary Time that follows the Christmas season. Lent begins in late winter on Ash Wednesday and ends in early- to mid-spring on the evening of Holy Thursday. On Ash Wednesday we receive ashes on our foreheads as a reminder of our sinfulness. We ask for God's forgiveness and show that we are sorry. During Holy Week and the Triduum, we remember Jesus' entrance into Jerusalem on Palm Sunday, the Last Supper on Holy Thursday, Jesus' Death on Good Friday, and his Resurrection at the Easter Vigil on Holy Saturday. As we remember Jesus' suffering and Death, we pray that we are ready to celebrate his Resurrection.

Prayer

Dear Jesus, thank you for walking by my side during this season of Lent. Help me be ready to assist those in need.

Ayunamos y rezamos durante la Cuaresma y la Semana Santa

La Cuaresma es un tiempo de **ayuno** y oración. La Iglesia nos pide que ayunemos durante la Cuaresma limitando o evitando del todo ciertos alimentos. También evitamos comer carne los viernes y reducimos el tamaño de nuestras comidas el Miércoles de Ceniza y el Viernes Santo. Poner más atención al ayuno nos ayuda a ser conscientes de las dificultades que otras personas enfrentan a diario. También recordamos que dependemos de Dios y que sentimos un hambre espiritual por su amor y su gracia.

Durante la Cuaresma y la Semana Santa rezamos y pedimos a Dios que, mediante nuestro ayuno, podamos ser más conscientes de los demás y mostrar nuestro amor prestando ayuda cuando sea posible.

Algunas personas comen panecillos calientes con cruces en Viernes Santo. La cruz en el panecillo simboliza la Crucifixión.

¿Cómo puedo ayudar?

Jesús pide que compartamos con los demás el amor que él comparte con nosotros. ¿Cómo podemos mostrar este amor y prestar ayuda a los necesitados? Escribe tres maneras en las que puedes ayudar. Vuelve a esta página durante la Cuaresma para recordar las maneras en las que puedes ayudar a los necesitados.

1. _____

   _____

2. _____

   _____

3. _____

   _____

Conexión con la liturgia

Durante la Semana Santa el obispo celebra la Misa Crismal con los sacerdotes de la diócesis. En esta misa el obispo consagra y distribuye el crisma que será usado en los sacramentos del Bautismo, de la Confirmación y del Orden. También bendice el óleo de los catecúmenos y el óleo de los enfermos.

We Fast and Pray During Lent and Holy Week

Lent is a time of **fasting** and prayer. The Church asks that we fast during Lent by limiting or going without certain foods. We also give up meat every Friday and limit the size of our meals on Ash Wednesday and Good Friday. As we pay closer attention to fasting, we become more aware of the struggles that others face each day. Likewise, we are reminded of our total dependence on God and our spiritual hunger for his love and grace.

We pray to God during Lent and Holy Week and ask that through our fasting, we become more aware of others and show that we care by lending a helping hand wherever we can.

How Can I Help?

Jesus asks that we share with others the love he shares with us. How can you show this love and lend a helping hand to those in need? Write three ways you can help below. Return to this page throughout Lent as a reminder of ways you can help those in need.

Some people eat hot-cross buns on Good Friday. The cross on the bun is a symbol of the Crucifixion.

1. _____

_____

2. _____

_____

3. _____

_____

Link to Liturgy

During Holy Week the bishop celebrates the Chrism Mass with the priests of the diocese. At this Mass the bishop consecrates and distributes Chrism that will be used in Baptisms, Confirmations, and Holy Orders. He also blesses the oil of the catechumens and the oil of the sick.

La misa durante la Cuaresma y la Semana Santa

Durante la Cuaresma escuchamos lecturas sobre los sucesos que llevaron al sufrimiento y la muerte de Jesús. Las lecturas nos recuerdan que la Cuaresma es un tiempo de reflexión. A menudo nos damos cuenta de que no hemos actuado como Jesús hubiera querido. También recordamos que Dios nos perdonará si se lo pedimos.

Lo que vivimos

Durante la Cuaresma el ambiente de la iglesia nos anima a reflexionar. Las vestimentas del sacerdote son de color morado. Las decoraciones del santuario son simples. Durante la Cuaresma muchas personas celebran el sacramento de la Reconciliación, fuente de sanación y fuerza. Mediante la reflexión, la oración y el ayuno vemos que hemos pecado, pero aprendemos que Dios siempre está dispuesto a perdonarnos.

El maravilloso don de la confianza

La Cuaresma es un tiempo para recordar lo mucho que confiamos en Dios. Rezamos y le pedimos a Dios que nos ayude a entender todo lo que Jesús hizo por nosotros. Dios nos da vida eterna a través de la muerte y Resurrección de su Hijo, Jesús. Todo lo que hacemos y todo lo que somos se debe al gran amor de Dios. Haz una pausa para pensar en este maravilloso don. Completa los espacios en las piedras narrando momentos en los que confiaste en Dios.

¿Sabías que...?

El cuarto domingo de la Cuaresma es conocido como el Domingo Laetare. Este domingo marca la mitad de la Cuaresma y se señala con vestimentas rosadas en lugar de moradas.

VE A LA
PÁGINA 188

Mass During Lent and Holy Week

During Lent we hear readings about the events that lead to Jesus' suffering and Death. The readings remind us that Lent is a time to reflect. We often realize we have not acted like Jesus would want us to. We are reminded that God will forgive us if we ask.

What We Experience

During Lent the church environment encourages reflection. The priest's vestments are purple. The sanctuary decorations are simple and understated. During Lent many people celebrate the Sacrament of Reconciliation, a source of healing and strength. Through reflection, prayer, and fasting, we see that we have sinned, but we learn that God is always ready to forgive us.

The Wonderful Gift of Reliance

Lent is a time to remember how much we rely on God. We pray and ask God to help us understand all that Jesus did for us. God gives us eternal life through the Death and Resurrection of his Son, Jesus. All that we do and all that we are happen because of God's great love. Take a moment to think about this wonderful gift. Fill in the stepping stones, telling about times that you rely on God.

Did You Know...?

The fourth Sunday during Lent is sometimes called Laetare Sunday. This marks the halfway point of the season and is marked by rose vestments instead of violet.

GO TO PAGE 188

Resumen del tema

La Cuaresma es un tiempo de ayuno y oración. Ayunamos para recordar las necesidades de otras personas y nuestra confianza en Dios. Durante la Cuaresma también celebramos el sacramento de la Reconciliación. Es una fuente de sanación y fuerza que nos ayuda a prepararnos para celebrar la Pascua de Resurrección.

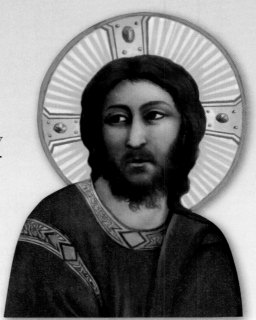

Palabra que aprendí

ayuno

Maneras de ser como Jesús

Jesús pide que amemos a nuestros enemigos y los tratemos bien. *Reza por tener la capacidad de perdonar a los que te hacen daño y mostrarles tu bondad.*

Oración

Querido Dios, ayúdanos a reconocer a quienes necesiten nuestra ayuda y entendimiento. Sé nuestra luz brillante y guíanos para hacer todo lo posible por ayudarlos y consolarlos.

Con mi familia

Actividad Cuando vayas a misa durante la Cuaresma y la Semana Santa, mira a tu alrededor en la iglesia. Busca ejemplos de lo que has aprendido en esta sesión. Comenta con tu familia lo que ves.

Fe para el camino Pregúntense unos a otros: *¿Adónde podemos ir durante la Cuaresma para rezar y prepararnos para recibir el sacramento de la Reconciliación?*

Oración en familia Durante la Cuaresma y la Semana Santa invita a los miembros de tu familia a turnarse para rezar por los líderes de la iglesia y el clero de tu parroquia.

Faith Summary

Lent is a time of fasting and prayer. We fast as a reminder of the needs of others and our own reliance on God. During Lent we also celebrate the Sacrament of Reconciliation. It is a source of healing and strength that helps prepare us to celebrate Easter.

Word I Learned

fasting

Ways of Being Like Jesus

Jesus asks that we love our enemies and treat them well. *Pray that you're able to forgive those who do you harm and show them kindness.*

Prayer

Dear God, help us to see others who need our help and understanding. Be our shining light and guide us to do all that's in our power to help and comfort them.

With My Family

Activity When you go to Mass during Lent and Holy Week, look around your church. Find examples of what you learned in this session. Discuss with your family what you see.

Faith on the Go Ask one another: *Where is one place you can go to during Lent to pray and prepare yourself to receive the Sacrament of Reconciliation?*

Family Prayer During Lent and Holy Week, invite family members to take turns praying for church leaders and your parish clergy.

La moralidad, nuestra fe vivida

San Benito de Palermo

Benito nació como esclavo en Mesina, Sicilia, en 1526. Sus padres fueron esclavos traídos de África a Sicilia. Benito obtuvo su libertad a la edad de 18 años, pero siguió trabajando para su patrón después de haber sido liberado. Un día Benito estaba trabajando cuando su vecino, el sacerdote Jerónimo Lanza, se le acercó y lo convenció de que siguiera a Jesús. Benito renunció a sus bienes e ingresó a un monasterio.

En el monasterio Benito vivió como ermitaño. Comía muy poco, hacía labores manuales y rezaba durante horas arrodillado sobre pisos de piedra. Benito sintió que incluso este estilo de vida era muy cómodo. Después de peregrinar a los desiertos de Siria y Egipto, decidió abandonar el monasterio.

Más tarde Benito se retiró a una cueva en las montañas que rodeaban Palermo, Sicilia. Las personas lo visitaban para pedirle bendiciones. Comenzaron a verlo como un hombre particularmente santo. Benito ingresó al convento de Santa María y fue nombrado superior. Sin embargo, el humilde Benito no quiso tener una posición de autoridad. Al poco tiempo renunció a su puesto de superior. Prefería trabajar de cocinero.

Benito murió en 1589 y fue declarado santo en 1807. Es el santo patrón de los afroamericanos y su fiesta se celebra el 4 de abril.

SESIÓN 21

La manera de amar de Jesús

¿Cuándo fue la última vez que decidiste ayudar a alguien en lugar de hacer algo para ti mismo? ¿Qué hiciste? ¿Cómo te sentiste después?

Oración

Jesús, ayúdame a escoger el amor aun cuando sea difícil.

Saint Benedict of Palermo

Benedict was born into slavery in Messina, Sicily, in 1526. His parents were slaves who had been brought to Sicily from Africa. Benedict gained his freedom at the age of 18. He worked for his former master for several years after he was freed. While Benedict was working one day, a neighbor, Father Jerome Lanza, approached him and convinced him to follow Jesus. Benedict gave up his possessions and joined the monastery.

At the monastery Benedict lived as a hermit. He ate very little, did difficult manual labor, and knelt in prayer for hours on stone floors. Benedict felt that even this lifestyle was too comfortable. After making a pilgrimage to the deserts of Syria and Egypt, Benedict decided to leave the monastery.

Eventually Benedict retreated to a cave in the mountains overlooking Palermo, Sicily. People came to see him and ask for his blessings. They began to regard Benedict as an especially holy man. Benedict joined the Convent of St. Mary and was appointed the superior. Humble Benedict, however, did not want to be in a position of authority. After serving as superior for a short time, he resigned. He preferred to work in the kitchen as a cook.

Benedict died in 1589 and was declared a saint in 1807. He is a patron saint of African Americans, and his feast day is April 4.

SESSION 21

Jesus' Way of Love

When was the last time you chose to help someone rather than do something for yourself? What did you do to help? How did you feel afterward?

Prayer

Jesus, help me choose to love even when it is difficult.

Las tres virtudes teologales

Dios nos da las tres virtudes teologales. No las adquirimos por medio de nuestro esfuerzo. Las tres virtudes teologales están íntimamente relacionadas. Podemos tener esperanza porque tenemos fe y, como escribe san Pablo en su primera carta a los Corintios, demostramos nuestra fe y esperanza mediante la caridad.

Fe

La fe es la capacidad de creer en Dios y entregarle nuestra vida. Por medio de la Iglesia, el Espíritu Santo comparte con nosotros la capacidad de creer. La fe nos llama no solo a creer en Dios, sino también a entregarnos a él por completo. Cuando entregas tu vida a Dios, estás actuando en beneficio de otros.

Esperanza

La esperanza cristiana es nuestro anhelo por obtener todas la cosas buenas que Dios tiene planificadas para nosotros. La esperanza nos ayuda a confiar en que veremos el Reino de Dios si vivimos según las enseñanzas de Jesús. La esperanza también nos ayuda a hacer las cosas que complacen a Dios, incluso cuando se nos hace difícil o nos desanimamos. Mediante la esperanza cristiana sabemos que tendremos vida eterna, es decir, existiremos con Dios por siempre en el cielo. A menudo decimos sin pensarlo que "esperamos" que algo suceda. Esta expresión se refiere más a un deseo que a la esperanza cristiana. La esperanza cristiana se basa en la Biblia y en las enseñanzas de la Iglesia. La esperanza cristiana nos da confianza en el plan de Dios, que tendrá lugar como es debido, aunque no ocurra de inmediato o en la forma que esperamos. El Espíritu Santo nos da esta esperanza.

(Continúa en la página 87).

Fe

Esperanza

Caridad

The Three Theological Virtues

God gives us the three Theological Virtues. We do not acquire them through human effort. The Theological Virtues are deeply connected to one another. We can hope because we have faith and, as Saint Paul writes in the First Letter to the Corinthians, we demonstrate our faith and hope through charity.

Faith

Faith is the ability to believe in God and to give our lives to him. Through the Church, the Holy Spirit shares with us the ability to believe. Faith calls us not only to believe in God but also to decide to give ourselves totally to him. When you give your life to God, you are acting for the good of others.

Hope

Christian hope is our desire for all the good things God has planned for us. Hope helps us trust that if we live according to Jesus' teachings, we will see God's kingdom. Hope also helps us do what pleases God, even when it is difficult or when we get discouraged. Through Christian hope we know that we have eternal life—our existence with God forever in Heaven. We often say offhandedly that we "hope" something will happen. This expression is more like a wish than Christian hope. Christian hope is based on the Bible and the teachings of the Church. Christian hope gives us confidence that God's plan will unfold, as it should—even if it doesn't happen right now or in the way we expect. The Holy Spirit gives us this kind of hope.

(Continue to page 87.)

Faith

Hope

Charity

Caridad

La caridad es la virtud que usamos para mostrar nuestro amor por Dios. Este amor es más que un simple sentimiento por Dios; es la manera en que pensamos y actuamos hacia él. Cuando amamos a Dios, le permitimos que esté en el centro de nuestra vida. Pedimos su ayuda en todo lo que decimos y hacemos. También mostramos nuestra caridad mediante nuestro amor por otras personas. A menudo usamos la palabra *caridad* para indicar "la entrega de dinero o pertenencias a los pobres". Jesús nos enseñó que a veces se nos pide que hagamos sacrificios para mostrar amor por los demás.

La práctica de la caridad, o amor, une las tres virtudes teologales en perfecta armonía. San Pablo lo escribió en su carta a los Corintios.

> "Aunque tuviera una fe para mover montañas, si no tengo amor, no soy nada. El amor es paciente, es servicial, el amor no es envidioso ni es orgulloso. Todo lo cree, todo lo espera, todo lo soporta.
> Ahora nos quedan tres cosas: la fe, la esperanza, el amor. Pero la más grande de todas es el amor".

adaptado de 1 Corintios 13:1–13

Vivir las virtudes

Imagina cómo sería el mundo si todos viviéramos con fe, esperanza y caridad. ¿Cuán diferente crees que sería el mundo?

_____

_____

_____

_____

_____

VE A LA
PÁGINA 189

Charity

Charity is the virtue we use to show our love for God. This love is more than just feelings for God; it is the way we think and act toward him. When we love God, we allow him to be at the center of our lives. We ask for his help in everything we say and do. We also exhibit charity in our love for other people. We often use the word *charity* to mean "the giving away of money or possessions to those who are poor." Jesus taught us that sometimes we are also called to make sacrifices to show our love for all.

The practice of charity, or love, brings the three Theological Virtues together in perfect harmony. Saint Paul wrote about this in his letter to the Corinthians.

> "If I have faith to move mountains but do not have love, I am nothing.
> Love is patient and kind; love is not jealous or boastful.
> Love believes all things, hopes all things, endures all things.
> So faith, hope and love remain, these three. But the greatest of these is love."
>
> *adapted from 1 Corinthians 13:1–13*

Living the Virtues

Imagine what the world would be like if we all lived with faith, hope, and charity. How do you think the world would be different?

_____

_____

_____

_____

_____

_____

GO TO PAGE 189

Rezar las virtudes

Mediante la oración fortalecemos nuestra relación con Dios y aceptamos los dones del Espíritu de la fe, la esperanza y la caridad.

Acto de Fe

*Señor Dios, creo firmemente
y confieso todas y cada una de las verdades
que la Santa Iglesia Católica propone,
porque tú las revelaste,
oh Dios, que eres la eterna Verdad y Sabiduría,
    que ni se engaña
ni nos puede engañar.
Quiero vivir y morir en esta fe.
Amén.*

Pídele a Dios que fortalezca tu fe, que te dé esperanza y que te anime a ser caritativo.

Vivir las virtudes teologales

¿Has tratado de ponerle atención a Dios durante un día entero? No es fácil hacerlo. La capacidad de concentrarse en Dios es realmente un don del Espíritu Santo. Santa Teresita del Niño Jesús tenía ese don. La gente quiso saber cómo ella lograba hacerlo, y por eso ella escribió su historia y la llamó *La historia de un alma*. Hoy en día las personas siguen leyendo y aprendiendo de su relato.

Teresita murió joven a la edad de 24 años. Ella practicó la fe, la esperanza y la caridad tan bien, que fue **canonizada** —declarada santa por la Iglesia— en 1925. La Iglesia rinde honor a santa Teresita el 1 de octubre. El Papa Juan Pablo II la nombró **doctora de la Iglesia** en 1997. Un doctor de la Iglesia es alguien que guía de manera especial a los cristianos que buscan una vida espiritual más profunda.

Mostrar fe, esperanza y caridad

Piensa en maneras en que puedes mostrar fe, esperanza y caridad en tu vida. En un hoja de papel escribe dos ejemplos de cada una de las virtudes teologales: fe, esperanza y caridad.

Prayer

Praying the Virtues

Through prayer we strengthen our relationship with God and accept the Spirit's gifts of faith, hope, and charity.

Act of Faith

O my God, I firmly believe that you are one God in three divine Persons, Father, Son, and Holy Spirit. I believe that your divine Son became man and died for our sins, and that he will come to judge the living and the dead. I believe these and all the truths which the holy Catholic Church teaches, because you have revealed them, who can neither deceive nor be deceived. Amen.

Ask God to strengthen your faith, give you hope, and encourage you to be charitable.

Living the Theological Virtues

Have you ever tried to pay close attention to God for an entire day? It's not easy to do. The ability to focus on God in this way is really a gift of the Holy Spirit. Saint Thérèse had such a gift. People wanted to know about how she did it, so she wrote her story and called it *The Story of a Soul*. People today still read and learn from her story.

Thérèse died at the young age of 24. She practiced faith, hope, and charity so well that she was **canonized**—declared a saint of the Church—in 1925. Saint Thérèse's feast day is October 1. Pope John Paul II declared her a **Doctor of the Church** in 1997. A Doctor of the Church is one who gives special guidance to Christians seeking a deeper spiritual life.

Showing Faith, Hope, and Charity

Think about ways you show faith, hope, and charity in your life. On a separate sheet of paper, write two examples for each of the Theological Virtues—Faith, Hope and Charity.

Resumen del tema

Las tres virtudes teologales —fe, esperanza y caridad— son dones de Dios. La fe nos llama a tomar la decisión personal de entregar por completo nuestra vida a Dios. La esperanza nos da fortaleza para vivir por el Reino de Dios y aceptar al Espíritu Santo en nuestra vida. La caridad es la virtud que guía nuestras acciones para amar a Dios y a los demás.

Palabras que aprendí

canonizar   doctor de la Iglesia

Maneras de ser como Jesús

Jesús nos enseñó que actuar con amor es, a veces, hacer lo contrario de lo que queremos. *Piensa en una persona con la que no has sido muy amigable y haz algo bueno por esa persona.*

Oración

Dios, gracias por los dones de la fe, la esperanza y la caridad, que me hacen confiar en ti.

Con mi familia

Actividad Desarrolla un lema familiar basado en las tres virtudes teologales. Asegúrate de que sea corto —una o dos frases— y luego diséñalo y colócalo en una pared o en el refrigerador.

Fe para el camino Pregúntense unos a otros: *Piensa en los dones especiales que Dios te dio. ¿Cómo los compartes con los demás?*

Oración en familia *Espíritu Santo, gracias por todos los dones que nos has dado. Ayúdanos a vivir cada día los dones de la fe, la esperanza y la caridad.*

Faith Summary

The three Theological Virtues—faith, hope, and charity—are gifts from God. Faith calls us to make a personal decision to give our lives fully to God. Hope gives us the strength to live for the Kingdom of God and to accept the Holy Spirit in our lives. Charity is the virtue that guides our actions to love God and others.

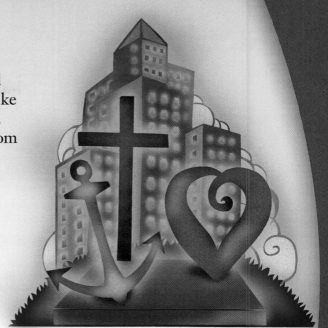

Words I Learned

canonize   **Doctor of the Church**

Ways of Being Like Jesus

Jesus taught that the loving thing to do is sometimes the opposite of what we might want to do. *Think of a person with whom you have not been very friendly and do something nice for that person.*

Prayer

God, thank you for the gifts of faith, hope, and charity, which make me secure in you.

With My Family

Activity Develop a family motto based on the three Theological Virtues. Keep it short—one or two sentences—and then design it, and hang it up on a wall or on the refrigerator.

Faith on the Go Ask one another: *Think about your special gifts from God. How do you share these gifts with others?*

Family Prayer Holy Spirit, thank you for all the gifts you have given us. Help us to live out the gifts of faith, hope, and charity every day.

Sacramentos al Servicio de la Comunidad

¿Cómo crees que será tu vida en 20 años?

Sacramentos al Servicio de la Comunidad

Tanto el sacerdocio como el matrimonio son vocaciones. Una vocación es una manera en la que Dios nos llama a vivir la misión de la Iglesia. A través de las vocaciones utilizamos los dones que Dios nos ha dado para amar y servir al Reino de Dios.

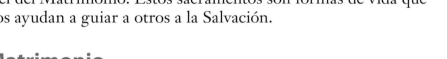

El Espíritu Santo llama a las personas a la santidad con los sacramentos al Servicio de la Comunidad: el sacramento del Orden y el del Matrimonio. Estos sacramentos son formas de vida que nos ayudan a guiar a otros a la Salvación.

Matrimonio

Piensa en la alianza de Dios con Moisés y los hebreos. En el sacramento del Matrimonio un hombre y una mujer entran en alianza con Dios y entre sí. Los participantes en un matrimonio son llamados a servirse mutuamente y a servir a sus familias y a la Iglesia.

Durante la ceremonia de matrimonio la pareja acepta el sacramento y declara sus promesas mutuamente. La pareja declara que llega libremente a entregarse el uno al otro y a sellar su amor ante la presencia de la Iglesia. El sacerdote o diácono es testigo del sacramento y bendice a la pareja. El sacerdote o diácono bendice los anillos de matrimonio y la pareja los intercambia como símbolo de amor y fidelidad.

(Continúa en la página 91).

Oración

Jesús, hazme santo, como lo eres tú.

Sacraments at the Service of Communion

What do you think your life will be like in 20 years?

Sacraments at the Service of Communion

Both priesthood and marriage are vocations. A vocation is a way of life to which God calls us to live out the mission of the Church. Through vocations we use the gifts God has given us to love and serve the Kingdom of God.

The Holy Spirit calls people to holiness with the Sacraments at the Service of Communion—Holy Orders and Matrimony. These sacraments are ways of life that help us to lead others to Salvation.

Matrimony

Think about God's Covenant with Moses and the Hebrews. In the Sacrament of Matrimony, or marriage, a man and a woman enter into a covenant with God and each other. The people in a marriage are called to serve each other, their family, and the Church.

During the marriage ceremony, the couple consents to the sacrament and state their promises to each other. The couple declare that they have come freely to give themselves to each other and to seal their love in the presence of the Church. The priest or deacon is a witness to the sacrament and blesses the couple. The priest or deacon blesses wedding rings and the couple exchange them as symbols of love and fidelity.

(Continue to page 91.)

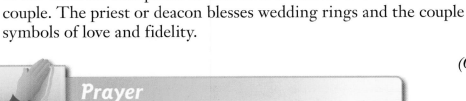

Prayer

Jesus, make me holy, as you are holy.

Sacramento del Orden

En el sacramento del Orden el Espíritu Santo llama a los hombres a una vida de santidad y servicio como líderes de la Iglesia. Este sacramento otorga a los sacerdotes la gracia y el poder espiritual para llevar a cabo los sacramentos. Mediante este sacramento el Espíritu Santo imparte una marca especial que cambia al sacerdote por siempre y lo identifica como uno de los siervos de Dios. Un obispo coloca sus manos sobre la cabeza del hombre que va a ser ordenado y dice: "Escúchanos, Señor nuestro Dios, y vierte sobre estos siervos tuyos la bendición del Espíritu Santo y la gracia y el poder del sacerdocio".

Existen tres niveles de ordenación: diácono, **presbítero** (sacerdote) y obispo. El obispo es el líder visible de cierto número de parroquias en una región o diócesis. Los obispos sirven a la familia de Dios como líderes de las comunidades y de los sacerdotes en sus parroquias. Los obispos son los sucesores de los apóstoles. El papa es el sucesor de san Pedro, quien fue el líder de los apóstoles. Juntos, los obispos y el papa comparten la responsabilidad apostólica y la misión de la Iglesia.

Obligaciones especiales

Los diáconos, sacerdotes y obispos sirven cada uno de manera específica a la comunidad. ¿Qué sabes sobre sus obligaciones? ¿Cuáles son las diferentes maneras en que los diáconos, sacerdotes y obispos sirven a la comunidad?

Diáconos: _____

_____

Sacerdotes: _____

_____

Obispos: _____

_____

VE A LA
PÁGINA 190

¿Sabías que...?

Los *carismas* son dones del Espíritu Santo que ayudan a los miembros de la Iglesia a servir al bien común. Entre ellos se encuentran los dones de la enseñanza, la proclamación del Evangelio, la ayuda a los pobres y la hospitalidad.

Holy Orders

The Holy Spirit calls men to a life of holiness and service as leaders of the Church in the Sacrament of Holy Orders. This sacrament gives priests the grace and spiritual power to perform sacraments. Through this sacrament the Holy Spirit imparts a special mark that changes a priest forever and identifies him as one of God's servants. A bishop places his hands on the head of the man to be ordained and says, "Hear us, Lord our God, and pour out upon these servants of yours the blessing of the Holy Spirit and the grace and power of the priesthood."

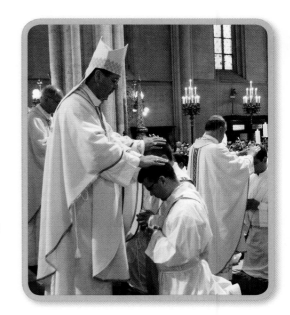

The ordained ministry has three levels: deacon, **presbyter** (priest), and bishop. A bishop is the visible head of a number of parishes in a region or diocese. Bishops serve God's family as leaders of the people and priests in their parishes. The bishops are the successors of the apostles. The pope is the successor of Saint Peter, who was the leader of the apostles. Together the bishops and the pope share in the apostolic responsibility and mission of the Church.

Special Duties

Deacons, priests, and bishops each have specific ways they serve communities. What do you know about their duties? What are different ways deacons, priests, and bishops serve?

Deacons: _____

_____

Priests: _____

_____

Bishops: _____

_____

Did You Know...?

Charisms are gifts of the Holy Spirit that help members of the Church serve the common good. Among these are the gifts of teaching, proclaiming the gospel, giving to those who are poor, and showing hospitality.

GO TO PAGE 190

Oración

Una oración de guía

La santidad es nuestra actitud diaria. Somos llamados a una vida de santidad. Esta oración te puede recordar que Dios te guiará siempre a lo largo del camino especial de tu vida. Rézala en silencio.

Dios, mi creador, mi proveedor.
Mientras lucho por encontrar el camino correcto
  en mi vida,
ayuda a mi corazón a buscar la guía de tu amor.
Ayuda a mi mente a reflejar la profundidad
  de tu sabiduría.
Ayuda a mis manos a crear paz.
Ayuda a mis pies a sostener mi esperanza.
Fortalece mi amor por ti,
mientras crezco fuerte en tu amor hacia mí.
Amén.

Vuelve a rezar la oración. ¿Qué palabras o frases te llaman la atención? Comenta estas palabras con Dios. Escucha a Dios en tu corazón.

Sacramentos al Servicio de la Comunidad

Trabaja en grupos pequeños. En una hoja de papel contesta las siguientes preguntas:

1. ¿Cuáles son los tres niveles del ministerio ordenado?

2. ¿Quién celebra la misa del domingo?

3. ¿Mediante qué sacramento se convierten los hombres en sacerdotes?

4. ¿Cuál es la alianza entre Dios y un hombre y una mujer?

5. ¿Qué simbolizan los anillos de matrimonio?

Prayer

A Prayer for Guidance

Holiness is our everyday attitude. We are all called to lives of holiness. This prayer may help remind you that God will always guide you along your unique path in life. Pray it silently to yourself.

God, my creator, my provider,
As I struggle to seek the right way in life,
Help my heart find guidance in your love.
Help my mind reflect the depth of your wisdom.
Help my hands create peace.
Help my feet support hope.
And strengthen my love for you,
As I grow strong in your love for me.
Amen.

Pray the prayer again. Which words or phrases stand out? Spend time discussing them with God. Listen to God with your heart.

Sacraments at the Service of Communion

Work in small groups. On a separate sheet of paper, answer the following questions:

1. What are the three levels of ordained ministry?

2. Who celebrates Mass on Sunday?

3. In what sacrament do men become priests?

4. What is a covenant between God and a man and a woman?

5. What do wedding rings symbolize?

Resumen del tema

Aunque todas las personas son llamadas a la vocación de una vida santa, algunas personas son llamadas a la santidad mediante el sacramento del Orden o el del Matrimonio. Estos sacramentos son celebraciones para aquellas personas que han decidido hacer un compromiso público de servicio y santidad.

Palabra que aprendí

presbítero

Maneras de ser como Jesús

Al escuchar la Palabra de Dios, Jesús contestó su llamado y sirvió a los demás. *Sigue tu vocación o llamado en la vida —sea cual sea— mediante la santidad y el servicio a los demás.*

Oración

Gracias, Dios, por hacer posible que yo viva una vida santa sirviendo con amor a los demás.

Con mi familia

Actividad Piensa en algo que crees que Dios te ha llamado a hacer. Escribe algunas frases que expliquen cómo puedes vivir el llamado de Dios en tu vida diaria. Pide a tu familia que comparta sus pensamientos. Recen juntos para pedirle a Dios que te ayude a responder a su llamado.

Fe para el camino Pregúntense unos a otros: *¿Qué cosas implica el responder al llamado de ser sacerdote o miembro de una orden religiosa?*

Oración en familia *Querido Dios, bendice a nuestra familia y ayuda a todos los padres para que sean buenos ejemplos de fe, esperanza y caridad.*

Faith Summary

Although every person is called to the vocation of a holy life, some people are called to holiness through Holy Orders or through Matrimony. These sacraments are celebrations of people who have chosen to make a public commitment to service and holiness.

Word I Learned

presbyter

Ways of Being Like Jesus

By listening to God's Word, Jesus answered his calling and served others. *Follow your vocation or calling in life—whatever it may be—through holiness and service to others.*

Prayer

Thank you, God, for making it possible for me to live a holy life by serving others with love.

With My Family

Activity Think about something you feel God has called you to do. Write a few sentences to tell how you can live out God's call in your daily life. Have family members share their thoughts. Pray together asking God to help you answer his call.

Faith on the Go Ask one another: *What do you think answering a call to be a priest or a member of a religious order involves?*

Family Prayer Dear God, bless our family and help all parents to be good models of faith, hope, and charity.

Cuidar la tierra

Describe un lugar al aire libre que tenga un significado especial para ti. Explica cómo te sientes cuando estás ahí.

SESIÓN 23

La responsabilidad que Dios nos ha dado

En la primera historia de la Creación Dios creó al hombre y a la mujer. Dios les dio dominio sobre todos los seres vivos de la tierra. Pero, ¿qué significa *dominio*? Significa control o gobierno. El dominio suena como un don asombroso, pero Dios nos dio a los seres humanos algo más que todo lo que hay en el mundo: nos dio una responsabilidad. Nos confió la responsabilidad de cuidar su magnífica creación.

Gobernar con amor y sabiduría

El Papa Juan Pablo II escribió en una **encíclica** que "el dominio concedido al hombre por el Creador no es un poder absoluto". Dios quiere que mantengamos la ley moral en nuestras relaciones. También espera que mantengamos la ley moral en el cuidado del mundo natural. Dios no quiere que abusemos o maltratemos los recursos naturales. Él quiere que cuidemos con amor todo lo que está a nuestro alrededor.

Una manera de entender el dominio de la familia humana sobre las cosas que hay en la tierra es pensar en el dominio que tiene Dios sobre nosotros. Dios nos cuida con amor y sabiduría. De igual manera, nuestro dominio sobre el planeta debe incluir gran amor y sabiduría hacia la naturaleza. Debemos proteger todas sus criaturas, recursos y habitantes. El cuidado por la creación de Dios es un principio importante de la enseñanza social católica. Mostramos nuestro respeto hacia Dios cuando cuidamos toda su creación.

Oración

Dios, Creador mío, ayúdame a ver tu presencia en toda la creación para poder alabarte y recordar que debo cuidar la tierra.

Caring for the Earth

Describe an outdoor place that has special meaning for you. Explain how it makes you feel.

Our God-Given Responsibility

In the first Creation story, God created man and woman. God gave them dominion over all living things on the earth. What exactly does *dominion* mean? It is control or rule. Dominion sounds like an amazing gift, but God gave human beings more than everything on the earth. He gave us responsibility. He entrusted us with the responsibility of caring for his magnificent creation.

Ruling with Love and Wisdom

Pope John Paul II wrote in an **encyclical** that "the dominion granted to man by the Creator is not an absolute power." God wants us to uphold the moral law in our relationships. He also expects us to uphold the moral law in caring for our natural world. God did not intend for us to abuse or misuse natural resources. He wants us to lovingly care for everything in the world around us.

One way to understand the human family's dominion over everything on the earth is to think about how God has dominion over us. God cares for us with love and wisdom. In the same way, our dominion over the planet should show great love and wisdom for nature. We should work to protect all creatures, resources, and habitats. Care for creation is an important principle of Catholic Social Teaching. We show our respect for God when we show care for all that he created.

Prayer

God, my Creator, help me see you in all of creation so that I will praise you and remember to care for the earth.

Solidaridad

Nuestra responsabilidad de cuidar la creación de Dios requiere que seamos moderados y usemos solamente lo que necesitamos. Piensa en toda la comida y el agua que desperdiciamos a diario. Piensa en las personas de tu comunidad y en el resto del mundo que no tienen suficiente comida o agua potable. Como católicos, somos llamados a vivir en solidaridad, o unión, con las personas en todas partes del mundo. Dios nos llama a ser conscientes de las necesidades y los derechos de las personas menos afortunadas que nosotros. Somos llamados a hacer todo lo posible para ayudarlos a proteger y cuidar su medio ambiente. Somos llamados a dar comida, agua y condiciones de vida sanitarias a los necesitados.

En la Biblia no hay diferencia entre la justicia para las personas y la justicia para el medio ambiente. Las Sagradas Escrituras se refieren al mundo natural como si fuera una persona que se puede regocijar o guardar luto. Los siete temas de la enseñanza social católica recalcan los conceptos de solidaridad, dignidad y respeto. Somos llamados a amar y a servir a los demás como parte de nuestro camino en la fe, al igual que lo hizo Jesús.

Leyendo la Palabra de Dios

Alégrense los cielos, salte de gozo la tierra,
    retumbe el mar y cuanto contiene.
Salte de gozo la campiña y cuanto hay en ella,
    aclamen gozosos los árboles del bosque
delante del Señor, que llega, que ya llega a regir la tierra;
    regirá el orbe con justicia
    y a los pueblos con lealtad.

Salmo 96:11–13

VE A LA PÁGINA 191

Solidarity

Our responsibility to care for God's creation requires us to exercise moderation by using only what we need. Think about all the food and water we waste in a single day. Think about people in your own community and all over the world who do not have enough food to eat or water to drink. As Catholics we are called to live in solidarity, or unity, with people in all parts of the world. God calls us to be aware of the needs and rights of people who are less fortunate than we are. We are called to do what we can to help them protect and care for their environments. We are called to provide food, water, and healthy living conditions for those in need.

In the Bible there is no division between justice toward people and justice toward the environment. The Scriptures speak of the natural world as though it is a person—it can rejoice or mourn. The seven themes of Catholic Social Teaching emphasize the concepts of solidarity, dignity, and respect. We are called to love and serve others as part of our faith journey just as Jesus did.

Reading God's Word

Let the heavens be glad and the earth rejoice;
   let the sea and what fills it resound;
   let the plains be joyful and all that is in them.
Then let all the trees of the forest rejoice
   before the LORD who comes,
   who comes to govern the earth,
To govern the world with justice
   and the peoples with faithfulness.

Psalms 96:11–13

GO TO PAGE 191

Oración

Amar la creación de Dios

Recen en silencio esta oración y luego lean la meditación que le sigue.

Acto de Caridad

Dios mío, te amo sobre todas las cosas
y al prójimo por ti,
porque Tú eres el infinito,
sumo y perfecto Bien,
digno de todo amor.
Quiero vivir y morir en este amor.
Amén.

Ahora reflexiona sobre el amor que Dios nos pidió tener por todos los seres vivos. Dios nos encargó el cuidado de la tierra. Reflexiona sobre cómo puedes mostrar tu amor hacia Dios a través del cuidado de su creación.

¡Ejercita tu dominio!

Imagina que tu casa está en el centro de un círculo que tiene un radio de una milla. Ahora imagina que estás en un helicóptero sobrevolando esta área. En una hoja de papel haz un dibujo de todo lo que se encuentra a una milla de tu casa. Incluye todo lo que recuerdas: animales, plantas, edificios, calles y todas las áreas naturales, como las reservas forestales, los campos o las masas de agua.

Después de haber terminado tu dibujo, piensa en algún lugar de tu vecindario en el que se puedan mejorar las condiciones ambientales. ¿Hay algún parque o callejón en tu vecindario que se necesite limpiar? ¿Hay algún terreno vacío o sin uso donde podrías crear un jardín comunitario? Marca esos lugares en tu dibujo.

Prayer

Loving God's Creation

Quietly pray this prayer and then read the reflection that follows.

Act of Love

O my God, I love you above all things with my whole heart and soul, because you are all good and worthy of all my love. I love my neighbor as myself for the love of you. I forgive all who have injured me and I ask pardon of those whom I have injured. Amen.

Now reflect on the love that God has asked us to have for all life. God has given care of the earth to us. Reflect on how you show your love of God by caring for creation.

Exercise Your Dominion!

Imagine that your home is in the center of a circle with a radius of one mile. Now imagine that you are in a helicopter looking out over that area. On a separate sheet of paper, sketch a diagram of everything that lies within a mile of your home. Include everything you can think of—animals, plants, buildings, streets, and any natural areas such as forest preserves, fields, or bodies of water.

After you have finished your drawing, think about some of the places in your neighborhood where you could improve the environment. Are there any parks or alleys in your neighborhood that need to be cleaned? Is there an unused piece of land where you could start a community garden? Mark these places on your drawing.

Resumen del tema

El Papa Juan Pablo II escribió una encíclica que nos recuerda que toda la creación es un don de Dios y que tenemos la responsabilidad de usar los dones que nos da la tierra de una manera que honre a Dios. Al mostrar más solidaridad con las personas de todo el mundo, podemos traer justicia social y medioambiental.

Palabra que aprendí

encíclica

Maneras de ser como Jesús

Jesús vio la bondad en la creación de Dios. *Respeta el mundo natural y busca la presencia de Dios en cada ser vivo.*

Oración

Dios Creador, gracias por darnos este mundo maravilloso que has creado. Muéstrame cómo cuidarlo con amor y sabiduría, ahora y por siempre.

Con mi familia

Actividad Hagan en familia una corta excursión al aire libre, ya sea a un parque, un bosque nacional, un río o un lago. Busquen una zona privada donde puedan detenerse y rezar juntos para que las personas cuiden de las plantas y los animales que habitan allí.

Fe para el camino Pregúntense unos a otros: *¿Qué podemos hacer en nuestra familia para mostrar que usamos el dominio que Dios nos dio para cuidar de nuestro mundo?*

Oración en familia *Creador de todas las cosas, enséñanos a ser servidores responsables de las personas y del medio ambiente que nos has dado.*

Faith Summary

Pope John Paul II wrote an encyclical that calls us to remember that all of creation is a gift from God and that we have a responsibility to use the gifts of the earth in ways that honor God. By increasing our solidarity with people all over the world, we can work to bring about environmental and social justice.

Word I Learned

encyclical

Ways of Being Like Jesus

Jesus saw the goodness in God's creation. *Respect the natural world and recognize the presence of God in every living thing.*

Prayer

Creator God, thank you for this marvelous world you have made. Show me how to care for it with love and wisdom, now and for the future.

With My Family

Activity Go on a short field trip with your family—to a park, a national forest, a river, or a lake. Find a private area where you can stand together and pray that people will care for the plants and animals that live there.

Faith on the Go Ask one another: *What is one thing we can do in our family to show that we are using our God-given dominion to care for our world?*

Family Prayer *Creator of all things, teach us to be responsible stewards of the people and environments you have given us.*

El llamado de Jesús por la justicia

¿Qué significa la justicia para ti? Comparte con el grupo tu experiencia de una ocasión en la que presenciaste un acto sencillo de justicia.

SESIÓN 24

Vivir en comunidad

Cada uno de nosotros forma parte de muchas comunidades, grandes y pequeñas. Somos miembros de familias y miembros de parroquias. Vivimos en una comunidad de vecinos, pero también en una comunidad global. En las comunidades compartimos metas comunes y encontramos apoyo mediante la solidaridad. Cuando Dios creó a los seres humanos, los destinó a vivir en comunidades. Para que nuestras comunidades funcionen bien, el Espíritu Santo nos llama a cuidarnos unos a otros con respeto y tolerancia.

Jesucristo también nos ha reunido en una comunidad: la Iglesia. Al ser miembros de esta comunidad, vivimos unos con otros como lo hizo Jesús, con justicia y compasión. En particular, extendemos una mano a los necesitados, como las personas incapacitadas o los pobres, desamparados y abandonados.

Piensa cómo sería la vida en tu comunidad si las personas tratasen a los demás como tratan a sus mejores amigos.

Oración

Jesús, guíame a tener más fe para que mis acciones siempre reflejen el amor y la justicia de Dios.

Jesus' Call for Justice

What does justice mean to you? Share your experience of a time when you witnessed a simple act of justice with the group.

Living in Community

Each of us is a part of many communities, both large and small. We are members of families, and we are members of parishes. We are residents of a neighborhood community, and we are residents of a global community as well. In communities we share common goals and find support through solidarity. When God created human beings, he intended them to live in communities. To make our communities function well, the Holy Spirit calls us to care for one another with respect and tolerance.

Jesus Christ also has brought us together in a community—the Church. As members of this community, we live with others as Jesus lived, in justice and with compassion. We reach out particularly to those in need, such as people with disabilities and those who are poor, homeless, or lonely.

Think about how life in your community would be different if people treated everyone the same way they treated their closest friends.

Prayer

Jesus, lead me to a greater faith so that my actions always reflect God's love and justice.

Justicia comunitaria

Dios nos creó para que vivamos en comunidades. Es muy importante que los grupos de todas las comunidades sigan la **ley natural** de justicia de Dios. Por ejemplo, los gobiernos deben apoyar los derechos básicos de los individuos. Las leyes deben dirigir y animar a las personas para que se traten con justicia e igualdad entre sí. Nuestros líderes locales, estatales, nacionales y mundiales deben ejercer su autoridad con responsabilidad y moralidad.

Todas las personas son iguales ante los ojos de Dios. Desafortunadamente, las circunstancias de la vida ciertamente no lo son. Dios nos llama a ayudar a los pobres y los necesitados. Estas deben ser las metas de la sociedad: ayudarnos unos a otros y promover el respeto y la paz.

Los gobiernos pueden ayudar a lograr esta meta si protegen nuestros derechos básicos: el derecho a la libertad de religión, el derecho a la libertad personal, el derecho de obtener de los medios de comunicación la información que necesitamos, el derecho a la vida y el derecho a ser protegidos del terror y la tortura.

En las noticias

Piensa en los sucesos mundiales que has escuchado en las noticias.

¿Qué problemas están relacionados con el derecho de las personas a ser

tratadas con igualdad?_____

_____

¿Qué problemas parecen estar relacionados con la pobreza?_____

_____

¿Qué problemas parecen estar relacionados con la pérdida de la libertad?_____

_____

_____

VE A LA
PÁGINA 192

Community Justice

God created us to live in communities. It is very important for the groups in any community to follow God's **natural law** of justice. For example, governments should support the basic rights of individuals. Laws should direct and encourage people to treat one another fairly, as equals. Our local, state, national, and world leaders should exercise authority with a sense of responsibility and morality.

All people are of equal value in God's eyes. Unfortunately life circumstances are certainly not equal. God calls us to work for those who are poor or in need. These should be the goals of society: to help one another and to promote respect and peace.

Governments can help with this goal by protecting basic rights—the right to religious liberty, the right to personal freedom, the right to access necessary information from the media, the right to life, and the right to be protected from terror and torture.

In the News

Think about world events that you have been hearing about in the news.

What problems are related to the right of people to be treated

as equals?_____

_____

What problems seem to be related to poverty?_____

_____

What problems seem to be related to a loss of freedom?_____

_____

_____

GO TO
PAGE 192

Oración

Promesa de misericordia

Rezamos el *Magníficat* en cada oración de la tarde. En esta canción y oración María expresa su propio sentido de justicia después de saber que daría a luz a Jesús.

El *Magníficat*

Todos: *Proclama mi alma la grandeza del Señor,*
se alegra mi espíritu en Dios, mi salvador;
porque ha mirado la humillación de su esclava.

Grupo A: *Desde ahora me felicitarán todas las generaciones,*
porque el Poderoso ha hecho obras grandes por mí:
su nombre es santo.

Grupo B: *Y su misericordia llega a sus fieles*
de generación en generación.
Él hace proezas con su brazo:
dispersa a los soberbios de corazón.

Grupo A: *Derriba del trono a los poderosos*
y enaltece a los humildes.

Grupo B: *A los hambrientos los colma de bienes*
y a los ricos los despide vacíos.

Todos: *Auxilia a Israel, su siervo,*
acordándose de la misericordia
—como lo había prometido a nuestros padres—
en favor de Abrahán y su descendencia por siempre.

Habla en silencio con Dios y agradécele los dones que les ha dado a María y a ti.

Fe que funciona

La enseñanza social católica resalta las maneras en las que Dios nos llama a vivir en el mundo de hoy. Dios nos llama a mostrar justicia, respeto, dignidad y solidaridad en todas nuestras comunidades.

Lee Santiago 2:14–26. Este pasaje explora el tema de la fe y las buenas obras, y explica que la fe sin obras no tiene sentido. ¿Qué ejemplo da Santiago de la fe que no está seguida de buenas acciones? ¿Qué trabajo justificó Abrahán?

Prayer

A Promise of Mercy

We pray the Magnificat at every evening prayer. In this song and prayer, Mary expressed her own sense of justice after learning that she would give birth to Jesus.

The Magnificat

All: *My soul proclaims the greatness of the Lord,*
my spirit rejoices in God my Savior;
for he has looked with favor on his lowly servant.

Group A: *From this day all generations will call me blessed:*
the Almighty has done great things for me,
and holy is his Name.

Group B: *He has mercy on those who fear him*
in every generation.
He has shown the strength of his arm,
he has scattered the proud in their conceit.

Group A: *He has cast down the mighty from their thrones,*
and has lifted up the lowly.

Group B: *He has filled the hungry with good things,*
and the rich he has sent away empty.

All: *He has come to the help of his servant Israel*
for he has remembered his promise of mercy,
the promise he made to our fathers,
to Abraham and his children forever.

Talk to God quietly and thank him for the gifts that he has given Mary and you.

Faith That Works

Catholic Social Teaching highlights ways in which God calls us to live in today's world. God calls us to show justice, respect, dignity, and solidarity in all our communities.

Read James 2:14–26. This passage explores the theme of faith and good deeds by explaining that faith without action is meaningless. What example does James give of faith that is not followed by good works? What does he call faith without works? What work justified Abraham?

Resumen del tema

Dios nos llama a tratar a todos con respeto y justicia. Nuestra fe nos lleva a ayudar a que cada persona obtenga sus derechos fundamentales, como la libertad personal y religiosa. Al seguir el ejemplo de Jesús, ayudamos a la comunidad global a través de nuestra compasión por los demás y nuestro trabajo por la justicia.

Palabras que aprendí

ley natural

Maneras de ser como Jesús

Jesús mostró que todas las personas son capaces de hacer el bien y merecen nuestro respeto. *Trata a los demás con igual amor y respeto.*

Oración

Jesús, gracias por mostrarme que tengo la capacidad de hacer de mi comunidad un lugar de paz y justicia.

Con mi familia

Actividad Visita una organización comunitaria, como un comedor de beneficencia o un refugio para los desamparados. Busca una manera en la que tu familia puede brindar ayuda.

Fe para el camino Pregúntense unos a otros: *¿Cómo sería el mundo si todos viviéramos en paz y tuviéramos la misma igualdad de derechos?*

Oración en familia *Amoroso Dios, rezamos para que todas las personas en nuestra comunidad y en todo el mundo sean tratadas con dignidad, respeto y amor.*

Faith Summary

God calls us to treat everyone with respect and justice. Our faith leads us to help every person gain fundamental rights such as freedom and religious liberty. By following the example of Jesus, we help the global community by showing compassion for others and by working for justice.

Words I Learned

natural law

Ways of Being Like Jesus

Jesus showed that all people are capable of good and are deserving of our respect. *Treat all people with the same love and respect.*

Prayer

Jesus, thank you for showing me that I have the ability to make my community a place of peace and justice.

With My Family

Activity Visit a local community organization such as a food pantry or a homeless shelter. Find out how your family can help.

Faith on the Go Ask one another: *What would the world be like if everyone lived in peace and had equal rights?*

Family Prayer *Loving God, we pray that all people are treated with dignity, respect, and love in our community and around the world.*

Celebrando la Pascua

La Pascua de Resurrección es el tiempo del año litúrgico de la Iglesia en el cual celebramos la Resurrección y Ascensión de Jesús. Toda la tristeza por su muerte en la cruz desaparece cuando le damos la bienvenida a Cristo resucitado. El período de la Cuaresma termina con la misa de la Última Cena en la tarde del Jueves Santo.

El tiempo de Pascua de Resurrección comienza con la celebración de la Vigilia Pascual el Sábado Santo y termina el Domingo de Pentecostés, 50 días después. Durante el tiempo de Pascua de Resurrección también celebramos la Ascensión del Señor, el día que Jesús ascendió al cielo.

La palabra *Pascua* tiene sus orígenes en tiempos remotos. Muchos creen que está relacionada con las celebraciones de primavera y el comienzo de una nueva vida. Hoy en día, cuando escuchamos esta palabra, pensamos en la Resurrección de Jesús. Cada primavera celebramos alegremente la victoria de Jesús sobre la muerte y el don de la vida nueva que nos infunde.

Oración

Querido Jesús, ayúdame a entender el don de la Salvación que nos has dado. Permanece conmigo mientras cuido de toda tu creación.

Celebrating Easter

Easter is the season in the Church's liturgical year when we celebrate Jesus' Resurrection and Ascension. All the sadness of his Death on the cross is washed away as we welcome the risen Christ into our lives. The season of Lent comes to an end with the Mass of the Lord's Supper on the evening of Holy Thursday.

The Easter season begins with the celebration of the Easter Vigil on Holy Saturday and ends on Pentecost Sunday, 50 days later. During the Easter season, we also celebrate the Feast of the Ascension, the day Jesus ascended into heaven.

The word *Easter* has its roots in ancient times. Many believe that it relates to springtime celebrations and the beginning of new life. Today, when we hear the word, we think of Jesus' Resurrection. Every spring we joyfully celebrate Jesus' victory over death and the gift of new life it breathes into us.

Prayer

Dear Jesus, help me to understand the gift of Salvation you have given us. Be with me as I try to care for all your creation.

Celebramos nuestra Salvación durante la Pascua

La Pascua de Resurrección es el tiempo en que celebramos la gran historia de nuestra **Salvación**, el don del perdón de Dios. Nuestros ancestros, el Pueblo de Dios, esperaban la llegada del Salvador. Según el anuncio de los profetas, Jesús, el Hijo de Dios, llegó a nuestro mundo, murió en la cruz para salvarnos del pecado y resucitó de entre los muertos. Como familia de Jesús, todos los que han vivido antes de nosotros y todos los que llegarán después de nosotros son salvados mediante la muerte, Resurrección y Ascensión de Jesús.

¿Cómo debemos responder ante este maravilloso don de la Salvación? Dios nos creó a todos y creó todo lo que hay en la tierra, y es nuestro deber cuidarla. Desafortunadamente, no siempre respetamos la naturaleza. La hemos contaminado, hemos puesto en peligro los hábitats de los animales y hemos dañado nuestro planeta. Dios quiere que cuidemos mejor de la tierra. Demos el ejemplo y hagamos todo lo posible por proteger la creación de Dios.

Nuestra promesa

De hoy en adelante prometemos amar la tierra y todo lo que hay en ella, tanto como lo hace Dios. Procuraremos cuidarla mejor a diario. Prometemos reciclar, evitar la contaminación, conservar agua, usar la electricidad moderadamente, caminar o montar en bicicleta cuando podamos y aprender más sobre cómo nuestras acciones afectan el planeta. Prometemos hacer todas estas cosas en nombre de Dios. Observa las fotos de la derecha. Haz una lista de lo que puedes hacer para cuidar la creación de Dios.

Puedo _____

_____

Puedo _____

_____

Puedo _____

_____

Leyendo la Palabra de Dios

Dominen a los peces del mar, a las aves del cielo y a todos los animales que se mueven sobre la tierra.

Génesis 1:28

We Celebrate Our Salvation During Easter

Easter is a time to celebrate the great story of our **Salvation,** God's gift of forgiveness. God's People, our ancestors, awaited the coming of the Savior. As foretold by the prophets, Jesus, the Son of God, came into our world, died on the cross to rescue us from sin, and arose from the dead. As one family in Jesus, all who have come before us and all who will come after us are saved by his Death, Resurrection, and Ascension.

I can _____

_____

How are we to respond to this amazing gift of Salvation? God created everyone and everything on earth, and it is our duty to care for it. Unfortunately we don't always respect our natural world. We have polluted, endangered the habitats of animals, and put our planet at risk. God wants us to be better keepers of the earth. Let's set an example and do all that we can to protect God's creation.

I can _____

_____

Our Pledge

We promise to love our earth and everything on it as much as God does from this day forward. We will strive to become better caretakers in our everyday lives. We pledge to recycle, avoid littering, conserve water, use electricity wisely, walk or ride our bikes when we can, and learn more about how our actions affect the planet. We promise to do these things in God's name. Examine the pictures to the right. List what you can do to care for God's creation.

I can _____

_____

Reading God's Word

Have dominion over the fish of the sea, the birds of the air, and all the living things that move on the earth.   *Genesis 1:28*

La misa durante la Pascua

Durante el tiempo de Pascua la misa celebra la Resurrección de Jesús, su tiempo con los discípulos, su Ascensión al cielo y el Pentecostés. Durante la Vigilia Pascual escuchamos la historia de nuestra Salvación. La Iglesia celebra esta liturgia el Sábado Santo. La Vigilia Pascual tiene cuatro partes. Durante liturgia de la luz damos la bienvenida a la luz de Cristo. Luego, durante la Liturgia de la Palabra, escuchamos la Palabra de Dios desde el principio de los tiempos. Después, durante la liturgia del Bautismo, les damos la bienvenida a los nuevos miembros de la Iglesia. Finalmente, recibimos el Cuerpo y la Sangre de Cristo durante la Liturgia de la Eucaristía.

Lo que vivimos

Cuando vayas a la iglesia durante el tiempo de Pascua de Resurrección, notarás que las telas del altar y las vestiduras son de color blanco. El blanco es el color de este tiempo litúrgico. Verás grandes lirios de Pascua, ramilletes de flores de primavera y macetas con plantas —todos parte de la creación de Dios— decorando el santuario. Verás velas encendidas y agua bendita. Tu iglesia se llena de color, belleza y vida para celebrar nuestra Salvación a través de Jesús.

¿Sabías que...?

La palabra *Pentecostés* significa "quincuagésimo" y viene del griego.

VE A LA
PÁGINA 193

Mass During Easter

During the Easter season, the Mass celebrates Jesus' Resurrection, his time with his disciples, his Ascension into Heaven, and Pentecost. During the Easter Vigil, we hear the story of our Salvation. The Church celebrates this liturgy on Holy Saturday. The Easter Vigil has four parts. During the Service of Light, we welcome the light of Christ. Next, we hear God's Word from the beginning of time during the Liturgy of the Word. Then we welcome new members into the Church during the Liturgy of Baptism. Finally we receive the Body and Blood of Christ during the Liturgy of the Eucharist.

What We Experience

When you attend church during the Easter season, you will notice white altar linens and vestments. White is the liturgical color of the season. You will see large white Easter lilies, bouquets of spring flowers, and potted plants, all part of God's creation, decorating the sanctuary. You will see the flames flickering on the candles and see holy water to bless yourself. Your church is full of color, beauty, and life to celebrate our Salvation through Jesus.

Did You Know...?

The word *Pentecost* means "fiftieth" and comes from the Greek language.

GO TO
PAGE 193

Resumen del tema

El tiempo de la Pascua de Resurrección comienza el Sábado Santo, cuando celebramos la Vigilia Pascual, continúa con la celebración de la Ascensión del Señor, cuando Jesús ascendió al cielo, y termina en Pentecostés, cuando Dios envió el Espíritu Santo a los discípulos de Jesús. La Vigilia Pascual relata la historia de nuestra Salvación a partir de la creación, y nosotros respondemos con el compromiso de cuidar la tierra y sus habitantes.

Palabra que aprendí

Salvación

Maneras de ser como Jesús

Jesús amó a todas las personas y se preocupó por ellas. *Sé generoso y respetuoso con todos.*

Oración

Querido Dios, ¡gracias por el don de la Salvación que nos llega a través de tu Hijo, Jesús! Ayúdanos a cuidar y respetar siempre todas las cosas de la creación.

Con mi familia

Actividad Cuando vayas a misa durante la Pascua de Resurrección, busca ejemplos de las ideas que se describen en la página 104. Comenta lo que ves.

Fe para el camino Pregúntense unos a otros: *¿Qué parte de la creación de Dios tiene más significado para ti?*

Oración en familia Aprovecha la Pascua para invitar a los miembros de tu familia a crecer en la fe, rezando juntos por toda la creación de Dios. Pide a Dios que esté con tu familia mientras hacen lo posible todos los días por proteger la tierra.

Faith Summary

The Easter season begins on Holy Saturday, when we celebrate the Easter Vigil, continues through the Feast of the Ascension, when Jesus ascended to Heaven, and ends on Pentecost, when God sent the Holy Spirit to Jesus' disciples. The Easter Vigil tells the story of our Salvation History beginning with creation, and we respond with a commitment to care for the earth and all its inhabitants.

Word I Learned

Salvation

Ways of Being Like Jesus

Jesus loved and cared for all types of people. *Be kind and respectful to everyone.*

Prayer

Dear God, thank you for the gift of Salvation through your Son, Jesus. Please help us to always care and respect all things in creation.

With My Family

Activity When you go to Mass during Easter, look around your church and find examples of the ideas described on page 104. Talk about what you see.

Faith on the Go Ask one another: *What part of God's creation has the most meaning to you?*

Family Prayer Use Easter to invite family members to grow by praying together for all of God's creation. Ask God to be with your family as you do your best each day to protect the earth.

El año en nuestra Iglesia

Calendario litúrgico

El calendario litúrgico nos muestra las fiestas y tiempos del año de la Iglesia.

Tiempo Ordinario   Cuaresma

Semana Santa

Navidad

Miércoles de Ceniza

Domingo de Ramos
Jueves Santo
Viernes Santo
Sábado Santo

Domingo de Pascua

Epifanía

Navidad

Pascua

Adviento

Invierno   Primavera

Otoño   Verano

I Domingo de Adviento

Ascensión
Pentecostés

Día de los Fieles Difuntos

Día de Todos los Santos

Tiempo Ordinario

The Year in Our Church

Liturgical Calendar

The liturgical calendar shows us the feasts and seasons of the Church year.

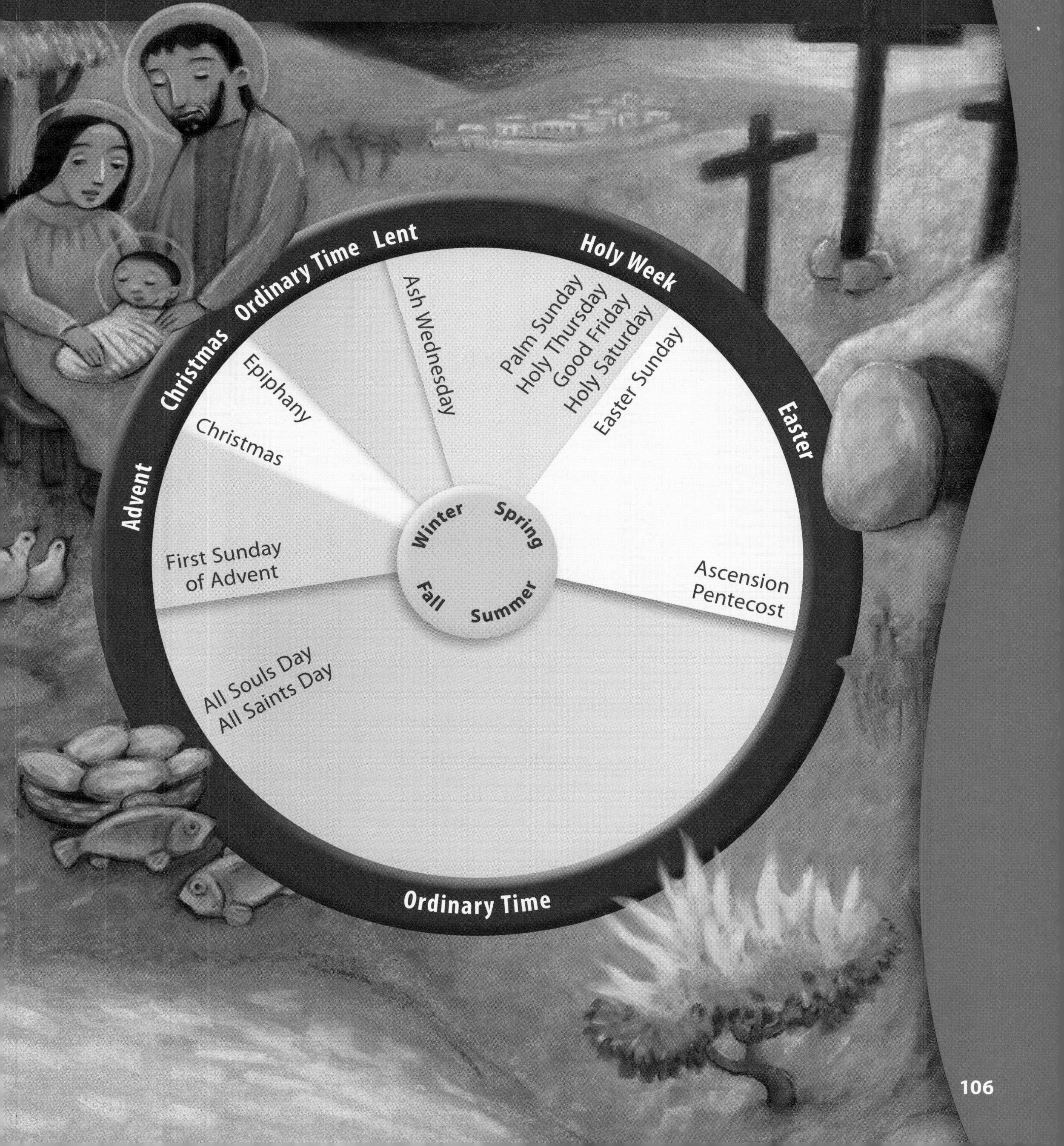

Ordinary Time

Lent

Holy Week

Ash Wednesday

Palm Sunday
Holy Thursday
Good Friday
Holy Saturday

Easter Sunday

Christmas

Epiphany

Christmas

Easter

Advent

First Sunday of Advent

Winter

Spring

Fall

Summer

Ascension
Pentecost

All Souls Day
All Saints Day

Ordinary Time

El año litúrgico

El **Adviento** marca el inicio del año de la Iglesia. Es un tiempo de anticipación de la Navidad y comienza cuatro domingos antes de esa fiesta.

El tiempo de Navidad incluye la **Navidad**, que es la celebración del nacimiento de Jesús, y la Epifanía, en la que se celebra su revelación al mundo.

La **Cuaresma** es un tiempo de conversión que comienza el Miércoles de Ceniza. Es un tiempo en el que nos encomendamos a Dios en preparación para la Pascua de Resurrección.

Durante la **Semana Santa** recordamos los acontecimientos que condujeron a la Pasión y muerte de Jesús. La Semana Santa comienza el Domingo de Ramos y termina el Sábado Santo.

La **Pascua de Resurrección** celebra que Jesús resucitó de entre los muertos. La Resurrección es el misterio central de la fe cristiana. La **Ascensión** celebra el regreso de Jesús a su Padre en el cielo.

La venida del Espíritu Santo se celebra el día de **Pentecostés**. Con esta fiesta concluye el tiempo de la Pascua.

El **Día de Todos los Santos** celebra la victoria de todos los santos que están en el cielo. El **Día de Todos los Fieles Difuntos** rezamos por los que han muerto pero siguen en el purgatorio.

El **Tiempo Ordinario** es el tiempo que dedicamos a celebrar nuestro llamado a seguir a Jesús día a día como discípulos.

Liturgical Year

Advent marks the beginning of the Church year. It is a time of anticipation of Christmas and begins four Sundays before the feast.

The Christmas season includes **Christmas,** the celebration of Jesus' birth, and Epiphany, the celebration of his manifestation to the world.

Lent is a season of conversion that begins on Ash Wednesday. It is a time of turning toward God in preparation for Easter.

During **Holy Week** we recall the events leading to the suffering and Death of Jesus. Holy Week begins with Palm Sunday and ends on Holy Saturday.

Easter celebrates Jesus' being raised from the dead. The Resurrection is the central mystery of the Christian faith. The **Ascension** celebrates Jesus' return to the Father in Heaven.

The coming of the Holy Spirit is celebrated on **Pentecost.** With this feast the Easter season ends.

All Saints Day celebrates the victory of all the holy people in Heaven. On **All Souls Day,** we pray for those who have died but are still in Purgatory.

The time set aside for celebrating our call to follow Jesus day by day as his disciples is **Ordinary Time.**

Adviento

Durante el Adviento recordamos cómo el Pueblo de Dios esperaba el nacimiento del Mesías y nos preparamos para celebrar el nacimiento de Jesús.

El Adviento dura cuatro semanas. Para muchos de nosotros cuatro semanas pueden parecer una espera larga. El Pueblo de Dios vivió con la esperanza de la venida del Mesías durante cientos de años.

Oración

Amoroso Dios, ayúdame a pasar el tiempo de Adviento recordando tu promesa de enviar un Mesías. Ayúdame a prepararme para la celebración del nacimiento de tu único Hijo, Jesús.

Advent

During Advent we remember how the People of God awaited the birth of the Messiah, and we prepare ourselves to celebrate the birth of Jesus.

Advent lasts four weeks. For many of us, four weeks can seem like a long time to wait. The People of God lived in hope of the coming of the Messiah for hundreds of years.

Prayer

Loving God, help me spend the season of Advent remembering your promise to send a Messiah. Help me to prepare to celebrate the birth of your only Son, Jesus.

Juan el Bautista

Este año estamos estudiando las personas y los acontecimientos del Antiguo Testamento. El Antiguo Testamento relata la historia del Pueblo de Dios, mientras Dios los preparaba para recibir al Mesías. La alianza con Abrahán y Sara, el Éxodo, la formación de Israel y el Templo y la labor de los profetas anticiparon la llegada del Mesías.

Juan el Bautista fue el último profeta en proclamar la llegada de Jesús. Le dijo al pueblo que él mismo era el mensajero prometido por el profeta Isaías. Con la ayuda del Espíritu Santo, Juan preparó al pueblo para recibir al Mesías.

Juan prepara el camino

He aquí lo que la Biblia cuenta de Juan el Bautista.

Tal como está escrito en la profecía de Isaías:

"Mira, yo envío por delante a mi mensajero
   para que te prepare el camino.
Una voz grita en el desierto:
   Preparen el camino al Señor, enderecen sus senderos".

Se presentó Juan en el desierto, bautizando y predicando un bautismo de arrepentimiento para el perdón de los pecados. Toda la población de Judea y de Jerusalén acudía a él, y se hacía bautizar en el río Jordán, confesando sus pecados. Juan llevaba un manto hecho de pelo de camello, con un cinturón de cuero en la cintura, y comía saltamontes y miel silvestre. Y predicaba así: "Detrás de mí viene uno con más autoridad que yo, y yo no soy digno de agacharme para soltarle la correa de sus sandalias. Yo los he bautizado con agua, pero él los bautizará con Espíritu Santo".

Marcos 1:2–8

John the Baptist

This year we are studying the people and events in the Old Testament. The Old Testament tells the history of the People of God as God prepared them to receive the Messiah. The covenant with Abraham and Sarah, the Exodus, the formation of Israel and the Temple, and the work of the prophets all anticipate the arrival of the Messiah.

John the Baptist was the last prophet to proclaim the arrival of Jesus. He told people that he himself was the messenger promised by the prophet Isaiah. With the help of the Holy Spirit, John prepared people to receive the Messiah.

John Prepares the Way

This is what the Bible says about John the Baptist.

As it is written in Isaiah the prophet:

"Behold, I am sending my messenger ahead of you;
    he will prepare your way.
A voice of one crying out in the desert:
    'Prepare the way of the Lord, make straight his paths.'"

John [the] Baptist appeared in the desert proclaiming a baptism of repentance for the forgiveness of sins. People of the whole Judean countryside and all the inhabitants of Jerusalem were going out to him and were being baptized by him in the Jordan River as they acknowledged their sins. John was clothed in camel's hair, with a leather belt around his waist. He fed on locusts and wild honey. And this is what he proclaimed: "One mightier than I is coming after me. I am not worthy to stoop and loosen the thongs of his sandals. I have baptized you with water; he will baptize you with the holy Spirit."

Mark 1:2–8

Árbol de Jesé

Durante el Adviento muchas personas conmemoran los antepasados de Jesús con árboles de Jesé. Un Árbol de Jesé es un árbol con ramas sin hojas de las cuales se cuelgan ornamentos que representan las profecías, las personas y los acontecimientos que culminan en el nacimiento de Jesús. La idea del Árbol de Jesé viene de un versículo de Isaías.

> Pero retoñará el tocón de Jesé,
>   de su cepa brotará un vástago.
>
> *Isaías 11:1*

Pueden hacer un Árbol de Jesé en grupo. Necesitarán una rama de árbol que mida 2 o 3 pies. Adornen el árbol con ornamentos ilustrados que representen figuras como Noé, Abrahán, Isaías, María, Juan el Bautista, David y Rut.

Jesse Tree

During Advent many people celebrate Jesus' ancestry by making Jesse trees. A Jesse tree is a bare-branch tree that has ornaments on it representing prophecies, people, and events leading up to the birth of Jesus. The idea for a Jesse tree comes from a verse in Isaiah.

> But a shoot shall sprout from the stump of Jesse,
> and from his roots a bud shall blossom. *Isaiah 11:1*

As a group you may want to make a Jesse tree. Your group will need a tree branch that is two or three feet tall. Decorate the tree with illustrated ornaments to represent people such as Noah, Abraham, Isaiah, Mary, John the Baptist, David, and Ruth.

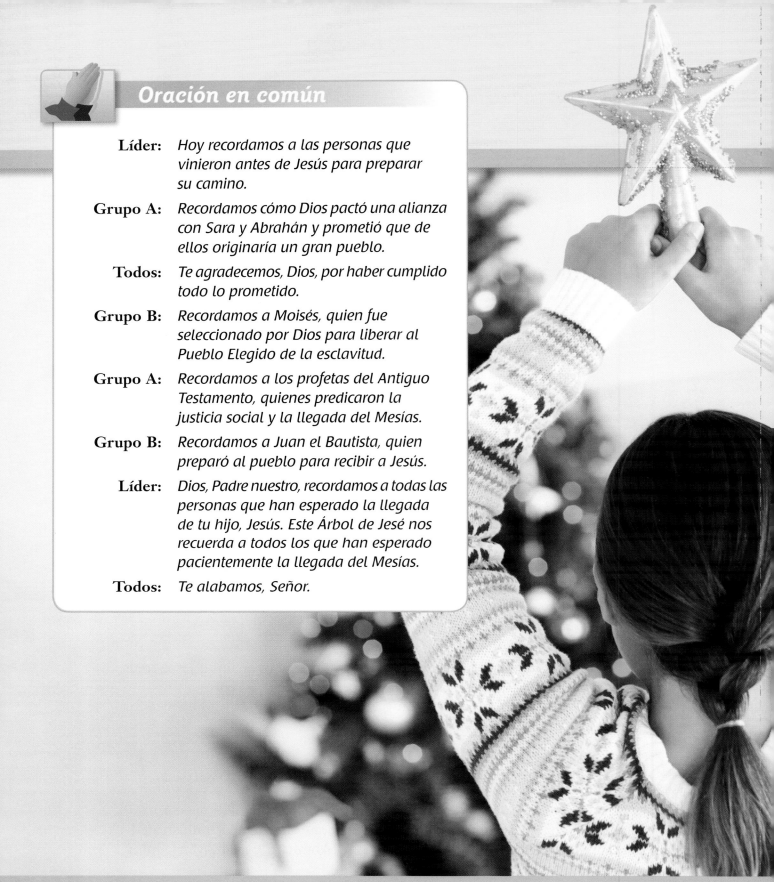

Oración en común

Líder: Hoy recordamos a las personas que vinieron antes de Jesús para preparar su camino.

Grupo A: Recordamos cómo Dios pactó una alianza con Sara y Abrahán y prometió que de ellos originaría un gran pueblo.

Todos: Te agradecemos, Dios, por haber cumplido todo lo prometido.

Grupo B: Recordamos a Moisés, quien fue seleccionado por Dios para liberar al Pueblo Elegido de la esclavitud.

Grupo A: Recordamos a los profetas del Antiguo Testamento, quienes predicaron la justicia social y la llegada del Mesías.

Grupo B: Recordamos a Juan el Bautista, quien preparó al pueblo para recibir a Jesús.

Líder: Dios, Padre nuestro, recordamos a todas las personas que han esperado la llegada de tu hijo, Jesús. Este Árbol de Jesé nos recuerda a todos los que han esperado pacientemente la llegada del Mesías.

Todos: Te alabamos, Señor.

Prayer Service

Leader: Today we remember the people who came before Jesus to prepare his way.

Group A: We remember how God made a covenant with Sarah and Abraham and promised that they would be the founders of a great people.

All: We thank you, God, for fulfilling all that you promised.

Group B: We remember Moses, who was selected by God to lead the Chosen People out of slavery.

Group A: We remember the Old Testament prophets who preached social justice and of the coming of the Messiah.

Group B: We remember John the Baptist, who prepared the people to receive Jesus.

Leader: God, our Father, we remember all the people who waited for the coming of your Son, Jesus. May this Jesse tree remind us of all those who patiently awaited the arrival of the Messiah.

All: Thanks be to God.

Navidad

La Navidad es el tiempo litúrgico en el que recordamos las promesas cumplidas por Dios al darnos a su único Hijo, Jesús. También es el tiempo en el que compartimos con el mundo el mensaje de amor de Jesús.

Oración

Dios benevolente, ayúdame a pasar el tiempo de la Navidad recordando el don que nos diste al enviarnos a tu único Hijo, Jesús.

Christmas

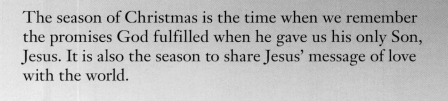

The season of Christmas is the time when we remember the promises God fulfilled when he gave us his only Son, Jesus. It is also the season to share Jesus' message of love with the world.

Prayer

Gracious God, help me spend the Christmas season remembering the gift that you gave to us when you sent us your only Son, Jesus.

Presentación en el Templo, Giovanni Bellini, siglo XV.

La Presentación en el Templo

Jesús nació en el seno de una familia pobre. La celebración del nacimiento de un hijo de una pareja israelita incluía la costumbre de presentarlo ante Dios en el Templo.

Cuando María y José entraron al Templo, dos personas, Simeón y Ana, les dieron la bienvenida y se regocijaron al ver al niño Jesús. Ellos reconocieron a Jesús como el Mesías que cumpliría no solo sus propias esperanzas, sino las esperanzas del mundo entero. He aquí lo que dijo Simeón después de haber visto a Jesús.

"Ahora, Señor, según tu palabra,
　　puedes dejar que tu sirviente muera en paz
porque mis ojos han visto a tu salvación,
　　la que has dispuesto ante todos los pueblos
como luz para iluminar a los paganos
　　y como gloria de tu pueblo Israel".

El padre y la madre estaban admirados de lo que decía acerca del niño. Simeón los bendijo y dijo a María, la madre: "Mira, este niño está colocado de modo que todos en Israel o caigan o se levanten; será signo de contradicción y así se manifestarán claramente los pensamientos de todos. En cuanto a ti, una espada te atravesará el corazón".

Lucas 2:29–35

Presentation in the Temple, Giovanni Bellini, 15th century.

The Presentation at the Temple

Jesus was born into a poor family. The customary way to celebrate the birth of an Israelite couple's son was to present him to God at temple.

When Mary and Joseph entered the Temple, two people, Simeon and Anna, greeted them and rejoiced at the sight of the baby Jesus. They recognized Jesus as the Messiah who would fulfill not only their own hopes but also the hopes of the entire world. This is what Simeon said after he saw Jesus.

"Now, Master, you may let your servant go in peace,
according to your word,
for my eyes have seen your salvation,
which you prepared in sight of all the peoples,
a light for revelation to the Gentiles,
and glory for your people Israel."

The child's father and mother were amazed at what was said about him; and Simeon blessed them and said to Mary his mother, "Behold, this child is destined for the fall and rise of many in Israel, and to be a sign that will be contradicted (and you yourself a sword will pierce) so that the thoughts of many hearts may be revealed."

Luke 2:29–35

Compartir la presencia de Jesús

Durante el tiempo de la Navidad, celebramos el amor de Dios. Recordamos al Mesías, el Hijo de Dios que se hizo hombre, el don de Dios para el mundo. También celebramos nuestra misión de traer amor a los demás, especialmente a los más necesitados de amor. Nuestro reto durante la Navidad es compartir la presencia de Jesús con todas las personas.

Cadena de la paz

Celebramos el nacimiento de Jesús el 25 de diciembre. Siete días después de su nacimiento, sus padres lo llevaron al Templo. Este día, el 1 de enero, las personas alrededor del mundo celebran el Día Mundial de la Paz, y el papa emite su mensaje anual por la paz mundial.

En honor al mensaje de paz de Jesús y al mensaje del papa a todos nosotros en el Día Mundial de la Paz, prepara una cadena de paz con tu grupo. Cada miembro debe hacer un eslabón de cartulina verde o roja. En tu eslabón, escribe un versículo de la Biblia sobre la paz. Abajo te damos una lista de versículos recomendados; sin embargo, puedes elegir cualquier versículo de la Escrituras. Adorna tu eslabón y únelo al de otro miembro del grupo. Cuando todos hayan terminado, cuelguen la cadena entera.

Versículos sobre la paz

- ▶ Salmo 29:11
- ▶ Salmo 34:15
- ▶ Isaías 52:7
- ▶ Mateo 5:9
- ▶ 1 Corintios 14:33
- ▶ Santiago 3:18

"Los pilares de la paz verdadera son la justicia y esa forma particular del amor que es el perdón".

Sharing Jesus' Presence

During the Christmas season, we celebrate God's love. We remember the Messiah, the Son of God who became man, God's gift to the world. We also celebrate our mission to bring love to others, especially those most in need of love. We are challenged during Christmas to share the presence of Jesus with all people.

Peace Chain

We celebrate the birth of Jesus on December 25. Seven days after his birth, his parents took him to the Temple. On this day, January 1, people all over the world celebrate World Peace Day, and the pope issues his yearly message for world peace.

In honor of Jesus' message of peace and the pope's message to all of us on World Peace Day, make a Peace Chain with your group. Each of you will make a paper chain link out of green or red construction paper. On your link write a verse from the Bible that is about peace. Several suggested passages are listed below; however, feel free to use a Scripture passage of your own choosing. Decorate your link and then attach it to someone else's finished link. Hang up the entire chain when everyone is finished.

Passages of Peace

- ▶ Psalm 29:11
- ▶ Psalm 34:15
- ▶ Isaiah 52:7
- ▶ Matthew 5:9
- ▶ 1 Corinthians 14:33
- ▶ James 3:18

"The pillars of true peace are justice and that form of love which is forgiveness."

Líder: *Al acercase la Navidad, reflexionamos sobre el significado del nacimiento de Jesús y recordamos el gozo que sintieron Simeón y Ana al reconocer que Jesús es el Hijo de Dios.*

Lector: *Lectura del santo Evangelio según san Lucas.* [Lucas 2:29–32]

Palabra de Dios.

Todos: *Gloria a ti, Señor Jesucristo.*

Líder: *Compartimos el gozo que Ana y Simeón sintieron cuando vieron al Niño Jesús en el Templo. Ellos habían esperado durante mucho tiempo la llegada del Mesías, pero jamás perdieron la esperanza. Sabían que se cumpliría la promesa que hizo Dios de enviar a su único Hijo.*

Todos: *Dios, al igual que Simeón y Ana, recordamos tu promesa de enviar al mundo a tu único Hijo, Jesucristo. Ayúdanos a recordar que debemos darle la bienvenida a Jesús tal como lo hicieron Simeón y Ana, con alegría en nuestros corazones.*

Líder: *Jesucristo, tú nos ayudas a aceptar a Dios en nuestras vidas.*

Todos: *Gracias por mostrarnos el camino.*

Líder: *Tú nos ayudas amar a los demás, como Dios nos ama.* ℟.

Líder: *Tú nos ayudas a sanar a los que necesitan ser sanados.* ℟.

Líder: *Tú nos ayudas a traer paz al mundo.* ℟.

Líder: *Dediquemos unos minutos a decirle a Dios la alegría que nos trae el que haya enviado a su único Hijo, Jesucristo.*

Leader: *As Christmas approaches let us reflect on the meaning of the birth of Jesus by remembering the joy that Simeon and Anna felt when they recognized Jesus as the Son of God.*

Reader: *A reading from the holy Gospel according to Luke.* [Luke 2:29–32]

The Gospel of the Lord.

All: *Praise to you, Lord Jesus Christ.*

Leader: *We share the joy that Anna and Simeon felt when they saw the baby Jesus in the Temple. They had been waiting a long time for the Messiah, but they never gave up hope. They knew that God's promise to send his only Son would be fulfilled.*

All: *God, like Simeon and Anna, we remember your promise to send your only Son, Jesus Christ, to the world. Help us remember to welcome Jesus just as Simeon and Anna did, with gladness in our hearts.*

Leader: *Jesus Christ, you help us to accept God in our lives.*

All: *Thank you for showing us the way.*

Leader: *You help us to love others as God loves us.* ℟.

Leader: *You help us to bring healing to those who are in need.* ℟.

Leader: *You help us to bring peace to the world.* ℟.

Leader: *Let's spend a few minutes telling God how happy we are that he sent his only Son, Jesus Christ.*

Cuaresma

La Cuaresma es el tiempo que pasamos preparándonos para la Pascua de Resurrección. Durante este período de 40 días, recordamos los 40 días que Jesús pasó en el desierto, ayunando y rezando. Tal como Jesús, somos llamados a hacer sacrificios para acercarnos más a Dios. ¿Qué harías durante la Cuaresma para acercarte más a Dios?

Oración

Amoroso Dios, ayúdame a pasar el tiempo de Cuaresma en rezo y sacrificio para poder acercarme más a ti.

Lent

Lent is the time we spend preparing ourselves for Easter. During this 40-day period, we remember the 40 days Jesus spent in the wilderness, fasting and praying. Like Jesus we are called to make sacrifices to help us grow closer to God. What will you do during Lent that brings you closer to God?

Prayer

Loving God, help me spend the season of Lent in prayer and sacrifice so that I may grow closer to you.

Jesús en el desierto

Después de que Juan bautizó a Jesús en el río Jordán, el Espíritu Santo guió a Jesús al desierto, donde no comió nada durante 40 días. La última noche, el diablo llegó a probar la fe de Jesús y su confianza en Dios. De igual manera como el Espíritu Santo sostuvo a Jesús durante su hambre, el Espíritu Santo lo sostuvo durante la tentación.

Primero, el diablo tentó a Jesús con alimento porque sabía que Jesús tenía hambre. El diablo le mostró a Jesús algunas piedras grandes, diciéndole: "Si eres Hijo de Dios, dile a estas piedras que se conviertan en pan". Jesús se negó a ser tentado y dijo: "Está escrito: 'No solo del pan vive el hombre'".

Luego, el diablo llevó a Jesús a la cima de una montaña alta. Le mostró a Jesús todos los reinos del mundo y le dijo a Jesús que podría ser el rey de todos esos reinos si le rendía culto al diablo. De nuevo, Jesús se negó. Jesús dijo: "Está escrito: 'Al Señor tu Dios adorarás, y solo a él rendirás culto'".

Finalmente, el diablo llevo a Jesús a la cima de una torre alta del Templo en Jerusalén. El diablo trató de engañarlo de nuevo, diciéndole a Jesús que saltara de la torre si estaba seguro de que los ángeles de Dios lo atraparían. Jesús también se negó a hacer esto. Dijo: "Está dicho: 'No pondrás a prueba al Señor, tu Dios'".

Después de esa prueba final el diablo se fue y Jesús volvió del desierto.

adaptado de Lucas 4:1–13

Jesus in the Desert

After John baptized Jesus in the Jordan River, the Holy Spirit led Jesus to the harsh desert wilderness, where he ate nothing for 40 days. On the final night, the devil came to test Jesus' faith and trust in God. Just as the Holy Spirit had sustained Jesus through hunger, the Holy Spirit would sustain him through temptation.

First, the devil tempted Jesus with food, knowing that Jesus was hungry. The devil showed Jesus some large stones, saying, "If you are the Son of God, command that

these stones become loaves of bread." Jesus refused to be tempted and said, "It is written, 'One does not live by bread alone.'"

Then the devil took Jesus to the top of a high mountain. He showed Jesus all of the kingdoms of the world and told Jesus that he could be king of all those kingdoms if only he would worship the devil. Again, Jesus refused. Jesus said, "It is written: 'You shall worship the Lord, your God, and him alone shall you serve.'"

Finally, the devil took Jesus to the top of a high tower at the Temple in Jerusalem. The devil tried to trick him again by telling Jesus to jump from the tower if he was certain that God's angels could catch him. Jesus refused to do this as well. He said, "It also says, 'You shall not put the Lord, your God, to the test.'"

After that final test, the devil left him, and Jesus returned from the desert.

adapted from Luke 4:1–13

Acercándonos a Dios

La Cuaresma comienza con una ceremonia especial en la que nos marcan la frente con ceniza. Durante la Cuaresma pensamos en los 40 días y las 40 noches que Jesús pasó en el desierto. Entendemos su ayuno como señal de identificación con los pobres y los débiles. Esperamos que, al seguir su ejemplo, nosotros también podamos identificarnos con aquellas personas necesitadas, y así liberarnos de nuestras necesidades personales para servir a los demás mediante obras de caridad.

Al igual que Jesús, dirigimos nuestra atención a Dios durante la Cuaresma a través de las oraciones y haciendo pequeños sacrificios personales, como renunciar a ciertos alimentos. A partir de los 14 años, estamos obligados a abstenernos de comer carne los viernes durante la Cuaresma. También podemos celebrar la Cuaresma leyendo la Biblia, rezando y yendo a misa con frecuencia.

Otra práctica de la Cuaresma es dar limosnas o regalos a los necesitados. Al igual que la oración y el ayuno, dar limosna nos hace pensar en Dios porque nos recuerda que dependemos de sus dones, los cuales debemos compartir con los demás.

Growing Closer to God

We mark the beginning of Lent by receiving ashes on our foreheads at a special ceremony. During Lent we think about those 40 days and nights Jesus spent in the desert. We see his act of fasting as a sign of his willingness to identify with those who are poor and weak. We hope that, by following his example, we too may identify with people in need so that we may free ourselves from personal wants in order to serve others with charitable acts.

Like Jesus we turn our attention to God during Lent by praying and making small personal sacrifices, such as giving up certain foods. At the age of 14, we are required to give up eating meat on Fridays during Lent. Reading parts of the Bible, praying, and attending Mass as often as we can are also ways that we can celebrate Lent.

Another Lenten practice is giving alms or gifts to those in need. Like prayer and fasting, giving alms focuses our attention on God by emphasizing our dependence on his gifts, which are to be shared with all.

Oración en común

Líder: *Alabemos a Dios. Bendito seas por siempre, Señor.*

Todos: *Bendito seas por siempre, Señor.*

Líder: *Dios, al llegar el tiempo de la Cuaresma, ayúdanos a resistir las tentaciones del mundo, tal como tu único Hijo, Jesús, resistió la tentación del diablo cuando estuvo en el desierto.*

Todos: *Dios, durante el tiempo de la Cuaresma nos acercaremos a ti mediante el rezo, la lectura de tu Palabra en la Biblia y la resistencia a la tentación, siguiendo a tu Hijo, Jesús, quien resistió la tentación del diablo cuando estuvo en el desierto.*

Lector: *Lectura del santo Evangelio según san Lucas.* [Lucas 4:1–13]

Palabra de Dios.

Todos: *Gloria a ti, Señor Jesucristo.*

Líder: *Dediquemos unos minutos a recordar las cosas buenas que hemos hecho para celebrar la Cuaresma. Dediquemos unos minutos a contarle a Dios lo que hemos hecho para observar la Cuaresma y lo que haremos para observarla en la semana próxima. Gracias por habernos enviado a tu único Hijo, Jesús, para ayudarnos a alejarnos del pecado.*

Todos: *Ayúdanos a usar la oración y el sacrificio para acercarnos a ti mientras observamos el tiempo de la Cuaresma.*

Leader: *Let us praise God. Blessed be God forever.*

All: *Blessed be God forever.*

Leader: *God, as we enter into the season of Lent, help us to resist the temptations of the world, just as your only Son, Jesus, resisted the devil in the desert.*

All: *God, let us spend Lent growing closer to you as we pray, reading your word in the Bible, and resisting temptation, just as your Son, Jesus, resisted the temptations of the devil when he was in the desert.*

Reader: *A reading from the holy Gospel according to Luke.* [Luke 4:1–13]

The Gospel of the Lord.

All: *Praise to you, Lord Jesus Christ.*

Leader: *Let us take time to remember the good things we have done to celebrate Lent. Spend a few minutes telling God the things we have done to observe Lent and ways we will observe Lent in the week to come. Thank you for sending your only Son, Jesus, to help us turn from sin.*

All: *Help us to use prayer and sacrifice to grow closer to you as we observe the season of Lent.*

Semana Santa

La Semana Santa es el tiempo en el cual recordamos que Jesús pasó de la muerte a una vida nueva. También es el tiempo para reflexionar sobre la manera en que Jesús, a través de la oración, fue capaz de tomar la difícil decisión de seguir la voluntad de Dios. Durante esta Semana Santa, ¿cómo puedes acercarte a Dios mediante la oración? ¿Qué puedes hacer para seguir mejor la voluntad de Dios?

Oración

Dios todopoderoso, dame la fuerza y el valor para escucharte y obedecer tu voluntad, tal como lo hizo tu Hijo.

Holy Week

Holy Week is a time when we remember Jesus' passing from death to new life. It is also a time to reflect on how Jesus, through prayer, was able to make the difficult decision to follow God's will. During this Holy Week, how will you grow closer to God in prayer? What can you do to follow God's will better?

Prayer

Almighty God, give me the strength and courage to listen to you and to obey your will, just as your Son did.

Jesús reza en el Huerto

Después de la Última Cena, Jesús tuvo que completar varias tareas importantes. Se fue con Pedro, Santiago y Juan a rezar a un lugar llamado Getsemaní, un huerto situado en las afueras de Jerusalén. Jesús les dijo a los demás que vigilaran mientras él rezaba. Le preguntó a Dios si era posible que la hora de su muerte lo pasara de largo. Jesús rezó: "Padre, tú lo puedes todo. Aparta de mí esta copa. Pero no se haga mi voluntad, sino la tuya".

Cuando Jesús volvió, encontró a los apóstoles dormidos. Les preguntó: "¿Duermen? ¿No han sido capaces de estar despiertos una hora? Permanezcan despiertos y oren para no caer en la tentación. El espíritu está dispuesto, pero la carne es débil". Luego Jesús regresó a rezar.

Jesús volvió a los apóstoles por segunda vez y los encontró dormidos nuevamente. Volvió a sus oraciones. Al terminar de rezar, volvió por tercera vez y les dijo: "¡Todavía dormidos y descansando! Basta, ha llegado la hora en que el Hijo del Hombre será entregado en poder de los pecadores. Vamos, levántense, se acerca el traidor".

adaptado de Marcos 14:32–42

Jesús estaba dispuesto a seguir el plan de Dios. Poco después Judas traicionaría a Jesús, Jesús sería sometido a juicio y crucificado y resucitaría de entre los muertos para darnos una nueva vida a todos.

Jesus Prays in the Garden

After the Last Supper, Jesus knew that he had important tasks to finish. He went with Peter, James, and John to pray at a place called Gethsemane, a garden just outside Jerusalem. Jesus told the others to keep watch while he went away and prayed. He asked God whether it was possible for the hour of his death to pass him by. Jesus prayed, "Father, all things are possible to you. Take this cup away from me, yet not what I will but what you will."

When Jesus came back, he found the apostles sleeping. He asked them, "Are you asleep? Could you not keep watch for one hour? Watch and pray that you may not undergo the test. The spirit is willing but the flesh is weak." Jesus then returned to prayer.

Jesus went back to the apostles a second time and found them sleeping again. He returned to his prayers. When he finished praying, he returned a third time and said to them, "Are you still sleeping and taking your rest? It is enough. The hour has come. Behold, the Son of Man is to be handed over to sinners. Get up, let us go. See, my betrayer is at hand."

adapted from Mark 14:32–42

Jesus was ready to follow God's plan. Soon Judas would betray Jesus, Jesus would be brought to trial and crucified, and Jesus would rise from the dead to gain new life for all.

Obedecer la voluntad de Dios

Como vimos en este pasaje de las Sagradas Escrituras, Jesús se entregó por completo a cumplir la voluntad de su Padre. Estaba agitado y angustiado, pero sabía que con Dios todo era posible. En su oración a Dios dijo: "Pero no se haga mi voluntad, sino la tuya". Cuando supo que había llegado la hora de su traición, despertó a sus discípulos, quienes no tenían la fuerza de vigilar y rezar.

A menudo nos cuesta tomar las decisiones correctas cuando nos encontramos en situaciones difíciles. Aunque somos llamados a obedecer a Dios al tomar estas decisiones difíciles, nuestra obediencia no debe ser automática. La obediencia a Dios viene como resultado de escucharlo y conectar nuestros corazones con su amor. Si le pedimos ayuda a Jesús, podemos encontrar la fuerza necesaria para tomar esas decisiones difíciles.

Obeying God's Will

As we see in this Scripture passage, Jesus was totally focused on doing his Father's will. He is troubled and distressed, but he knows that all things are possible with God. In prayer to God, he said, "Not what I will but what you will." When he knew that the hour of his betrayal had come, he woke his disciples, who did not have the strength to watch and pray.

We often find ourselves struggling to make the right decisions in difficult situations. Although we are called to act in obedience to God when making these difficult choices, our obedience is not meant to be simply mechanical. Obedience to God is the result of listening to him and connecting our hearts with his love. We can find the strength needed to make difficult choices by asking Jesus to help.

Oración en común

Líder: La gracia de nuestro Señor Jesucristo sea con todos nosotros, ahora y por siempre.

Todos: Amén.

Líder: Al prepararnos para la Semana Santa y la Pascua, recordemos la historia de Jesús en Getsemaní.

Todos: Dios, ayúdanos a encontrar el valor y la fuerza para seguir tu voluntad, tal como lo hizo Jesús cuando encontró el valor y la fuerza para seguir tu voluntad y morir en la cruz por nuestros pecados.

Lector: Lectura del santo Evangelio según san Marcos. [Marcos 14:32–42]

Palabra de Dios.

Todos: Gloria a ti, Señor Jesucristo.

Líder: Dediquemos unos minutos a hablar con Dios sobre algún dilema que enfrentamos y cómo podemos encontrar la fuerza y el valor para seguir la voluntad de Dios.

Gracias por ayudarnos a alejarnos del pecado y seguir tu voluntad.

Todos: Amén.

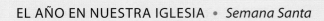

Prayer Service

Leader: *The grace of our Lord Jesus Christ be with us all, now and forever.*

All: *Amen.*

Leader: *As we prepare for Holy Week and Easter, let us remember the story of Jesus in Gethsemane.*

All: *God, help us find the courage and the strength to follow your will, just as Jesus did when he found the courage and the strength to obey your will and die on the cross for our sins.*

Reader: *A reading from the holy Gospel according to Mark.* [Mark 14:32–42]

The Gospel of the Lord.

All: *Praise to you, Lord Jesus Christ.*

Leader: *Let us take a few minutes to talk to God about a dilemma we face and how we can find the strength and the courage to follow God's will.*

Thank you for helping us turn from sin and follow your will.

All: *Amen.*

Pascua y Ascensión

Después de la Resurrección y Ascensión de Jesús, sus seguidores estuvieron dispuestos a proclamar todo lo que habían presenciado y propagar la Buena Nueva desde Jerusalén hacia todo el mundo.

Oración

Salvador resucitado, al celebrar la Pascua de Resurrección, ayúdanos a recordar que debemos vivir nuestra fe a diario mientras esperamos tu regreso.

Easter and Ascension

After Jesus' Resurrection and Ascension, his followers were prepared to proclaim everything they had witnessed and to spread the Good News from Jerusalem to the entire world.

Prayer

Risen Savior, as we celebrate Easter, help us remember to live out our faith every day while we await your return.

Los discípulos son testigos

Antes de que Jesús se fuera, los discípulos tenían preguntas sobre el futuro de Israel. El reino de Israel había sido destruido y el país estaba regido por Roma. Como los profetas habían dicho que el Mesías restablecería la soberanía del reino de Israel, los seguidores de Jesús querían saber si Jesús la restablecería de inmediato o en el futuro.

Jesús les contestó que debían ser pacientes y esperar a que Dios revelara su plan: "No les toca a ustedes saber los tiempos y circunstancias que el Padre ha fijado con su propia autoridad. Pero recibirán la fuerza del Espíritu Santo que vendrá sobre ustedes, y serán testigos míos en Jerusalén, Judea y Samaria y hasta el confín del mundo".

Entonces ocurrió algo verdaderamente increíble; Jesús se elevó en el aire y una nube lo llevó lejos, hasta que ya no pudieron verlo. Los seguidores de Jesús quedaron asombrados. Se quedaron mirando el cielo donde Jesús había desaparecido. Luego aparecieron dos ángeles y les recordaron a los seguidores de Jesús que tenían una tarea por hacer: "Hombres de Galilea, ¿qué hacen ahí mirando al cielo? Este Jesús, que les ha sido quitado y elevado al cielo, vendrá de la misma manera que lo han visto partir".

Los seguidores de Jesús hicieron caso y regresaron a Jerusalén.

La Ascensión, del *Libro de horas de Etienne Chevalier,* aprox. 1445, en pergamino.

adaptado de
Hechos de los Apóstoles 1:6–12

The Disciples Bear Witness

Before Jesus left them, the disciples had questions about the future of Israel. The kingdom of Israel had been destroyed, and the country was controlled by Rome. Prophets had told the people that the Messiah would restore the kingdom, so Jesus' followers wanted to know whether Jesus would restore the kingdom of Israel right away or sometime in the future.

Jesus answered that they should be patient and wait for God to reveal his plan: "It is not for you to know the times or seasons that the Father has established by his own authority. But you will receive the power when the Holy Spirit comes upon you, and you will be my witnesses in Jerusalem, throughout Judea and Samaria, and to the ends of the earth."

Then something truly incredible happened: Jesus rose up into the air, and a cloud took him out of their sight. Jesus' followers were amazed. They stood, staring into the sky where Jesus had disappeared. Then two angels appeared and reminded Jesus' followers that they had work to do: "Men of Galilee, why are you standing there looking at the sky? This Jesus who has been taken up from you into Heaven will return in the same way as you have seen him going into Heaven."

Jesus' followers listened and returned to Jerusalem.

The Ascension, from the *Hours of Etienne Chevalier*, c. 1445, vellum.

adapted from
Acts of the Apostles 1:6–12

Vivir nuestra fe

Las palabras que Jesús dijo a sus seguidores antes de ascender al cielo nos transmiten un mensaje importante. Esas palabras nos recuerdan que no debemos pasar el tiempo pensando en el momento del regreso de Jesús. En cambio debemos vivir nuestra fe ayudando a los demás y descubriendo la presencia de Dios en todos los aspectos de nuestra vida.

Renovar las promesas de nuestro Bautismo

Cuando un bebé es bautizado, sus padres responden a las tres siguientes preguntas diciendo: "Sí, creemos".

► ¿Creen en Dios Padre todopoderoso, creador del cielo y de la tierra?

► ¿Creen en Jesucristo, su único Hijo, Señor nuestro, que nació de María Virgen, padeció, fue sepultado, resucitó de entre los muertos y está sentado a la derecha del Padre?

► ¿Creen en el Espíritu Santo, en la santa Iglesia católica, la Comunión de los Santos, el perdón de los pecados, la resurrección de los muertos y la vida eterna?

A medida que crecemos reafirmamos estas promesas en momentos importantes y días especiales, tales como nuestra Primera Comunión, la Confirmación y el Domingo de Pascua. Piensa en el significado de estas promesas y escribe en una hoja aparte una breve oración en la que expreses cómo servirás al mundo según estas promesas. Piensa en cómo puedes hacer la obra de Dios ayudando a los demás.

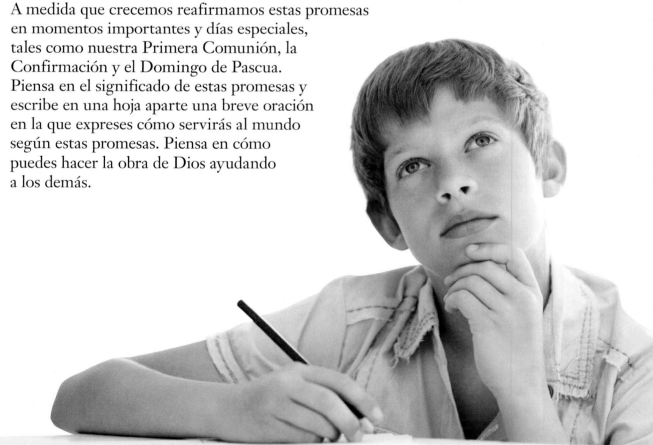

Living Out Our Faith

Jesus' words to his followers before he ascended into Heaven convey an important message. These words remind us that we should not spend our time thinking about when Jesus will return. Instead, we should live our faith by helping others and by discovering God's presence in every aspect of life.

Renewing Our Baptismal Promises

When a baby is baptized, his or her parents answer these three questions for the child with "I do."

► Do you believe in God, the Father almighty, Creator of Heaven and earth?

► Do you believe in Jesus Christ, his only Son, our Lord, who was born of the Virgin Mary, was crucified, died, and was buried, rose from the dead, and is now seated at the right hand of the Father?

► Do you believe in the Holy Spirit, the holy Catholic Church, the Communion of Saints, the forgiveness of sins, the resurrection of the body, and the life everlasting?

As we grow we reaffirm these promises at important times and on special days, such as our First Communion, Confirmation, and Easter Sunday. Think about the meaning of these promises and write on a separate sheet of paper a short prayer that expresses how you will serve the world according to these promises. Think about how you can do God's work by helping others.

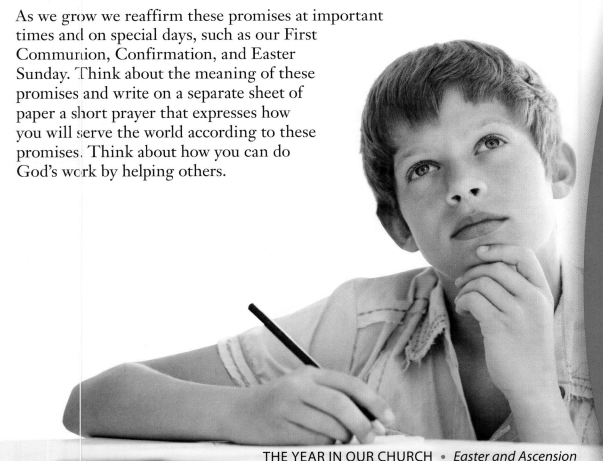

Oración en común

Líder: Alabemos a nuestro Dios amoroso. Bendito seas por siempre, Dios.

Todos: Bendito seas por siempre, Dios.

Líder: Mientras celebramos la Pascua, recordamos que Dios quiere que vivamos nuestra fe en todo lo que hagamos.

Todos: Dios, ayúdanos a vivir nuestra fe leyendo la Biblia, rezando, ayudando a los demás y siguiendo tus mandamientos.

Lector: Lectura de Hechos de los Apóstoles
[Hechos de los Apóstoles 1:6–12]
Palabra de Dios.

Todos: Gloria a ti, Señor.

Líder: Dediquemos unos minutos a reflexionar sobre cómo podemos vivir nuestras promesas bautismales y ser testigos de Jesús.

Todos: Dios, anímanos a vivir nuestra fe esta semana ayudando a las personas necesitadas.

Prayer Service

Leader: *Let us praise our loving God. Blessed be God forever.*

All: *Blessed be God forever.*

Leader: *As we observe Easter, let us remember that God wants us to live our faith in everything we do.*

All: *God, help us to live our faith by reading the Bible, praying, helping others, and following your commandments.*

Reader: *A reading from Acts of the Apostles.*
[Acts of the Apostles 1:6–12]

The Word of the Lord.

All: *Thanks be to God.*

Leader: *Let us spend a few minutes reflecting on how we will live out our baptismal promises and be Jesus' witnesses.*

All: *God, encourage us to live our faith this week by helping people who are in need.*

Pentecostés

Cuando el Espíritu Santo les habló después de la Ascensión de Jesús, los discípulos se sintieron capaces de hacer cualquier cosa. El Espíritu Santo entró en sus corazones y les dio fuerza para seguir la misión que Jesús les había encargado. Durante la fiesta de Pentecostés celebramos el don del Espíritu Santo.

Oración

Padre de la Luz, ayúdame a encontrar fuerza en el Espíritu Santo mientras vivo mi fe.

Pentecost

The disciples felt as if they could do anything when the Holy Spirit came to them after Jesus ascended. The Holy Spirit entered their hearts and gave them the strength to carry out the mission Jesus had entrusted to them. We celebrate the gift of the Holy Spirit on the Feast of Pentecost.

Prayer

Father of Light, help me find strength in the Holy Spirit as I live out my faith.

El Espíritu de Dios anima a los judíos exiliados

Durante la vigilia de Pentecostés, a menudo leemos del libro de Ezequiel en el Antiguo Testamento. Aunque su mensaje era para los judíos exiliados en Babilonia, nos sigue recordando la presencia del Espíritu Santo en nuestra vida.

En 597 a. C. los babilonios conquistaron Jerusalén, capturaron a muchos de los israelitas y los llevaron a Babilonia. Las personas exiliadas perdieron todo —sus hogares, el Templo y sus familias—.

Imaginen lo desanimadas que estaban las personas. Durante este tiempo, Dios llamó a Ezequiel para que fuera el profeta que diera esperanza a los israelitas. El profeta les contó que Dios le había dado la visión de un valle lleno de huesos resecos. En la visión Dios le preguntó: "¿Podrán revivir esos huesos?".

Ezequiel respondió: "Tú lo sabes, Señor".

Entonces Dios le dijo: "Profetiza así sobre esos huesos: Huesos secos, escuchen la Palabra del Señor. . . Yo les voy a infundir espíritu para que revivan".

Al escuchar a Ezequiel, los israelitas se dieron cuenta de que Dios no los había abandonado. Supieron entonces que Dios les daría el Espíritu para terminar con su desánimo y ayudarles a establecerse en Babilonia. Con el tiempo, los israelitas pudieron salir de Babilonia y regresar a Jerusalén.

adaptado de Ezequiel 37:1–12

De igual manera, el Espíritu Santo nos da la fuerza y el poder para vivir nuestra fe, especialmente cuando estamos desanimados.

God's Spirit Encourages the Exiled Jews

During the Pentecost vigil, we often read from the Old Testament Book of Ezekiel. Although this message was for the exiled Jews in Babylon, it continues to remind us of the presence of the Holy Spirit in our lives.

In 597 B.C. the Babylonians conquered Jerusalem, captured many of the Israelites, and took them to Babylon. The people who were taken lost everything—their homes, the Temple, and their families.

Imagine how discouraged the people felt. During this time God called on Ezekiel to be a prophet who would give hope to the Israelites. The prophet told them that God had shown him a vision of a plain covered with dried bones. In the vision God had asked him, "How can these bones come back to life?"

Ezekiel had responded, "LORD God, you alone know that."

Then God had said, "Prophesy over these bones, and say to them: Dry bones, hear the word of the LORD! . . . I will bring spirit into you, that you may come to life."

When the Israelites heard Ezekiel, they realized that God had not abandoned them. They knew that God would send the spirit to end their discouragement and help them build a life in Babylon. Eventually, the Israelites were able to leave Babylon and return to Jerusalem.

adapted from Ezekiel 37:1–12

In the same way, the Holy Spirit gives us the strength and power to live out our faith, especially when we are discouraged.

Los frutos del Espíritu Santo

El Espíritu que les dio fuerza a los judíos exiliados es el mismo Espíritu que los seguidores de Jesús recibieron en Pentecostés. El Espíritu Santo dio a los apóstoles el poder y el ánimo para comenzar a predicar la Buena Nueva.

Al ser bautizados, recibimos al Espíritu Santo de manera permanente en nuestra vida. La presencia del Espíritu Santo nos da la facultad y la motivación de vivir nuestra fe. Su presencia en nuestra vida nos ayuda a expresar los frutos del Espíritu Santo.

Estos frutos se nombran en la carta a los Gálatas 5:22–23.

- **amor:** la caridad que mostramos hacia los demás
- **alegría:** la felicidad que recibimos de nuestra fe
- **paz:** la tranquilidad de nuestras almas
- **paciencia:** la habilidad de sobrellevar las dificultades
- **amabilidad:** la bondad que mostramos a las personas
- **bondad:** la habilidad de compartir con los demás
- **fidelidad:** el compromiso que hacemos con Dios
- **modestia:** la habilidad de actuar sin crueldad ni ira
- **dominio propio:** la habilidad de evitar la tentación

¿Cuál de los frutos del Espíritu Santo es el que más necesitas en estos momentos? ¿Necesitas ser bondadoso con los demás? ¿Necesitas ser más paciente con alguien?

The Fruits of the Holy Spirit

The Spirit that gave the exiled Jews strength is the same Spirit that Jesus' followers received at Pentecost. The Holy Spirit gave the apostles the power and encouragement to begin preaching the Good News.

When we are baptized, we receive the Holy Spirit permanently in our lives. With the presence of the Holy Spirit, we are empowered and encouraged to live out our faith. Specifically the presence of the Holy Spirit in our lives helps us to express the Fruits of the Holy Spirit.

In the Letter to the Galatians 5:22–23, these fruits are named.

- **love:** the charity we express to others
- **joy:** the happiness we receive from our faith
- **peace:** the tranquility of our souls
- **patience:** the ability to endure difficulties
- **kindness:** the goodness we show people
- **generosity:** the ability to share with others
- **faithfulness:** the commitment we make to God
- **gentleness:** the ability to act without harshness or anger
- **self-control:** the ability to avoid acting on temptation

Which of the Fruits of the Holy Spirit do you most need right now? Do you need to be generous to others? Do you need to be more patient with someone?

Oración en común

Líder: Alabemos al Dios de la sabiduría y la gracia. Bendito seas por siempre, Dios.

Todos: Bendito seas por siempre, Dios.

Líder: Mientras celebramos el Pentecostés, reflexionamos sobre la importancia del Espíritu Santo en nuestra vida.

Todos: Que el Espíritu Santo nos fortalezca y nos guíe mientras vivimos nuestra fe.

Lector 1: Lectura del Libro de Ezequiel.
[Ezequiel 37:1–6]
Palabra de Dios.

Todos: Gloria a ti, Señor.

Líder: Dediquemos unos minutos a pedirle al Espíritu Santo que entre en nuestros corazones y nos conceda los dones espirituales que anhelamos.

Lector 2: Espíritu de amor, alegría y paz.

Todos: Entra en nuestros corazones.

Lector 3: Espíritu de paciencia, amabilidad y bondad.

Lector 4: Espíritu de fidelidad, modestia y dominio propio.

Líder: Dios, concédenos estos frutos del Espíritu Santo para que los demás puedan reconocer tu presencia.

Prayer Service

Leader:	*Let us praise the God of wisdom and grace. Blessed be God forever.*
All:	*Blessed be God forever.*
Leader:	*As we observe Pentecost, let us think about the importance of the Holy Spirit in our lives.*
All:	*May the Holy Spirit strengthen and guide us as we live out our faith.*
Reader 1:	*A reading from the Book of Ezekiel.* [Ezekiel 37:1–6] *The Word of the Lord.*
All:	*Thanks be to God.*
Leader:	*Let us spend a moment asking the Holy Spirit to dwell in our hearts and to grant us the spiritual gifts that we cherish.*
Reader 2:	*Spirit of love, joy, and peace.*
All:	*Enter our hearts.*
Reader 3:	*Spirit of patience, kindness, and generosity.*
Reader 4:	*Spirit of faithfulness, gentleness, and self-control.*
Leader:	*God, grant us these Fruits of the Holy Spirit so that others may recognize your presence.*

Día de Todos los Santos y Día de los Fieles Difuntos

El 1 y 2 de noviembre se celebran el Día de Todos los Santos y el Día de Todos los Fieles Difuntos, respectivamente. En estos días guardamos la memoria de los que han fallecido y están en el cielo o en el purgatorio.

Oración

Dios, Padre nuestro, gracias por los sacramentos, que nos mantienen en contacto contigo y con los demás creyentes, vivos y muertos.

All Saints Day and All Souls Day

All Saints Day and All Souls Days are celebrated on November 1 and 2. On these days we remember those who have died and who are either in Heaven or in Purgatory.

Prayer

God our Father, thank you for the sacraments, which keep us in contact with you and with all other believers, living and dead.

Celebrar a los santos

La Iglesia católica ha reconocido a miles de individuos como santos por su compromiso excepcional con la fe y la caridad.

Consideramos a los santos como modelos ejemplares y líderes; también buscamos su ayuda y consejo en nuestras oraciones.

Aunque la Iglesia ha nombrado a ciertas personas como santas, en un sentido más amplio, todos los que creemos en Jesús y vivimos una vida virtuosa somos santos. Estamos unidos con Dios en la Comunión de los Santos. En particular, la Eucaristía une a todos los cristianos en una relación especial con Dios y también unos con otros.

Cuando estamos unidos con Cristo, somos capaces de vivir vidas virtuosas, tal como lo hicieron los santos. Debido a esto, los cristianos se destacan de tres maneras: primero, los cristianos deben saber que su prioridad principal es todo lo relacionado a Dios. Segundo, los cristianos deben vivir vidas de santidad y realizar buenas obras. Tercero, los cristianos deben confiar en que algún día vivirán con Dios para siempre.

Piensa en un santo o una santa que admiras. ¿Por qué admiras tanto a esta persona? ¿Qué hizo por Dios y por los demás? ¿Fundó una orden religiosa? ¿De qué manera fue virtuosa la vida de esta persona?

San Francisco de Asís

Santa Teresita del Niño Jesús

San Martín de Porres

Celebrating the Saints

The Catholic Church has recognized thousands of individuals as saints for their exceptional commitment to faith and charity.

We look to the saints as role models and leaders; we also ask for their help and guidance in our prayers.

Although the Church has named only specific people as saints, in a larger sense, all of us who believe in Jesus and live virtuous lives are saints. Together we are united with God in the Communion of Saints. The Eucharist especially brings all Christians into a special relationship with God and with one another.

When we are united with Christ, we are able to live virtuous lives, just as the saints did. As a result Christians are set apart in three ways: First, Christians are to know that their first priority must be for things of God. Second, Christians are to live lives of holiness and good works. Third, Christians are to be confident that one day they will live with God forever.

Think of a saint whom you admire. Why do you admire that person so much? What did he or she do for God and for others? Did he or she start a religious order? How was that saint's life virtuous?

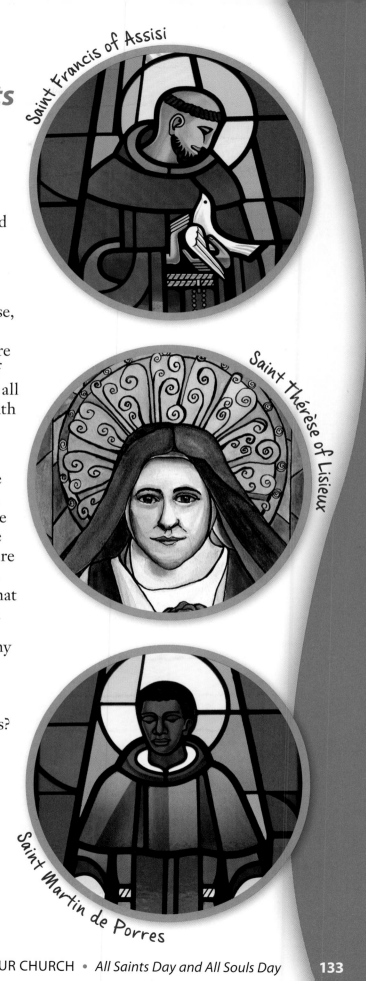

Saint Francis of Assisi

Saint Thérèse of Lisieux

Saint Martin de Porres

La Comunión de los Santos

El Día de Todos los Santos celebramos la unión de los creyentes. En este día recordamos a todos los que se han ido y que ahora viven ante la presencia de Dios. El Día de los Fieles Difuntos recordamos a todos los que fallecieron pero cuyas almas están siendo preparadas en el purgatorio para poder vivir con Dios para siempre. Estas almas se encuentran en la parte final de su viaje. Recordamos a estas personas porque estamos unidos a todos los creyentes a través de los sacramentos.

Tarjetas de santos

Utiliza el siguiente ejemplo para hacer una tarjeta de tu santo favorito. En el frente de la tarjeta, dibuja una imagen del santo y escribe una oración. En la parte posterior de la tarjeta escribe algo sobre los logros de ese santo.

Recuerda que todos estamos en comunión con los santos, así que prepara una segunda tarjeta para ti. Dibuja tu imagen en el frente de la tarjeta. En la parte posterior escribe tu nombre y tu fecha y lugar de nacimiento. Luego escribe algunas cosas buenas que hayas hecho para mostrar que tú también te estás convirtiendo en santo. ¿Has ayudado a los demás? ¿Has servido a tu comunidad? ¿Rezas con regularidad? Escribe todas estas cosas y cualquier otra que se te ocurra.

Margarita de Escocia

Dios amoroso, gracias por darnos a santa Margarita de Escocia. Ella fue madre, líder, maestra y sierva de los pobres e indefensos. Permite que su ejemplo y sus oraciones nos ayuden a hacer el bien. Amén.

Margarita nació en 1046 en Hungría. En 1066 la familia de Margarita huyó al norte y llegó a Fife, pues eran unos de los pocos nobles sajones que quedaban en Inglaterra y temían por sus vidas. El rey escocés Malcolm III y Margarita se casaron en 1069. La reina Margarita fue reconocida por su buena influencia sobre su marido y también por su extensa piedad y religiosidad. Margarita fundó iglesias, monasterios y albergues de peregrinación. Malcolm y Margarita tuvieron ocho hijos y Margarita fue famosa por cuidar de los pobres y los huérfanos. Ella murió en 1093. Fue canonizada en 1250 por el Papa Inocencio IV.

La Iglesia honra a santa Margarita el 16 de noviembre, el día del aniversario de su muerte.

The Communion of Saints

We celebrate the union of believers on All Saints Day. On this day we remember all those who have gone before us and are now living in God's presence. On All Souls Day, we remember those who have died but whose souls are being prepared in Purgatory to live with God forever. They are on the final part of the journey. We remember these people because we are united to all believers through the sacraments.

Saint Cards

Use the example below to make a card for your favorite saint. On the front of the card, draw a picture of the saint and write a prayer. Then on the back of the card add something about the accomplishments of that saint.

Remember that we are all in communion with the saints, so make a second card for yourself. Draw your picture on the front of the card. On the back put your name, date of birth, and place of birth. Then write some of the good things you have done to show how you are also becoming a saint. Have you helped others? Have you done any service for your community? Do you pray regularly? Write all of those things and any others you can think of.

Margaret of Scotland

Loving God, Thank you for St. Margaret of Scotland. She was a mother, a leader, a teacher, and a servant to those who are poor and helpless. Let her example and prayers help us to do good. Amen.

Margaret was born in 1046 in Hungary. In 1066, as some of the few remaining Saxon Royals in England, and fearing for their lives, Margaret's family fled northwards and landed in Fife. The Scottish King, Malcolm III, and Margaret married in 1069. Queen Margaret was renowned for her good influence on her husband, and also for her devout piety and religious observance. Margaret founded churches, monasteries and pilgrimage hostels. Malcolm and Margaret had eight children, and Margaret was known for caring for the poor and orphans. She died in 1093. She was cannonized in 1250 by Pope Innocent IV.

The feast of St. Margaret is celebrated each year on the anniversary of her death, November 16th.

Líder: *Alabemos a Dios, que llena nuestras vidas de alegría.*

Todos: *Bendito seas, Dios.*

Líder: *Mientras celebramos el Día de Todos los Santos y el Día de Todos los Fieles Difuntos, recordemos que Dios une a todos sus fieles, vivos y muertos, en la Comunión de los Santos.*

Lector 1: *Lectura de la primera carta de Juan.*
[1 Juan 3:1–3]
Palabra de Dios.

Todos: *Gloria a ti, Señor.*

Líder: *Dediquemos unos minutos a hablar con Dios. El Día de Todos los Santos recordamos a los que están viviendo con Dios. El Día de los Fieles Difuntos rezamos por los que están en el purgatorio.*

Lector 2: *Dios, ayúdanos a vivir nuestra fe sirviendo a los demás para acercarnos más a ti.*

Lector 3: *Dios, ayúdanos a seguir los pasos de los santos, quienes nos han mostrado cómo servir al Reino de Dios aquí en la tierra.*

Lector 4: *Dios, ayúdanos a recordar a los que ya están en el cielo contigo y ayúdanos a rezar por los que aún esperan estar contigo.*

Todos: *Dios, gracias por los sacramentos, y en especial por el sacramento de la Eucaristía, que nos une, a tus seguidores, en la Comunión de los Santos.*

Prayer Service

Leader:	*Praise be to God, who fills our lives with joy.*
All:	*Praise be to God.*
Leader:	*As we observe All Saints Day and All Souls Day, let us remember that God unites all his followers, living and dead, in the Communion of Saints.*
Reader 1:	*A reading from the First Letter of John.* [1 John 3:1–3] *The Word of the Lord.*
All:	*Thanks be to God.*
Leader:	*Let us spend a few minutes talking to God. On All Saints Day, we remember those who are living with God. On All Souls Day, we pray for those who are in Purgatory.*
Reader 2:	*God, help us to live our faith in service to others so that we may grow closer to you.*
Reader 3:	*God, help us follow in the footsteps of the saints, who have shown us how to serve the Kingdom of God right here on earth.*
Reader 4:	*God, help us remember those who are already with you in Heaven and help us to pray for those who are still waiting to be with you.*
All:	*God, thank you for the sacraments, especially the Sacrament of the Eucharist, which unites us, your followers, in the Communion of Saints.*

Oraciones y prácticas de nuestra fe

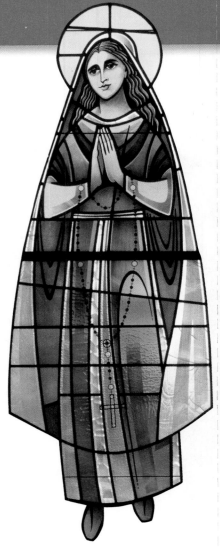

Prayers and Practices of Our Faith

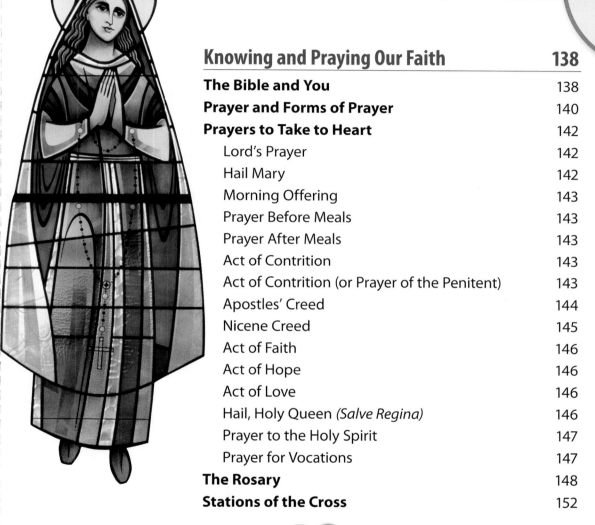

Conocer y rezar nuestra fe

La Biblia y tú

Dios nos habla de muchas maneras. Una manera en la que Dios nos habla es a través de la Biblia. La Biblia es el libro más importante en la vida cristiana porque es el mensaje de Dios, o la Revelación. La Biblia es la historia de la promesa de Dios de cuidar de nosotros, particularmente por medio de su Hijo, Jesús. Durante misa escuchamos historias de la Biblia. También podemos leer la Biblia por cuenta propia.

La Biblia no es un solo libro; es una colección de muchos libros. Las escrituras en la Biblia fueron inspiradas por el Espíritu Santo y fueron escritas por diversos autores que usaron estilos diferentes.

La Biblia está compuesta de dos partes: El Antiguo Testamento y el Nuevo Testamento. El Antiguo Testamento contiene 46 libros que relatan historias sobre el pueblo judío y su fe en Dios antes del nacimiento de Jesús.

Los primeros cinco libros del Antiguo Testamento —Génesis, Éxodo, Levítico, Números y Deuteronomio— se denominan la Torá, que significa

"instrucción" o "ley". La historia principal de la Torá es el Éxodo, la liberación de los esclavos hebreos por Moisés, quien los guió fuera de Egipto a la Tierra Prometida. Durante ese recorrido, Dios entregó a Moisés y al pueblo los Diez Mandamientos. Una sección muy hermosa del Antiguo Testamento es el libro de Salmos. Un salmo es una oración en forma de poesía. Cada salmo expresa un aspecto, o característica, de la profundidad de la emoción humana. A lo largo de varios siglos se reunieron 150 salmos para formar el libro de Salmos. Antiguamente se cantaban en el Templo en Jerusalén y han sido usados en los servicios de la Iglesia desde su fundación. Los católicos también rezan los salmos como parte de sus oraciones individuales y en sus reflexiones.

(Continúa en la página 139).

Knowing and Praying Our Faith

The Bible and You

God speaks to us in many ways. One way God speaks to us is through the Bible. The Bible is the most important book in Christian life because it is God's message, or Revelation. The Bible is the story of God's promise to care for us, especially through his Son, Jesus. At Mass we hear stories from the Bible. We can also read the Bible on our own.

The Bible is not just one book; it is a collection of many books. The writings in the Bible were inspired by the Holy Spirit and written by many different authors using different styles.

The Bible is made up of two parts: The Old Testament and the New Testament. The Old Testament contains 46 books that tell stories about the Jewish people and their faith in God before Jesus was born.

The first five books of the Old Testament—Genesis, Exodus, Leviticus, Numbers, and Deuteronomy—are referred to as the Torah, meaning "instruction" or "law." The central story in the Torah is the Exodus, the

liberation of the Hebrew slaves as Moses led them out of Egypt and to the Promised Land. During the journey God gave the Ten Commandments to Moses and the people. A beautiful part of the Old Testament is the Book of Psalms. A psalm is a prayer in the form of a poem. Each psalm expresses an aspect, or feature, of the depth of human emotion. Over several centuries, 150 psalms were gathered to form the Book of Psalms. They were once sung the Temple in Jerusalem, and they have been used in the public worship of the Church since its beginning. Catholics also pray the psalms as part of their private prayer and reflection.

(Continue to page 139.)

Los profetas fueron llamados por Dios para hablar por él y animar al pueblo judío a ser fiel a la Alianza. Gran parte del Antiguo Testamento —18 libros— presenta los mensajes y las acciones de los profetas.

El Nuevo Testamento contiene 27 libros que relatan la historia de la vida, muerte y Resurrección de Jesús, así como las experiencias de los primeros cristianos. Para los cristianos, los libros más importantes del Nuevo Testamento son los cuatro Evangelios: Mateo, Marcos, Lucas y Juan. Muchos de los 27 libros son cartas escritas por líderes como san Pablo.

Moisés y la zarza en llamas

¿Cómo puedes ubicar un pasaje en la Biblia? Los pasajes de la Biblia están identificados según el libro, el capítulo y el versículo, por ejemplo, Éxodo 3:1–3. El nombre del libro aparece primero. A veces está en forma abreviada. El índice de la Biblia te ayudará a determinar lo que significa la abreviación. Después del nombre del libro, hay dos números. El primer número identifica el capítulo, que en el ejemplo de abajo es el capítulo 3; está seguido por dos puntos. El segundo número o números identifican el versículo o los versículos, que en el ejemplo son los versículos del 1 al 3.

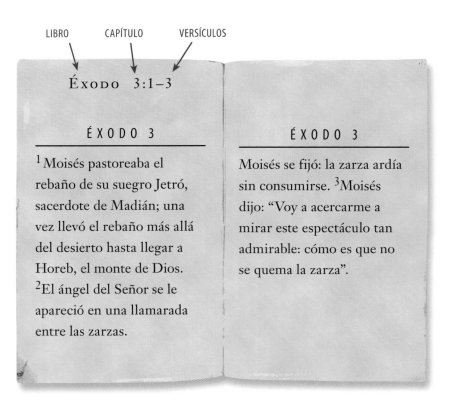

LIBRO   CAPÍTULO   VERSÍCULOS

ÉXODO   3:1–3

ÉXODO 3

¹ Moisés pastoreaba el rebaño de su suegro Jetró, sacerdote de Madián; una vez llevó el rebaño más allá del desierto hasta llegar a Horeb, el monte de Dios. ²El ángel del Señor se le apareció en una llamarada entre las zarzas.

ÉXODO 3

Moisés se fijó: la zarza ardía sin consumirse. ³Moisés dijo: "Voy a acercarme a mirar este espectáculo tan admirable: cómo es que no se quema la zarza".

The prophets were called by God to speak for him and urge the Jewish people to be faithful to the Covenant. A large part—18 books—of the Old Testament presents the messages and actions of the prophets.

The New Testament contains 27 books that tell the story of Jesus' life, Death, and Resurrection and the experience of the early Christians. For Christians the most important books of the New Testament are the four Gospels—Matthew, Mark, Luke, and John. Many of the 27 books are letters written by leaders such as Saint Paul.

Moses and the burning bush

How can you find a passage in the Bible? Bible passages are identified by book, chapter, and verse, for example, Exodus 3:1–3. The name of the book comes first. Sometimes this is in abbreviated form. Your Bible's table of contents will help you determine what the abbreviation means. After the name of the book, there are two numbers. The first number identifies the chapter, which in the example below is chapter 3; it is followed by a colon. The second number or numbers identify the verse or verses, which in the example are verses 1 to 3.

BOOK   CHAPTER   VERSES

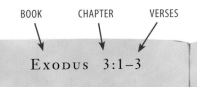

EXODUS 3:1–3

EXODUS 3

¹ Meanwhile Moses was tending the flock of his father-in-law Jethro, the priest of Midian. Leading the flock across the desert, he came to Horeb, the mountain of God. ² There an angel of the LORD appeared to him in fire flaming out of a bush.

EXODUS 3

As he looked on, he was surprised to see that the bush, though on fire, was not consumed. ³ So Moses decided, "I must go over to look at this remarkable sight, and see why the bush is not burned."

La oración y formas de rezar

Dios siempre está con nosotros. Él quiere que le hablemos y lo escuchemos. Mediante la oración entregamos a Dios nuestro corazón y nuestra mente. Somos capaces de hablar y escuchar a Dios porque, a través del Espíritu Santo, Dios nos enseña cómo rezar.

Rezamos de diferentes maneras

Debido a que la oración es tan importante, la Iglesia nos enseña a rezar a menudo y de maneras diferentes. A veces le mostramos a Dios nuestro amor o nuestra admiración (oración de bendición y adoración). Otras veces rezamos por nosotros mismos (oración de petición). A veces rezamos por los demás (oración de intercesión). Además, podemos dar gracias a Dios con una oración (oración de agradecimiento). Finalmente, también podemos alabar a Dios (oración de alabanza). Podemos rezar en silencio o en voz alta. Podemos rezar a solas o con los demás. La oración que rezamos con los demás se denomina oración comunitaria.

Meditamos y contemplamos

La meditación es una manera de rezar. Meditar es pensar en Dios. Intentamos mantener nuestra atención y concentrarnos en Dios. En la meditación podemos usar las Escrituras, los libros de rezos o los iconos, que son imágenes religiosas, como ayuda para concentrarnos e inspirar nuestra imaginación.

Otra manera de rezar es contemplar. Esto significa que nos mantenemos en silencio en presencia de Dios.

(Continúa en la página 141).

Prayer and Forms of Prayer

God is always with us. He wants us to talk to him and to listen to him. In prayer we raise our hearts and minds to God. We are able to speak to and listen to God because, through the Holy Spirit, God teaches us how to pray.

We Pray in Many Ways

Because prayer is so important, the Church teaches us to pray often and in many ways. Sometimes we show love or admiration for God (prayer of blessing and adoration). Other times we ask God for something for ourselves (prayer of petition). Sometimes we pray for others (prayer of intercession). We also thank God in prayer (prayer of thanksgiving). Finally we can also praise God (prayer of praise). We can pray silently or aloud. We can pray alone or with others. Praying with others is called communal prayer.

We Meditate and Contemplate

One way to pray is to meditate. To meditate is to think about God. We try to keep our attention and focus on God. In meditation we may use Scripture, prayer books, or icons, which are religious images, to help us concentrate and to spark our imagination.

Another way to pray is to contemplate. This means that we rest quietly in God's presence.

(Continue to page 141.)

Nos preparamos para rezar

Vivimos en un mundo muy activo, ruidoso y agitado. Por eso es posible que a veces no podamos concentrarnos. Para poder meditar o reflexionar, necesitamos prepararnos.

Podemos prepararnos para meditar colocándonos en una posición cómoda. Una opción es sentarnos con la espalda recta y ambos pies en el piso. Podemos cerrar los ojos, juntar las manos frente a nosotros y en silencio respirar profundamente para luego exhalar lentamente. Podemos contar lentamente hasta tres al inhalar y al exhalar para establecer un ritmo. Enfocarnos en nuestra respiración nos ayuda a despejar la mente.

Evitamos las distracciones

Si nos distraemos al pensar en algo, por ejemplo, en alguna actividad escolar o deportiva, debemos volver a pensar en nuestra respiración. Después de un poco de práctica seremos capaces de evitar las distracciones para poder rezar con nuestra imaginación y dedicarle tiempo a Dios o a Jesús en nuestro corazón.

We Get Ready to Pray

We live in a very busy, noisy, and fast-paced world. Sometimes, because of this, we have difficulty concentrating. In order to meditate or reflect, we need to prepare ourselves.

We can get ready for meditation by resting our bodies in a comfortable position. Sitting with our backs straight and both feet on the floor is one comfortable position. We can close our eyes, fold our hands comfortably in front of us, and silently take a deep breath and then let it out slowly. We can establish a rhythm by slowly counting to three while breathing in and slowly counting to three while breathing out. Concentrating on our breathing helps us to quiet our thoughts.

We Avoid Distractions

If we become distracted by thinking about something, such as the day at school or a sports event, we can just go back to thinking about our breathing. After a little practice, we will be able to avoid distractions, pray with our imagination, and spend time with God or Jesus in our hearts.

Oraciones para llevar en el corazón

Podemos rezar con las palabras que nos vengan a la mente. Pero cuando tenemos dificultad para escoger nuestras propias palabras, podemos usar las oraciones tradicionales. Asimismo, cuando rezamos en voz alta con los demás, usamos las oraciones tradicionales para unir nuestras mentes, nuestros corazones y nuestras voces. Puede ser de gran ayuda aprender con el corazón las oraciones tradicionales que se muestran a continuación. Al memorizar las oraciones, las llevamos en el corazón, lo cual significa que no solo las sabemos sino que también intentamos entenderlas y vivirlas.

Padrenuestro

Padre nuestro que estás en el cielo,
santificado sea tu Nombre;
venga a nosotros tu Reino;
hágase tu voluntad
en la tierra como en el cielo.
Danos hoy
nuestro pan de cada día;
perdona nuestras ofensas,
como también nosotros perdonamos
a los que nos ofenden;
no nos dejes caer en la tentación,
y líbranos del mal.
Amén.

Avemaría

Dios te salve, María,
llena eres de gracia;
el Señor es contigo.
Bendita Tú eres
entre todas las mujeres,
y bendito es el fruto de tu
*   vientre, Jesús.*
Santa María, Madre de Dios,
ruega por nosotros, pecadores,
ahora y en la hora de nuestra muerte.
Amén.

Prayers to Take to Heart

We can pray with any words that come to mind. Sometimes, when we find that choosing our own words is difficult, we can use traditional prayers. Likewise, when we pray aloud with others, we rely on traditional prayers to unite our minds, hearts, and voices. Memorizing traditional prayers such as the following can be very helpful. When we memorize prayers, we take them to heart, meaning that we not only learn the words but we also try to understand and live them.

Lord's Prayer

Our Father, who art in heaven,
hallowed be thy name;
thy kingdom come,
thy will be done
on earth as it is in heaven.
Give us this day our daily bread,
and forgive us our trespasses,
as we forgive those who trespass against us;
and lead us not into temptation,
but deliver us from evil.

Hail Mary

Hail Mary, full of grace,
the Lord is with you.
Blessed are you among women,
and blessed is the fruit of your womb, Jesus.
Holy Mary, Mother of God,
pray for us sinners,
now and at the hour of our death.
Amen.

Ofrecimiento de obras

Dios Padre nuestro,
yo te ofrezco toda mi jornada,
mis oraciones, pensamientos,
afectos y deseos, palabras,
obras, alegrías y sufrimientos,
en unión con tu Hijo Jesucristo,
que sigue ofreciéndose a Ti en la Eucaristía,
por la salvación del mundo.
Amén.

Bendición de la mesa antes de comer

Bendícenos, Señor,
y bendice estos alimentos
que por tu bondad
vamos a tomar.
Por Jesucristo Nuestro Señor.
Amén.

Bendición de la mesa después de comer

Te damos gracias, Señor,
por todos tus beneficios.
Tú que vives y reinas
por los siglos de los siglos.
Amén.

Acto de Contrición

Dios mío, me arrepiento
de todo corazón de
todos mis pecados y
los aborrezco, porque al
pecar, no sólo merezco
las penas establecidas
por ti justamente, sino
principalmente porque te
ofendí, a ti sumo Bien y
digno de amor por encima
de todas las cosas. Por eso
propongo firmemente, con
ayuda de tu gracia, no pecar
más en adelante y huir de
toda ocasión de pecado.
Amén.

Acto de Contrición (u Oración del Penitente)

Dios mío,
me arrepiento de todo corazón
de todo lo malo que he hecho
y de todo lo bueno que he dejado de hacer,
porque pecando te he ofendido a ti,
que eres el sumo bien
y digno de ser amado sobre todas las cosas.
Propongo firmemente, con tu gracia,
cumplir la penitencia,
no volver a pecar y evitas las ocasiones de pecado.
Perdóname, Señor,
por los méritos de la pasión
de nuestro salvador Jesucristo.
Amén.

Morning Offering

My God, I offer you my prayers,
works, joys, and sufferings of this day
in union with the holy sacrifice of the Mass throughout
the world. I offer them for all
the intentions of your Son's Sacred Heart,
for the salvation of souls, reparation for sin,
and the reunion of Christians.
Amen.

Prayer Before Meals

Bless us, O Lord,
*   and these your gifts*
which we are about to
*   receive from your goodness.*
Through Christ our Lord.
Amen.

Prayer After Meals

We give you thanks
for all your gifts,
almighty God,
living and reigning
now and for ever.
Amen.

Act of Contrition

O my God, I am heartily
sorry for having offended
Thee, and I detest all my
sins because of thy just
punishments, but most of
all because they offend
Thee, my God, who art all
good and deserving of all
my love. I firmly resolve
with the help of Thy grace
to sin no more and to
avoid the near occasion
of sin. Amen.

Act of Contrition
(or Prayer of the Penitent)

My God,
I am sorry for my sins with all my heart.
In choosing to do wrong
and failing to do good,
I have sinned against you
whom I should love above all things.
I firmly intend, with your help,
to do penance,
to sin no more,
and to avoid whatever leads me to sin.
Our Savior Jesus Christ
suffered and died for us.
In his name, my God, have mercy.
Amen.

Credo de los Apóstoles

Creo en Dios, Padre todopoderoso,
Creador del cielo y de la tierra.

Creo en Jesucristo, su único Hijo, nuestro Señor,
que fue concebido por obra y gracia del Espíritu Santo,
nació de santa María Virgen,
padeció bajo el poder de Poncio Pilato, fue crucificado, muerto y sepultado,
descendió a los infiernos,
al tercer día resucitó de entre los muertos,
subió a los cielos
y está sentado a la derecha de Dios, Padre todopoderoso.
Desde allí ha de venir a juzgar a vivos y muertos.

Creo en el Espíritu Santo,
la santa Iglesia católica,
la comunión de los santos,
el perdón de los pecados,
la resurrección de la carne
y la vida eterna.

Amén.

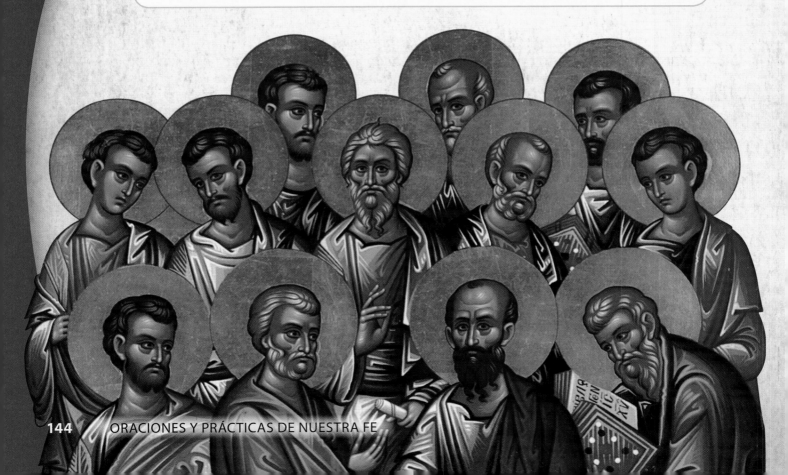

Apostles' Creed

I believe in God,
the Father almighty,
Creator of heaven and earth,
and in Jesus Christ, his only Son, our Lord,
who was conceived by the Holy Spirit,
born of the Virgin Mary,
suffered under Pontius Pilate,
was crucified, died and was buried;
he descended into hell;
on the third day he rose again from the dead;
he ascended into heaven,
and is seated at the right hand of God the Father almighty;
from there he will come to judge the living and the dead.

I believe in the Holy Spirit,
the holy catholic Church,
the communion of saints,
the forgiveness of sins,
the resurrection of the body,
and life everlasting. Amen.

Credo Niceno

Creo en un solo Dios, Padre todopoderoso,
Creador del cielo y de la tierra,
de todo lo visible y lo invisible.

Creo en un solo Señor, Jesucristo,
Hijo único de Dios,
nacido del Padre antes de todos los siglos:
Dios de Dios, Luz de Luz,
Dios verdadero de Dios verdadero,
engendrado, no creado,
de la misma naturaleza del Padre,
por quien todo fue hecho;
que por nosotros, los hombres,
y por nuestra salvación bajó del cielo,
y por obra del Espíritu Santo
se encarnó de María, la Virgen, y se hizo hombre;
y por nuestra causa fue crucificado
en tiempos de Poncio Pilato;
padeció y fue sepultado,
y resucitó al tercer día, según las Escrituras,
y subió al cielo, y está sentado a la derecha del Padre;
y de nuevo vendrá con gloria
para juzgar a vivos y muertos,
y su reino no tendrá fin.

Creo en el Espíritu Santo, Señor y dador de vida,
que procede del Padre y del Hijo, con el Padre y el Hijo
recibe una misma adoración y gloria,
y que habló por los profetas.
Creo en la Iglesia,
que es una, santa, católica y apostólica.
Confieso que hay un solo bautismo para el perdón de los pecados.
Espero la resurrección de los muertos y la vida del mundo futuro.

Amén.

Nicene Creed

I believe in one God,
the Father almighty,
maker of heaven and earth,
of all things visible and invisible.

I believe in one Lord Jesus Christ,
the Only Begotten Son of God,
born of the Father before all ages.
God from God, Light from Light,
true God from true God,
begotten, not made, consubstantial
*   with the Father;*
through him all things were made.
For us men and for our salvation
he came down from heaven,
and by the Holy Spirit was incarnate of the Virgin Mary,
and became man.

For our sake he was crucified under Pontius Pilate,
he suffered death and was buried,
and rose again on the third day
in accordance with the Scriptures.
He ascended into heaven
and is seated at the right hand of the Father.
He will come again in glory
to judge the living and the dead
and his kingdom will have no end.

I believe in the Holy Spirit, the Lord, the giver of life,
who proceeds from the Father and the Son,
who with the Father and the Son is adored and glorified,
who has spoken through the prophets.

I believe in one, holy, catholic and apostolic Church.
I confess one Baptism for the forgiveness of sins
and I look forward to the resurrection of the dead
and the life of the world to come. Amen.

Acto de Fe

Señor Dios, creo firmemente
y confieso todas y cada una de las verdades
que la Santa Iglesia Católica propone,
porque tú las revelaste,
oh Dios, que eres la eterna Verdad y Sabiduría, que ni se engaña
ni nos puede engañar.
Quiero vivir y morir en esta fe.
Amén.

Acto de Esperanza

Señor Dios mío, espero por tu gracia
la remisión de todos mis pecados;
y después de esta vida,
alcanzar la eterna felicidad,
porque tú lo prometiste que eres
infinitamente poderoso,
fiel, benigno y lleno de misericordia.
Quiero vivir y morir en esta esperanza.
Amén.

Acto de Caridad

Dios mío, te amo sobre todas
las cosas
y al prójimo por ti,
porque Tú eres el infinito,
sumo y perfecto Bien,
digno de todo amor.
Quiero vivir y morir en este amor.
Amén.

Salve Regina

Dios te salve, Reina
y Madre de misericordia,
vida, dulzura y esperanza nuestra;
Dios te salve.
A ti llamamos
los desterrados hijos de Eva;
a ti suspiramos, gimiendo y llorando
en este valle de lágrimas.
Ea, pues, Señora, abogada nuestra,
vuelve a nosotros esos tus ojos
misericordiosos;
y después de este destierro,
muéstranos a Jesús,
fruto bendito de tu vientre.

¡Oh, clementísima, oh piadosa,
oh dulce Virgen María!

Act of Faith

O my God, I firmly believe that you are one God in three divine Persons, Father, Son, and Holy Spirit. I believe that your divine Son became man and died for our sins, and that he will come to judge the living and the dead. I believe these and all the truths which the holy Catholic Church teaches, because you have revealed them, who can neither deceive nor be deceived. Amen.

Act of Hope

O my God, relying on your infinite mercy and promises,
I hope to obtain pardon of my sins, the help of your grace, and
life everlasting, through the merits of Jesus Christ, my Lord and
Redeemer. Amen.

Act of Love

O my God, I love you above all things with my whole heart and soul, because you are all good and worthy of all my love. I love my neighbor as myself for the love of you. I forgive all who have injured me and I ask pardon of those whom I have injured. Amen.

Hail, Holy Queen
(Salve Regina)

Hail, holy Queen, Mother of mercy,
hail, our life, our sweetness, and our hope.
To you we cry, the children of Eve;
to you we send up our sighs,
mourning and weeping in this land of exile.
Turn, then, most gracious advocate,
your eyes of mercy toward us;
lead us home at last
and show us the blessed fruit of your womb, Jesus:
O clement, O loving, O sweet Virgin Mary.

Oración al Espíritu Santo

Ven Espíritu Santo, llena los corazones de tus fieles.
Y enciende en ellos el fuego de tu amor.
Envía tu Espíritu y serán creadas todas las cosas.
Y renovarás la faz de la tierra.

Oremos:
¡Oh Dios, que has instruido los
corazones de tus fieles con luz del
Espíritu Santo!, concédenos que
sintamos rectamente con el mismo
Espíritu y gocemos siempre de su divino
consuelo. Por Jesucristo Nuestro Señor.

Amén.

Oración para las vocaciones

Señor Jesús,
te pedimos que envíes a tu pueblo
los servidores que necesita.
Escoge de nuestras parroquias,
de nuestros hogares,
de nuestras escuelas y universidades
una abundante cosecha
de ardientes apóstoles para tu Reino:
sacerdotes, religiosos, religiosas,
diáconos, misioneros y
apóstoles seglares;
y haz que los llamados por Ti
nunca pierdan conciencia de la
grandeza y necesidad de su vocación.

¡Oh!, Virgen María,
Madre de la Iglesia,
enseña a decir a todos los llamados
por el Señor,
un sí con alegría,
como el que tú dijiste en la Anunciación.
Amén.

Prayer to the Holy Spirit

Come, Holy Spirit, fill the hearts of your faithful.
And kindle in them the fire of your love.
Send forth your Spirit and they shall be created.
And you will renew the face of the earth.
Let us pray.

Lord,
by the light of the Holy Spirit
you have taught the hearts of your faithful.
In the same Spirit
help us to relish what is right
and always rejoice in your consolation.
We ask this through Christ our Lord.
Amen.

Prayer for Vocations

God, in Baptism you called me by name
and made me a member of your people,
   the Church.
Help all your people to know their vocation
   in life,
and to respond by living a life of holiness.
For your greater glory and for the service
   of your people,
raise up dedicated and generous leaders
who will serve as sisters, priests,
brothers, deacons, and lay ministers.

Send your Spirit to guide and strengthen me
that I may serve your people
following the example of your Son, Jesus Christ,
in whose name I offer this prayer.
Amen.

El Rosario

El Rosario nos ayuda a rezarle a Jesús a través de María. Cuando rezamos el Rosario, pensamos en los sucesos especiales, o misterios, en las vidas de Jesús y María. El rosario es una cadena formada por cuentas y un crucifijo. Sostenemos el crucifijo con las manos mientras rezamos la Señal de la Cruz. Luego, rezamos el Credo de los Apóstoles. Junto al crucifijo hay una cuenta sola, seguida por un conjunto de tres cuentas y otra cuenta sola. Sujetamos la primera cuenta sola mientras rezamos un padrenuestro y luego rezamos un avemaría por cada cuenta del conjunto de tres. Después, rezamos un gloria al Padre. En la siguiente cuenta sola, reflexionamos sobre el primer misterio y rezamos un padrenuestro.

Virgen del Rosario, Jacopo Zucchi, c. 1569, óleo sobre lienzo.

Hay cinco conjuntos de diez cuentas; cada conjunto se llama década. Rezamos un avemaría por cada cuenta de una década mientras reflexionamos sobre un misterio en particular de las vidas de Jesús y María. Al final de cada conjunto rezamos un gloria al Padre. Entre los conjuntos hay una cuenta sola con la cual pensamos en un misterio y rezamos un padrenuestro. En algunos lugares las personas rezan la *Salve Regina* después de la última década.

Concluimos con la Señal de la Cruz mientras sujetamos el crucifijo.

The Rosary

The Rosary helps us to pray to Jesus through Mary. When we pray the Rosary, we think about the special events, or mysteries, in the lives of Jesus and Mary. The rosary is made up of a string of beads and a crucifix. We hold the crucifix in our hands as we pray the Sign of the Cross. Then we pray the Apostles' Creed. Next to the crucifix, there is a single bead, followed by a set of three beads and another single bead. We pray the Lord's Prayer as we hold the first single bead and a Hail Mary at each bead in the set of three that follows. Then we pray the Glory Be to the Father. On the next single bead, we think about the first mystery and pray the Lord's Prayer.

There are five sets of ten beads; each set is called a decade. We pray a Hail Mary on each bead of a decade as we reflect on a particular mystery in the lives of Jesus and Mary. The Glory Be to the Father is prayed at the end of each set. Between sets is a single bead on which we think about one of the mysteries and pray the Lord's Prayer. In some places people pray the Hail, Holy Queen after the last decade.

We end by holding the crucifix as we pray the Sign of the Cross.

Madonna of the Rosary, Jacopo Zucchi, c. 1569, oil on canvas.

Rezar el Rosario

5. Reza diez avemarías y un gloria al Padre.

6. Reflexiona sobre el segundo misterio. Reza un padrenuestro.

Reza la *Salve Regina*. Muchas personas rezan la *Salve* después de la última década.

4. Reflexiona sobre el primer misterio. Reza un padrenuestro.

7. Reza diez avemarías y un gloria al Padre.

3. Reza tres avemarías y un gloria al Padre.

2. Reza un padrenuestro.

13. Reza diez avemarías y un gloria al Padre.

1. Reza la Señal de la Cruz y el Credo de los Apóstoles.

12. Reflexiona sobre el quinto misterio. Reza un padrenuestro.

14. Reza la Señal de la Cruz.

8. Reflexiona sobre el tercer misterio. Reza un padrenuestro.

11. Reza diez avemarías y un gloria al Padre.

9. Reza diez avemarías y un gloria al Padre.

10. Reflexiona sobre el cuarto misterio. Reza un padrenuestro.

Praying the Rosary

9. Pray ten Hail Marys and one Glory Be to the Father.

10. Think about the fourth mystery. Pray the Lord's Prayer.

11. Pray ten Hail Marys and one Glory Be to the Father.

8. Think about the third mystery. Pray the Lord's Prayer.

7. Pray ten Hail Marys and one Glory Be to the Father.

12. Think about the fifth mystery. Pray the Lord's Prayer.

6. Think about the second mystery. Pray the Lord's Prayer.

5. Pray ten Hail Marys and one Glory Be to the Father.

13. Pray ten Hail Marys and one Glory Be to the Father.

4. Think about the first mystery. Pray the Lord's Prayer.

Pray the Hail, Holy Queen. Many people pray the Hail, Holy Queen after the last decade.

3. Pray three Hail Marys and one Glory Be to the Father.

14. Pray the Sign of the Cross.

2. Pray the Lord's Prayer.

1. Pray the Sign of the Cross and the Apostles' Creed.

Los misterios del Rosario

La Iglesia ha usado tres conjuntos de misterios durante muchos siglos. En 2002 san Juan Pablo II propuso un cuarto conjunto de misterios: los misterios luminosos. Según su propuesta, los cuatro conjuntos de misterios pueden ser rezados en los siguientes días: los misterios gozosos, el lunes y sábado; los misterios dolorosos, el martes y viernes; los misterios gloriosos, el miércoles y domingo, y los misterios luminosos, el jueves.

Los misterios gozosos

Los misterios gozosos

1. **La Anunciación** María se entera de que ha sido escogida para ser la madre de Jesús.

2. **La Visitación** María visita a Isabel, quien le cuenta que será recordada para siempre.

3. **La Natividad** Jesús nace en un establo en Belén.

4. **La Presentación** María y José llevan el niño Jesús al Templo para presentarlo ante Dios.

5. **El niño Jesús perdido en el Templo** Jesús es hallado en el Templo comentando su fe con los maestros.

Los misterios luminosos

Los misterios luminosos

1. **El bautismo de Jesús en el Jordán** Dios anuncia que Jesús es su Hijo amado.

2. **Las bodas de Caná** A petición de María, Jesús realiza su primer milagro.

3. **El anuncio del Reino de Dios** Jesús invita a todos a la conversión y al servicio del reino.

4. **La transfiguración de Jesús** Jesús es revelado en gloria a Pedro, Santiago y Juan.

5. **La institución de la Eucaristía** Jesús ofrece su Cuerpo y su Sangre durante la Última Cena.

(Continúa en la página 151).

Mysteries of the Rosary

The Church has used three sets of mysteries for many centuries. In 2002 Saint John Paul II proposed a fourth set of mysteries—the Mysteries of Light, or Luminous Mysteries. According to his suggestion, the four sets of mysteries might be prayed on the following days: the Joyful Mysteries on Monday and Saturday, the Sorrowful Mysteries on Tuesday and Friday, the Glorious Mysteries on Wednesday and Sunday, and the Luminous Mysteries on Thursday.

The Joyful Mysteries

The Joyful Mysteries

1. **The Annunciation** Mary learns that she has been chosen to be the mother of Jesus.
2. **The Visitation** Mary visits Elizabeth, who tells her that she will always be remembered.
3. **The Nativity** Jesus is born in a stable in Bethlehem.
4. **The Presentation** Mary and Joseph take the infant Jesus to the Temple to present him to God.
5. **The Finding of Jesus in the Temple** Jesus is found in the Temple, discussing his faith with the teachers.

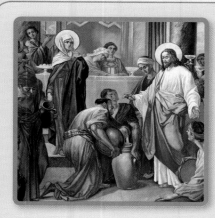

The Mysteries of Light

The Mysteries of Light

1. **The Baptism of Jesus in the River Jordan** God proclaims that Jesus is his beloved Son.
2. **The Wedding Feast at Cana** At Mary's request Jesus performs his first miracle.
3. **The Proclamation of the Kingdom of God** Jesus calls all to conversion and service to the kingdom.
4. **The Transfiguration of Jesus** Jesus is revealed in glory to Peter, James, and John.
5. **The Institution of the Eucharist** Jesus offers his Body and Blood at the Last Supper.

(Continue to page 151.)

Los misterios dolorosos

Los misterios dolorosos

1. **La oración en el huerto** Jesús reza en el huerto de Getsemaní la noche antes de morir.

2. **La flagelación del Señor** Jesús es azotado con látigos.

3. **La coronación de espinas** Jesús es ridiculizado y coronado con espinas.

4. **Jesús con la cruz a cuestas** Jesús carga la cruz que será usada para su crucifixión.

5. **La Crucifixión** Jesús es clavado en la cruz y muere.

Los misterios gloriosos

Los misterios gloriosos

1. **La Resurrección** Dios Padre resucita a Jesús de entre los muertos.

2. **La Ascensión** Jesús regresa a su Padre en el cielo.

3. **La venida del Espíritu Santo sobre los apóstoles** El Espíritu Santo viene para traer vida nueva a los discípulos.

4. **La Asunción de Nuestra Señora** Al final de su vida terrenal María es llevada en cuerpo y alma al cielo.

5. **La coronación de la Virgen María** María es coronada como la Reina del cielo y de la tierra.

The Sorrowful Mysteries

The Sorrowful Mysteries

1. **The Agony in the Garden** Jesus prays in the Garden of Gethsemane on the night before he dies.
2. **The Scourging at the Pillar** Jesus is lashed with whips.
3. **The Crowning with Thorns** Jesus is mocked and crowned with thorns.
4. **The Carrying of the Cross** Jesus carries the cross that will be used to crucify him.
5. **The Crucifixion** Jesus is nailed to the cross and dies.

The Glorious Mysteries

The Glorious Mysteries

1. **The Resurrection** God the Father raises Jesus from the dead.
2. **The Ascension** Jesus returns to his Father in Heaven.
3. **The Coming of the Holy Spirit** The Holy Spirit comes to bring new life to the disciples.
4. **The Assumption of Mary** At the end of her life on earth, Mary is taken body and soul into Heaven.
5. **The Coronation of Mary** Mary is crowned as Queen of Heaven and Earth.

Vía Crucis

Las 14 Estaciones de la Cruz representan sucesos de la Pasión y muerte de Jesús. En cada estación usamos nuestros sentidos y nuestra imaginación para reflexionar con devoción sobre la Pasión, muerte y Resurrección de Jesús.

1

Jesús es condenado a muerte.
Poncio Pilato condena a muerte a Jesús.

2

Jesús carga con su cruz.
Jesús acepta voluntariamente la cruz y la carga con paciencia.

3

Jesús cae por primera vez.
Debilitado por los tormentos y la pérdida de sangre, Jesús cae bajo la cruz.

4

Jesús encuentra a su dolorosa madre.
Jesús se encuentra con su madre, María, quien está desconsolada.

5

Simón de Cirene ayuda a Jesús con la cruz.
Los soldados obligan a Simón de Cirene a cargar la cruz.

6

Verónica limpia el rostro de Jesús.
Verónica sale de entre el público para limpiar el rostro de Jesús.

(Continúa en la página 153).

Stations of the Cross

The 14 Stations of the Cross represent events from Jesus' Passion and Death. At each station we use our senses and our imagination to reflect prayerfully on Jesus' suffering, Death, and Resurrection.

1

Jesus Is Condemned to Death.
Pontius Pilate condemns Jesus to death.

2

Jesus Takes Up the Cross.
Jesus willingly accepts and patiently bears the cross.

3

Jesus Falls the First Time.
Weakened by torments and loss of blood, Jesus falls beneath the cross.

4

Jesus Meets His Sorrowful Mother.
Jesus meets his mother, Mary, who is filled with grief.

5

Simon of Cyrene Helps Jesus Carry the Cross.
Soldiers force Simon of Cyrene to carry the cross.

6

Veronica Wipes the Face of Jesus.
Veronica steps through the crowd to wipe the face of Jesus.

(Continue to page 153.)

7

Jesús cae por segunda vez.
Jesús cae bajo el peso de la cruz por segunda vez.

8

Jesús se encuentra con las mujeres de Jerusalén.
Jesús dice a las mujeres que no lloren por él, sino por ellas mismas y por sus hijos.

9

Jesús cae por tercera vez.
Débil, y a punto de morir, Jesús cae por tercera vez.

10

Jesús es despojado de sus vestiduras.
Los soldados le quitan la ropa a Jesús, como si fuera un criminal común.

11

Jesús es clavado en la cruz.
Las manos y los pies de Jesús son clavados en la cruz.

12

Jesús muere en la cruz.
Después de sufrir mucho en la cruz, Jesús inclina la cabeza y muere.

13

Jesús es bajado de la cruz.
El cuerpo sin vida de Jesús es puesto con ternura en brazos de su madre, María.

14

Jesús es sepultado.
Los discípulos colocan el cuerpo de Jesús en el sepulcro.

La oración final, a veces incluida como la Estación 15, es una reflexión de la Resurrección de Jesús.

7

**Jesus Falls the
Second Time.**
Jesus falls beneath
the weight of the
cross a second time.

8

**Jesus Meets the
Women of Jerusalem.**
Jesus tells the women
not to weep for him
but for themselves and
for their children.

9

**Jesus Falls the
Third Time.**
Weakened almost
to the point of death,
Jesus falls a third time.

10

**Jesus Is Stripped
of His Garments.**
The soldiers strip
Jesus of his garments,
treating him as a
common criminal.

11

**Jesus Is Nailed to
the Cross.**
Jesus' hands and feet are
nailed to the cross.

12

**Jesus Dies on
the Cross.**
After suffering
greatly on the cross,
Jesus bows his head
and dies.

The closing prayer—
sometimes included as
a 15th station—reflects
on the Resurrection
of Jesus.

13

**Jesus Is Taken Down
from the Cross.**
The lifeless body of Jesus
is tenderly placed in the
arms of Mary, his mother.

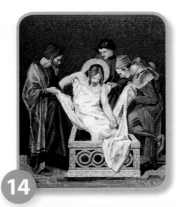

14

**Jesus Is Laid in
the Tomb.**
Jesus' disciples place
his body in the tomb.

Celebrar nuestra fe

Los siete sacramentos

Jesús toca nuestra vida mediante los sacramentos. La celebración de los sacramentos es un signo de la presencia de Jesús en nuestra vida y es la manera en la que recibimos su gracia. La Iglesia celebra siete sacramentos divididos en tres categorías.

Sacramentos de la Iniciación

Estos sacramentos establecen la base de nuestra vida como católicos.

Bautismo

Con el Bautismo recibimos una nueva vida en Cristo. El Bautismo elimina el pecado original y nos trae un nuevo nacimiento en el Espíritu Santo. Su signo es el derramamiento de agua.

Confirmación

La Confirmación sella nuestra vida de fe en Jesús. Su signo es la imposición de las manos sobre la cabeza de la persona, generalmente por un obispo, y la unción con aceite. Al igual que el Bautismo, la Confirmación se recibe una sola vez.

Eucaristía

La Eucaristía alimenta nuestra vida de fe. Sus signos son el pan y el vino que recibimos —el Cuerpo y la Sangre de Cristo—.

(Continúa en la página 155).

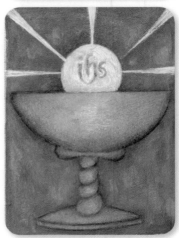

Celebrating Our Faith

The Seven Sacraments

Jesus touches our lives through the sacraments. Our celebrations of the sacraments are signs of Jesus' presence in our lives and a means for receiving his grace. The Church celebrates seven sacraments, which are divided into three categories.

Sacraments of Initiation

These sacraments lay the foundation for our lives as Catholics.

Baptism

In Baptism we receive new life in Christ. Baptism takes away Original Sin and gives us a new birth in the Holy Spirit. Its sign is the pouring of water.

Confirmation

Confirmation seals our life of faith in Jesus. Its signs are the laying on of hands on a person's head, most often by a bishop, and the anointing with oil. Like Baptism, Confirmation is received only once.

Eucharist

The Eucharist nourishes our life of faith. Its signs are the Bread and Wine we receive—the Body and Blood of Christ.

(Continue to page 155.)

Sacramentos de la Curación

Esos sacramentos celebran el poder de curación de Jesús.

Penitencia y Reconciliación

Mediante la Penitencia recibimos el perdón de Dios. El perdón requiere el arrepentimiento por los pecados cometidos. Durante la Penitencia recibimos la gracia sanadora de Jesús mediante la absolución del sacerdote. Los signos de este sacramento son nuestra confesión y las palabras de absolución.

Unción de los Enfermos

Este sacramento une el sufrimiento de la persona enferma con el de Jesús y ofrece el perdón de los pecados. El signo de este sacramento es el aceite, un símbolo de fortaleza. La persona es ungida con aceite y recibe la imposición de las manos del sacerdote.

Sacramentos al Servicio de la Comunidad

Estos sacramentos ayudan a los miembros a servir a la comunidad.

Sacramento del Orden

Mediante el sacramento del Orden los hombres son ordenados como sacerdotes, diáconos u obispos. Los sacerdotes sirven como líderes espirituales de sus comunidades y los diáconos sirven para recordarnos que el bautismo nos llama a ayudar a los demás. Los obispos continúan la enseñanza de los apóstoles. Los signos de este sacramento son la imposición de las manos y la unción con aceite por el obispo.

Matrimonio

En el Matrimonio un hombre y una mujer bautizados se unen como señal de la unidad entre Jesús y su Iglesia. El Matrimonio requiere el consentimiento de la pareja, expresado en las promesas matrimoniales. Los signos de este sacramento son la pareja y sus anillos de boda.

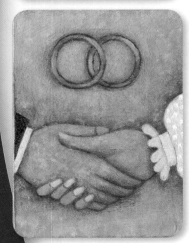

Sacraments of Healing

These sacraments celebrate the healing power of Jesus.

Penance and Reconciliation

Through Penance we receive God's forgiveness. Forgiveness requires being sorry for our sins. In Penance we receive Jesus' healing grace through absolution by the priest. The signs of this sacrament are our confession of sins and the words of absolution.

Anointing of the Sick

This sacrament unites a sick person's suffering with that of Jesus and brings forgiveness of sins. Oil, a symbol of strength, is the sign of this sacrament. A person is anointed with oil and receives the laying on of hands from a priest.

Sacraments at the Service of Communion

These sacraments help members serve the community.

Holy Orders

In Holy Orders men are ordained as priests, deacons, or bishops. Priests serve as spiritual leaders of their communities, and deacons serve to remind us of our baptismal call to help others. Bishops carry on the teachings of the apostles. The signs of this sacrament are the laying on of hands and the anointing with oil by the bishop.

Matrimony

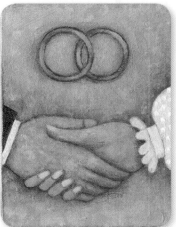

In Matrimony a baptized man and woman are united with each other as a sign of the unity between Jesus and his Church. Matrimony requires the consent of the couple, as expressed in the marriage promises. The couple and their wedding rings are the signs of this sacrament.

Celebramos el día del Señor

El domingo es el día en el que celebramos la Resurrección de Jesús. El domingo es el día del Señor. Nos reunimos para celebrar la misa, descansamos del trabajo y hacemos obras de caridad. Alrededor del mundo las personas se reúnen como hermanos y hermanas en la mesa eucarística de Dios.

El Ordinario de la Misa

La misa es la cumbre de la vida católica y siempre sigue un orden predeterminado.

Ritos Iniciales: preparando la celebración de Eucaristía

Procesión y canto de entrada

Nos reunimos como comunidad y alabamos a Dios con una canción.

Saludo

Rezamos la Señal de la Cruz. El sacerdote nos da la bienvenida.

Acto Penitencial

Recordamos nuestros pecados y le pedimos misericordia a Dios.

Gloria

Alabamos a Dios con una canción.

Oración Colecta

Pedimos a Dios que escuche nuestras oraciones.

Liturgia de la Palabra: escuchando el plan de Dios para la Salvación

Primera Lectura

Escuchamos la Palabra de Dios, usualmente del Antiguo Testamento.

Salmo Responsorial

Respondemos a la Palabra de Dios con una canción.

Segunda Lectura

Escuchamos la Palabra de Dios del Nuevo Testamento

Aclamación antes de la lectura del Evangelio

Cantamos "¡Aleluya!" para alabar a Dios por la Buena Nueva. Durante la Cuaresma usamos una aclamación diferente.

Lectura del Evangelio

Nos ponemos de pie y escuchamos el Evangelio del Señor.

Homilía

El sacerdote o el diácono explica la Palabra de Dios.

Profesión de Fe

Proclamamos nuestra fe mediante el Credo.

Oración Universal

Rezamos por nuestras necesidades y las de los demás.

(Continúa en la página 157).

Celebrating the Lord's Day

Sunday is the day on which we celebrate the Resurrection of Jesus. Sunday is the Lord's Day. We gather for Mass, rest from work, and perform works of mercy. People all over the world gather at God's eucharistic table as brothers and sisters.

The Order of Mass

The Mass is the high point of the Catholic life, and it always follows a set order.

Introductory Rites—preparing to celebrate the Eucharist

Procession and Entrance Chant

We gather as a community and praise God in song.

Greeting

We pray the Sign of the Cross. The priest welcomes us.

Penitential Act

We remaember our sins and ask God for mercy.

Gloria

We praise God in song.

Collect

We ask God to hear our prayers.

Liturgy of the Word—hearing God's plan of Salvation

First Reading

We listen to God's Word, usually from the Old Testament.

Responsorial Psalm

We respond to God's Word in song.

Second Reading

We listen to God's Word from the New Testament.

Gospel Acclamation

We sing "Alleluia!" to praise God for the Good News. During Lent we use a different acclamation.

Gospel Reading

We stand and listen to the Gospel of the Lord.

Homily

The priest or the deacon explains God's Word.

Profession of Faith

We proclaim our faith through the Creed.

Universal Prayer

We pray for our needs and the needs of others.

(Continue to page 157.)

Liturgia de la Eucaristía: celebrando la presencia de Cristo en la Eucaristía

Preparación de los dones

Traemos los dones del pan y el vino al altar.

Oración sobre las Ofrendas

El sacerdote reza para que Dios acepte nuestro sacrificio.

Plegaria Eucarística

Esta oración de agradecimiento es el momento culminante de toda la celebración.

- ▶ **Prefacio:** Damos las gracias y alabamos a Dios.
- ▶ **El Santo:** Cantamos una aclamación de alabanza.
- ▶ **Narración de la institución y consagración:** El Pan y el Vino se convierten en el Cuerpo y la Sangre de Jesucristo.
- ▶ **El Misterio de la Fe:** Proclamamos el misterio de nuestra fe.
- ▶ **Amén:** Afirmamos las palabras y acciones de la oración eucarística.

Rito de la Comunión: preparándonos para recibir el Cuerpo y la Sangre de Jesucristo

Oración del Señor

Rezamos el Padrenuestro.

Rito de la Paz

Nos ofrecemos mutuamente la paz de Cristo.

Cordero de Dios

Rezamos por el perdón, la misericordia y la paz.

Sagrada Comunión

Recibimos el Cuerpo y la Sangre de Jesucristo.

Oración después de la Comunión

Rezamos porque la Eucaristía nos fortalezca para vivir como lo hizo Jesús.

Rito de Conclusión: partiendo para glorificar al Señor con nuestra vida

Bendición

Recibimos la bendición de Dios.

Despedida

Nos vamos en paz a glorificar al Señor con nuestra vida.

The Liturgy of the Eucharist—celebrating Christ's presence in the Eucharist

Presentation and Preparation of the Gifts

We bring gifts of bread and wine to the altar.

Prayer over the Offerings

The priest prays that God will accept our sacrifice.

Eucharistic Prayer

This prayer of thanksgiving is the center and high point of the entire celebration.

- ▶ **Preface**—We give thanks and praise to God.
- ▶ **Holy, Holy, Holy**—We sing an acclamation of praise.
- ▶ **Institution Narrative**—The Bread and Wine become the Body and Blood of Jesus Christ.
- ▶ **The Mystery of Faith**—We proclaim the mystery of our faith.
- ▶ **Amen**—We affirm the words and actions of the Eucharistic Prayer.

Communion Rite—preparing to receive the Body and Blood of Jesus Christ

The Lord's Prayer

We pray the Lord's Prayer.

Sign of Peace

We offer one another Christ's peace.

Lamb of God

We pray for forgiveness, mercy, and peace.

Holy Communion

We receive the Body and Blood of Jesus Christ.

Prayer after Communion

We pray that the Eucharist will strengthen us to live as Jesus did.

Concluding Rites—going forth to glorify the Lord by our life

Final Blessing

We receive God's blessing.

Dismissal

We go in peace, glorifying the Lord by our lives.

Días de precepto

Los días de precepto son días aparte del domingo, durante los cuales celebramos las maravillas que Dios ha hecho por nosotros a través de Jesús y los santos. Los católicos vamos a misa los días de precepto.

En los Estados Unidos se celebran seis días de precepto.

1 de enero: Santa María, Madre de Dios

40 días después de la Pascua de Resurrección: Ascensión

15 de agosto: Asunción de la Santísima Virgen María

1 de noviembre: Día de Todos los Santos

8 de diciembre: Inmaculada Concepción

25 de diciembre: Natividad del Señor

Mandamientos de la Iglesia

Los mandamientos de la Iglesia describen el esfuerzo mínimo que debemos hacer para rezar y vivir una vida moral. Todos los católicos son llamados a ir más allá de lo mínimo mediante el amor a Dios y al prójimo. Los cinco mandamientos son los siguientes:

1. oír misa entera todos los domingos y fiestas de guardar
2. confesar los pecados mortales al menos una vez al año, y en peligro de muerte, y si se ha de comulgar
3. comulgar al menos por Pascua de Resurrección
4. ayunar y abstenerse de comer carne cuando lo manda la Santa Madre Iglesia
5. ayudar a la Iglesia en sus necesidades

Holy Days of Obligation

The Holy Days of Obligation are the days other than Sundays on which we celebrate the great things God has done for us through Jesus and the saints. On Holy Days of Obligation, Catholics attend Mass.

Six Holy Days of Obligation are celebrated in the United States.

January 1—Mary, Mother of God

40 days after Easter—Ascension

August 15—Assumption of the Blessed Virgin Mary

November 1—All Saints Day

December 8—Immaculate Conception

December 25—Nativity of Our Lord Jesus Christ

Precepts of the Church

The Precepts of the Church describe the minimum effort we must make in prayer and in living a moral life. All Catholics are called to move beyond the minimum by growing in love of God and love of neighbor. The Precepts are as follows:

1. attendance at Mass on Sundays and Holy Days of Obligation
2. confession of sin at least once a year
3. reception of Holy Communion at least once a year during the Easter season
4. observance of the days of fast and abstinence
5. providing for the needs of the Church

Examen de conciencia

El examen de conciencia es el acto de mirar en nuestros corazones, con espíritu de oración para preguntarnos si hemos perjudicado nuestra relación con Dios y con las personas debido a nuestros pensamientos, palabras y acciones. Reflexionamos sobre los Diez Mandamientos y la enseñanzas de la Iglesia. Las preguntas que se muestran a continuación nos pueden ayudar en nuestro examen de conciencia.

Mi relación con Dios

¿Qué pasos estoy dando para acercarme más a Dios y a los demás? ¿Me dirijo a Dios a menudo durante el día, especialmente cuando soy tentado?

¿Participo en la misa con atención y devoción los domingos y los días de precepto?

¿Rezo y leo la Biblia a menudo? ¿Uso los nombres de Dios, de Jesús, de María y de los santos con amor y reverencia?

Mis relaciones con la familia, los amigos y los vecinos

¿He dado un mal ejemplo mediante mis palabras o acciones? ¿Trato a los demás de manera justa? ¿Difundo rumores que ofenden a los demás?

¿Amo a mi familia? ¿Soy respetuoso con mis vecinos, amigos y los representantes de la autoridad?

¿Muestro respeto por mi cuerpo y por los cuerpos de los demás? ¿Me mantengo apartado de aquellas formas de entretenimiento que no respetan el don de Dios de la sexualidad?

¿He tomado o dañado alguna cosa que no me pertenecía? ¿He sido fraudulento, he copiado las tareas o he mentido?

¿Peleo con los demás simplemente para poder salirme con la mía? ¿Insulto a los demás para que piensen que son inferiores a mí? ¿Guardo rencor y trato de lastimar a aquellas personas que creo me han lastimado?

An Examination of Conscience

An examination of conscience is the act of looking prayerfully into our hearts to ask how we have hurt our relationships with God and with other people through our thoughts, words, and actions. We reflect on the Ten Commandments and the teachings of the Church. The questions below help us in our examination of conscience.

My Relationship with God

What steps am I taking to help me grow closer to God and to others? Do I turn to God often during the day, especially when I am tempted?

Do I participate at Mass with attention and devotion on Sundays and Holy Days of Obligation?

Do I pray often and read the Bible? Do I use God's name and the names of Jesus, Mary, and the saints with love and reverence?

My Relationships with Family, Friends, and Neighbors

Have I set a bad example through my words or actions? Do I treat others fairly? Do I spread stories that hurt other people?

Am I loving of those in my family? Am I respectful of my neighbors, my friends, and those in authority?

Do I show respect for my body and for the bodies of others? Do I keep away from forms of entertainment that do not respect God's gift of sexuality?

Have I taken or damaged anything that did not belong to me? Have I cheated, copied homework, or lied?

Do I quarrel with others just so I can get my own way? Do I insult others to try to make them think they are less than I am? Do I hold grudges and try to hurt people who I think have hurt me?

Pasos para una buena confesión

El examen de conciencia es una parte importante de la preparación para el sacramento de la Penitencia y la Reconciliación. El sacramento de la Reconciliación incluye los siguientes pasos:

1. El sacerdote nos saluda y rezamos la Señal de la Cruz. Él nos invita a confiar en Dios. Es posible que lea la Palabra de Dios con nosotros.

2. Confesamos nuestros pecados. El sacerdote puede ayudarnos con su consejo.

3. El sacerdote nos asigna una penitencia para que la hagamos. La penitencia puede ser realizar un acto de bondad o rezar unas oraciones, o ambas cosas.

4. El sacerdote nos pide expresar arrepentimiento, generalmente rezando el Acto de Contrición.

5. Recibimos absolución. El sacerdote dice: "Y yo te absuelvo de tus pecados, en el nombre del Padre, y del Hijo, y del Espíritu Santo". Respondemos: "Amén".

6. El sacerdote nos despide diciendo: "Vete en paz". Procedemos a cumplir con la penitencia que nos ha asignado.

How to Make a Good Confession

An examination of conscience is an important part of preparing for the Sacrament of Penance and Reconciliation. The Sacrament of Reconciliation includes the following steps:

1. The priest greets us, and we pray the Sign of the Cross. He invites us to trust in God. He may read God's Word with us.

2. We confess our sins. The priest may help and counsel us.

3. The priest gives us a penance to perform. Penance is an act of kindness or prayers to pray, or both.

4. The priest asks us to express our sorrow, usually by praying the Act of Contrition.

5. We receive absolution. The priest says, "I absolve you from your sins in the name of the Father, and of the Son, and of the Holy Spirit." We respond, "Amen."

6. The priest dismisses us by saying, "Go in peace." We go forth to perform the act of penance he has given us.

Vivir nuestra fe

Los Diez Mandamientos

Como fieles de Jesucristo, somos llamados a una nueva vida y se nos pide tomar elecciones morales que nos mantendrán unidos con Dios. Con la ayuda y la gracia del Espíritu Santo, podemos escoger maneras de actuar para mantenernos cerca de Dios, ayudar a los demás y permitirnos ser testigos de Jesús.

Los Diez Mandamientos nos guían para tomar decisiones que nos ayudan a vivir como Dios quiere que vivamos. Los primeros tres mandamientos nos dicen cómo amar a Dios; los siete restantes nos indican cómo amar al prójimo.

1. Yo soy el Señor tu Dios. Amarás a Dios sobre todas las cosas.

2. No tomarás el nombre de Dios en vano.

3. Santificarás las fiestas.

4. Honrarás a tu padre y a tu madre.

5. No matarás.

6. No cometerás actos impuros.

7. No robarás.

8. No darás falso testimonio ni mentirás.

9. No consentirás pensamientos ni deseos impuros.

10. No codiciarás los bienes ajenos.

El Mandamiento Mayor

Los Diez Mandamientos se cumplen en el Mandamiento Mayor de Jesús:

> "Amarás al Señor tu Dios con todo tu corazón, con toda tu alma, con toda tu mente, con todas tus fuerzas. Amarás al prójimo como a ti mismo."
>
> *adaptado de Marcos 12:30–31*

Living Our Faith

The Ten Commandments

As believers in Jesus Christ, we are called to a new life and are asked to make moral choices that keep us united with God. With the help and grace of the Holy Spirit, we can choose ways to act to keep us close to God, to help other people, and to be witnesses to Jesus.

The Ten Commandments guide us in making choices that help us to live as God wants us to live. The first three commandments tell us how to love God; the other seven tell us how to love our neighbor.

1. I am the Lord your God: you shall not have strange gods before me.
2. You shall not take the name of the Lord your God in vain.
3. Remember to keep holy the Lord's Day.
4. Honor your father and your mother.
5. You shall not kill.
6. You shall not commit adultery.
7. You shall not steal.
8. You shall not bear false witness against your neighbor.
9. You shall not covet your neighbor's wife.
10. You shall not covet your neighbor's goods.

The Great Commandment

The Ten Commandments are fulfilled in Jesus' Great Commandment:

> "You shall love God with all your heart, with all your soul, with all your mind, and with all your strength. You shall love your neighbor as yourself."
>
> *adapted from Mark 12:30–31*

El Nuevo Mandamiento

Antes de morir en la cruz, Jesús dio a sus discípulos un mandamiento nuevo:

> "[...] que se amen unos a otros como yo los he amado: ámense así unos a otros". *Juan 13:34*

Las Bienaventuranzas

Las Bienaventuranzas son las enseñanzas que dio Jesús en el Sermón de la Montaña (Mateo 5:3–10). Jesús nos enseña que si vivimos según las Bienaventuranzas tendremos una vida cristiana feliz. Las Bienaventuranzas cumplen con las promesas que Dios le hizo a Abrahán y a sus descendientes, y describen las recompensas que tendremos como seguidores fieles de Cristo.

> Bienaventurados los pobres de espíritu,
> porque de ellos es el Reino de los cielos.
>
> Bienaventurados los que lloran,
> porque ellos serán consolados.
>
> Bienaventurados los mansos,
> porque ellos poseerán la tierra.
>
> Bienaventurados los que tienen hambre y sed de justicia,
> porque ellos serán saciados.
>
> Bienaventurados los misericordiosos,
> porque ellos alcanzarán misericordia.
>
> Bienaventurados los limpios de corazón,
> porque ellos verán a Dios.
>
> Bienaventurados los que trabajan por la paz,
> porque ellos serán llamados hijos de Dios.
>
> Bienaventurados los perseguidos a causa de la justicia,
> porque de ellos es el Reino de los cielos.

The New Commandment

Before his Death on the cross, Jesus gave his disciples
a new commandment:

> "[L]ove one another. As I have loved you, so you also
> should love one another."
>
> *John 13:34*

The Beatitudes

The Beatitudes are the teachings of Jesus in the Sermon on the Mount
(Matthew 5:3–10). Jesus teaches us that if we live according to the
Beatitudes, we will live a happy Christian life. The Beatitudes fulfill
God's promises made to Abraham and his descendants and describe the
rewards that will be ours as loyal followers of Christ.

Blessed are the poor in spirit,
  for theirs is the kingdom of heaven.

Blessed are they who mourn,
  for they will be comforted.

Blessed are the meek,
  for they will inherit the land.

Blessed are they who hunger and thirst for righteousness,
  for they will be satisfied.

Blessed are the merciful,
  for they will be shown mercy.

Blessed are the clean of heart,
  for they will see God.

Blessed are the peacemakers,
  for they will be called children of God.

Blessed are they who are persecuted for the sake of righteousness,
  for theirs is the kingdom of heaven.

Tomar buenas decisiones

Nuestra conciencia es la voz interna que nos ayuda a reconocer la ley que Dios ha sembrado en nuestros corazones. Nuestra conciencia nos ayuda a juzgar las cualidades morales de nuestras acciones. Nos guía para hacer el bien y evitar el mal.

El Espíritu Santo puede ayudarnos a formar una buena conciencia. Formamos nuestra conciencia al estudiar las enseñanzas de la Iglesia y al seguir la orientación de nuestros padres y líderes pastorales.

Dios le ha dado a cada ser humano la libre voluntad. Esto no significa que tenemos el derecho de hacer cualquier cosa que nos complazca. Podemos vivir en verdadera libertad si cooperamos con el Espíritu Santo, que nos otorga la virtud de la prudencia. Esta virtud nos ayuda a reconocer lo que es bueno en cada situación para tomar las decisiones correctas. El Espíritu Santo nos da los dones de sabiduría y entendimiento para que nos ayuden a tomar las decisiones correctas en relación a Dios y los demás. El don del consejo nos ayuda a reflexionar sobre cómo tomar decisiones correctas en la vida.

(Continúa en la página 164).

Making Good Choices

Our conscience is the inner voice that helps us to know the law God has placed in our hearts. Our conscience helps us to judge the moral qualities of our own actions. It guides us to do good and to avoid evil.

The Holy Spirit can help us form a good conscience. We form our conscience by studying the teachings of the Church and by following the guidance of our parents and pastoral leaders.

God has given every human being freedom of choice. This does not mean that we have the right to do whatever we please. We can live in true freedom if we cooperate with the Holy Spirit, who gives us the virtue of prudence. This virtue helps us recognize what is good in every situation and make correct choices. The Holy Spirit gives us the gifts of wisdom and understanding to help us make the right choices in life in relationship to God and others. The gift of counsel helps us reflect on making correct choices in life.

(Continue to page 164.)

Los Diez Mandamientos nos ayudan a tomar decisiones morales que complacen a Dios. Tenemos la gracia de los sacramentos, las enseñanzas de la Iglesia y el buen ejemplo de los santos y otros cristianos que nos ayudan a tomar buenas decisiones.

Para tomar decisiones morales debemos seguir estos pasos:

1. Pide ayuda al Espíritu Santo.
2. Piensa en la Ley de Dios y en las enseñanzas de la Iglesia.
3. Piensa en lo que ocurrirá como resultado de tu decisión. ¿Estará Dios complacido con las consecuencias? ¿Perjudicará a otra persona tu decisión?
4. Pide consejo a alguien a quien respetas, y recuerda que Jesucristo está contigo.
5. Piensa en cómo tu decisión afectará tu vida con Dios y con los demás.

Para tomar decisiones morales tenemos en cuenta el objetivo de la decisión, nuestra intención al tomarla y las circunstancias que la rodean. Nunca es correcto tomar una mala decisión con la esperanza de obtener algo bueno.

The Ten Commandments help us to make moral choices that are pleasing to God. We have the grace of the sacraments, the teachings of the Church, and the good example of saints and fellow Christians to help us make good choices.

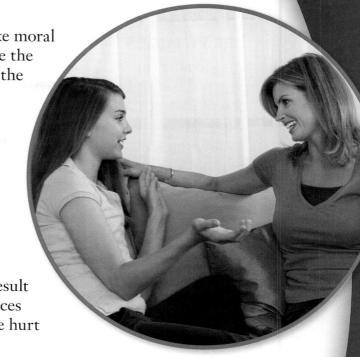

Making moral choices involves the following steps:

1. Ask the Holy Spirit for help.

2. Think about God's law and the Church's teachings.

3. Think about what will happen as a result of your decision. Will the consequences be pleasing to God? Will your choice hurt someone else?

4. Ask for advice from someone you respect and remember that Jesus Christ is with you.

5. Think about how your decision will affect your life with God and others.

Making moral choices takes into consideration the object of the choice, our intention in making the choice, and the circumstances in which the choice is made. It is never right to make an evil choice in the hope of gaining something good.

Las virtudes

Las virtudes son dones de Dios que nos llevan a vivir una relación personal con él. Las virtudes son como los hábitos. Necesitan ser practicadas; se pueden perder si se descuidan. Las tres virtudes más importantes son las virtudes teologales, porque provienen de Dios y conducen a Dios. Las virtudes cardinales son virtudes humanas, adquiridas a través de la educación y las buenas acciones. *Cardinal* proviene de *cardo*, que en latín significa *bisagra*, es decir, "una cosa de la cual dependen otras cosas".

Virtudes teologales

fe esperanza caridad

Virtudes cardinales

prudencia justicia fortaleza templanza

Dones del Espíritu Santo

El Espíritu Santo nos da estos dones para que podamos obrar según lo que Dios nos pide.

sabiduría	consejo	ciencia	temor de Dios
entendimiento	fortaleza	piedad	

Virtues

Virtues are gifts from God that lead us to live in a close relationship with him. Virtues are like habits. They need to be practiced; they can be lost if they are neglected. The three most important virtues are called Theological Virtues, because they come from God and lead to God. The Cardinal Virtues are human virtues, acquired by education and good actions. *Cardinal* comes from *cardo,* the Latin word for *hinge,* meaning "that on which other things depend."

Theological Virtues

faith   hope   charity

Cardinal Virtues

prudence   justice   fortitude   temperance

Gifts of the Holy Spirit

The Holy Spirit makes it possible for us to do what God asks of us by giving us these gifts.

wisdom   counsel   knowledge   fear of the Lord
understanding   fortitude   piety

Frutos del Espíritu Santo

Los frutos del Espíritu Santo son signos de la obra del Espíritu Santo en nuestra vida.

caridad	longanimidad	fidelidad
gozo	bondad	modestia
paz	benignidad	continencia
paciencia	mansedumbre	castidad

Obras de misericordia

Las obras de misericordia corporales y espirituales son obras que podemos realizar y que extienden la compasión y la misericordia a los que las necesitan.

Obras de misericordia corporales

Las obras de misericordia corporales son obras de bondad mediante las cuales ayudamos a nuestro prójimo con sus necesidades materiales y físicas.

dar de comer al hambriento

dar de beber al sediento

vestir al desnudo

dar posada al peregrino

visitar y cuidar a los enfermos

redimir al cautivo

enterrar a los muertos

Obras de misericordia espirituales

Las obras de misericordia espirituales son obras de compasión mediante las cuales ayudamos a nuestro prójimo con sus necesidades emocionales y espirituales.

dar buen consejo al que lo necesita

enseñar al que no sabe

corregir al que yerra

consolar al triste

perdonar las injurias

sufrir con paciencia los defectos de los demás

rogar a Dios por vivos y difuntos

Fruits of the Holy Spirit

The Fruits of the Holy Spirit are signs of the Holy Spirit's action in our lives.

charity	kindness	faithfulness
joy	goodness	modesty
peace	generosity	self-control
patience	gentleness	chastity

Works of Mercy

The Corporal and Spiritual Works of Mercy are actions we can perform that extend God's compassion and mercy to those in need.

Corporal Works of Mercy

The Corporal Works of Mercy are kind acts by which we help our neighbors with their material and physical needs.

feed the hungry

give drink to the thirsty

clothe the naked

shelter the homeless

visit the sick

visit the imprisoned

bury the dead

Spiritual Works of Mercy

The Spiritual Works of Mercy are acts of compassion, as listed below, by which we help our neighbors with their emotional and spiritual needs.

counsel the doubtful

instruct the ignorant

admonish sinners

comfort the afflicted

forgive offenses

bear wrongs patiently

pray for the living and the dead

Mostrar nuestro amor por el mundo

En la historia del buen samaritano (Lucas 10:29–37), Jesús pone en claro nuestra responsabilidad de cuidar a los necesitados. La Iglesia católica enseña esta responsabilidad en los siguientes temas de la enseñanza social católica.

La vida y la dignidad de la persona

Toda vida humana es sagrada, y todas las personas tienen que ser respetadas y valoradas por encima de los bienes materiales. Somos llamados a preguntarnos si nuestras acciones como sociedad respetan o amenazan la vida y la dignidad de la persona humana.

El llamado a la familia, a la comunidad y a la participación

La participación en familia y comunidad es importante para nuestra fe y para tener una sociedad saludable. Se debe apoyar a las familias para que las personas participen en la sociedad, desarrollen un espíritu comunitario y promuevan el bienestar de todos, especialmente el de los pobres y los indefensos.

Los derechos y deberes

Cada persona tiene el derecho a la vida, así como el derecho a todo lo necesario para poder vivir con decencia humana. Como católicos tenemos la responsabilidad de proteger estos derechos humanos básicos y así lograr una sociedad saludable.

La opción por los pobres e indefensos

En nuestro mundo hay muchas personas muy adineradas y al mismo tiempo hay muchas que son extremadamente pobres. Como católicos somos llamados a poner atención a las necesidades de los pobres, defendiendo y promoviendo su dignidad y satisfaciendo sus necesidades materiales inmediatas.

(Continúa en la página 168).

Showing Our Love for the World

In the story of the Good Samaritan (Luke 10:29–37), Jesus makes clear our responsibility to care for those in need. The Catholic Church teaches this responsibility in the following themes of Catholic Social Teaching.

Life and Dignity of the Human Person

All human life is sacred, and all people must be respected and valued over material goods. We are called to ask whether our actions as a society respect or threaten the life and dignity of the human person.

Call to Family, Community, and Participation

Participation in family and community is central to our faith and to a healthy society. Families must be supported so that people can participate in society, build a community spirit, and promote the well-being of all, especially those who are poor and vulnerable.

Rights and Responsibilities

Every person has a right to life as well as a right to those things required for human decency. As Catholics we have a responsibility to protect these basic human rights in order to achieve a healthy society.

Option for the Poor and Vulnerable

In our world many people are very rich while at the same time many are extremely poor. As Catholics we are called to pay special attention to the needs of those who are poor by defending and promoting their dignity and by meeting their immediate material needs.

(Continue to page 168.)

La dignidad del trabajo y los derechos de los trabajadores

Se deben respetar los derechos básicos de los trabajadores: el derecho al trabajo productivo, a los sueldos justos y a la propiedad privada; y el derecho de organizarse, afiliarse a sindicatos y obtener beneficios económicos. Los católicos creen que la economía debe servir a las personas y que el trabajo no es solo una manera de ganarse la vida, sino una forma importante de participar en la creación de Dios.

La solidaridad

Como Dios es nuestro Padre todos somos hermanos y hermanas, y tenemos la responsabilidad de cuidarnos unos a otros. La solidaridad es la actitud que lleva a los cristianos a compartir sus bienes espirituales y materiales. La solidaridad une a los ricos y a los pobres, a los débiles y a los fuertes, para así formar una sociedad que reconoce que todos dependemos unos de otros.

El cuidado por la creación de Dios

Dios es el Creador de todas las personas y todas las cosas, y él quiere que nosotros disfrutemos de su creación. La responsabilidad de cuidar de todo lo que Dios ha creado es un requisito de nuestra fe.

The Dignity of Work and the Rights of Workers

The basic rights of workers must be respected: the right to productive work, fair wages, and private property; and the right to organize, join unions, and pursue economic opportunity. Catholics believe that the economy is meant to serve people and that work is not merely a way to make a living but an important way in which we participate in God's creation.

Solidarity

Because God is our Father, we are all brothers and sisters with the responsibility to care for one another. Solidarity is the attitude that leads Christians to share spiritual and material goods. Solidarity unites rich and poor, weak and strong, and helps to make a society that recognizes that we all depend upon one another.

Care for God's Creation

God is the Creator of all people and all things, and he wants us to enjoy his creation. The responsibility to care for all God has made is a requirement of our faith.

Nombre _____   Fecha _____

La Lámina de arte 1 muestra una página ilustrada, o iluminada, de la Biblia. ¿Cuál fue el beneficio de añadir hermosas ilustraciones a esas páginas?

Copias de la Biblia

esde el primer momento en que la Biblia fue escrita y hasta la invención de la imprenta en el siglo XV, las copias de la Biblia fueron escritas a mano. San Jerónimo trabajó con copias de la Biblia escritas a mano en hebreo y griego y las utilizó para escribir a mano su traducción al latín. Esta traducción de la Biblia al latín se llama la versión **Vulgata** de la Biblia.

Escribir una Biblia tomaba mucho tiempo y por eso no existían muchas copias. Durante casi mil años los monjes y las monjas trabajaron en los *scriptorium* (lugares asignados para los escribas) haciendo copias a mano de la Biblia para que más personas pudieran usarla en la oración y el culto.

Los monjes y las monjas querían que las biblias fueran fáciles de leer, por lo que desarrollaron una escritura muy clara, similar a la que se usa hoy en día. Para embellecer las biblias, las "iluminaron". Esto significa que las ilustraron añadiendo letras grandes de color y dibujos de plantas, animales y escenas de la vida diaria.

Una Biblia iluminada

Haz dos dibujos que incluirías en una Biblia si fueras a ilustrarla.

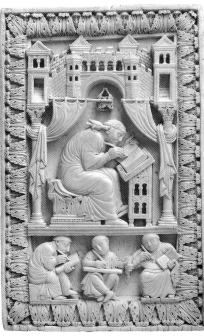

San Gregorio Magno y tres escribas, tallado alemán en marfil

Name _____   Date _____

Art Print 1 shows an illuminated Bible page. What was the benefit of adding beautiful artwork to these pages?

Copying the Bible

 rom the time the Bible was first written until the invention of the printing press in the 15th century, copies of the Bible were written by hand. Saint Jerome worked with handwritten copies of the Bible in Hebrew and Greek and wrote his translation by hand in Latin. This Latin translation is called the **Vulgate** version of the Bible.

Writing a Bible took a long time, so not many copies existed. For about a thousand years, monks and nuns in **scriptoriums,** places where writing took place, made copies of the Bible by hand so that more people could use it for prayer and worship.

The monks and nuns wanted the Bibles to be easy to read, so they developed a clear kind of handwriting similar to ours today. To make the Bibles beautiful, they "illuminated" them. This meant that they added large, colorful letters and pictures of plants, animals, and scenes from everyday life.

Illuminated Bible

Sketch two pictures you would include if you illuminated a Bible.

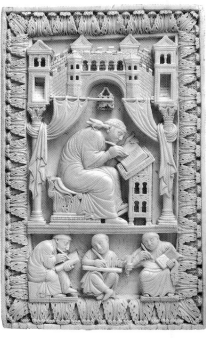

Saint Gregory the Great and three scribes, German ivory carving

Nombre _____   Fecha _____

La Lámina de arte 2 muestra a Adán y Eva siendo expulsados del jardín del Edén.
¿Qué nos enseña la historia de Adán y Eva sobre nuestra fe?

La segunda historia de la Creación

Aunque esta historia aparece después de la primera historia de la Creación en Génesis, en realidad fue escrita mucho antes de que los judíos fueran exiliados en Babilonia. Probablemente fue escrita durante los reinos de David y su hijo Salomón en Israel.

> El Señor Dios creó al hombre y a la mujer y los puso en un huerto para cuidarlo. Juntos, hombre y mujer —Adán y Eva— cuidaron y compartieron la tierra como lo hace Dios. Podían comer la fruta de todos los árboles del huerto con la excepción de uno, del cual Dios les prohibió comer. Cuando fueron tentados y comieron la fruta del árbol prohibido, Dios los expulsó del huerto.
>
> *adaptado de Génesis 2:4—3:24*

Este pasaje recalca la importancia de la corresponsabilidad. Todos tenemos la responsabilidad de velar por la creación de Dios. Esta historia enseña también el amor de Dios. A pesar de la desobediencia de Adán y Eva, Dios les mostró su amor y misericordia.

Misericordia y amor

Escríbele a Dios una oración de agradecimiento por su misericordia y amor.

_____

_____

_____

Leyendo la Palabra de Dios

¿Qué es el hombre para que te acuerdes de él,
    el ser humano para que te ocupes de él?
Lo hiciste apenas inferior a un dios,
    lo coronaste de gloria y esplendor,
todo lo pusiste bajo sus pies.

Salmo 8:5–7

Name _____ Date _____

Art Print 2 shows Adam and Eve being expelled from the Garden of Eden. What can we learn about our own faith from the story of Adam and Eve?

The Second Story of Creation

Although this story appears after the first Creation story in Genesis, it was actually written long before the Jews became exiles in Babylon. It was probably written while David and then his son Solomon reigned as kings of Israel.

> God created man and woman and put them in a garden to care for it. Together, man and woman—Adam and Eve—were to share equally and care for the earth as God does. They were allowed to eat the fruit from any tree in the garden except for one, from which God had forbidden them to eat. When they were tempted and ate the fruit from the forbidden tree, God made them leave the garden.
>
> *adapted from Genesis 2:4—3:24*

This passage highlights the importance of stewardship. We all have a responsibility to care for God's creation. This story also shows God's love. God still showed Adam and Eve his love and mercy, despite their disobedience.

Mercy and Love

Write a prayer thanking God for his mercy and love.

_____

_____

_____

Reading God's Word

What are humans that you are mindful of them,
  mere mortals that you care for them?
Yet you have made them little less than a god,
  crowned them with glory and honor.
You have given them rule over the works of your hands,
  put all things at their feet[.]

Psalm 8:5–7

La Lámina de arte 3 muestra una interpretación de Noé construyendo su arca. ¿Por qué es importante la alianza de Dios con Noé en el desarrollo de nuestra fe hoy en día?

Dios elige a Noé

Después de que Adán y Eva dejaron el jardín de Edén, el mundo se convirtió en un lugar cruel y codicioso. Dios eligió una familia que mostró amor, confianza y obediencia —Noé y su familia—. Dios les ordenó construir un arca enorme y colocar en ella dos animales de cada especie. Aunque la gente se burló de ellos, Noé y su familia obedecieron. Llegaron las lluvias. La familia de Noé y los animales subieron al arca. La lluvia inundó al mundo durante 40 días y 40 noches. Unas semanas después, el arca tocó tierra. Noé y su familia se salvaron.

adaptado de Génesis 6:5—9:17

La promesa de Dios

Para ayudar a Noé, Dios creó un arcoíris en el cielo como señal de esperanza. Dios prometió que nunca más enviaría un diluvio como ese. Hoy en día, cuando dos personas hacen un pacto, a veces lo firman. El arcoíris fue la firma de Dios. Incluso cuando el mundo se volvió malvado, Dios hizo un compromiso, o alianza, para guardar su promesa y jamás abandonar a la humanidad.

Tus promesas

Anota tres promesas que puedes hacerle a Dios para formar una alianza personal con él.

1. _____

2. _____

3. _____

Conexión con la liturgia

En el Acto Penitencial de la misa reflexionamos sobre nuestros pecados y pedimos misericordia a Dios. Rezamos "Señor, ten piedad" para alabar a Dios por su gran misericordia.

Name _____ Date _____

Art Print 3 shows an interpretation of Noah building his ark. Why is God's covenant with Noah important in building our faith today?

God Chooses Noah

After Adam and Eve left the Garden of Eden, the world became a cruel and greedy place. God chose one family who showed love, trust, and obedience—Noah and his family. God told them to build a huge ark and put two of every creature on it. Even though people laughed, Noah and his family obeyed. The rains came. Noah's family and the animals got on the ark. For 40 days and nights, the rain flooded the world. Weeks later the ark rested on land. Noah and his family survived.

adapted from Genesis 6:5—9:17

God's Promise

To help Noah, God put a rainbow in the sky as a sign of hope. God promised he would never again send such a flood. When two people make an agreement today, sometimes they sign it. The rainbow was God's signature. Even after the world turned evil, God made a commitment, or covenant, to keep his promise and never give up on people.

Your Promise

List three promises you can make to God as your personal covenant with him.

1. _____

2. _____

3. _____

Link to Liturgy

In the Penitential Act at Mass, we reflect on our sins and ask for God's mercy. We pray "Lord have mercy" to praise God for his great mercy.

Nombre _____ Fecha _____

La Lámina de arte 4 *muestra una interpretación de un baile judío tradicional, la hora. ¿Por qué son importantes las tradiciones de nuestros antepasados? ¿Cómo ayudan a fortalecer nuestra fe?*

El Pueblo Elegido

Debido a que Abrahán estuvo dispuesto a obedecer a Dios, él le prometió que sería padre no solo de Isaac, sino de un pueblo entero.

Cuando Dios hizo su alianza con Abrahán, inició un nuevo capítulo en la historia de nuestra relación con Dios. A partir de la alianza de Dios con Abrahán, los descendientes de Abrahán son conocidos como el **Pueblo Elegido** de Dios. El Pueblo Elegido de Dios recibió la misión de ayudar a otras personas a aprender sobre Dios y a confiar en él. En cada generación Dios llama a personas para que lo conozcan de manera especial.

Jesús fue un descendiente de Abrahán. A través de Jesús podemos ser el pueblo de Dios. Al igual que Abrahán conoció a Dios, confió en él y llevó a cabo sus planes, nosotros también podemos hacerlo.

El Pueblo de Dios

En una hoja de papel haz una lista de las maneras en que estamos relacionados con Abrahán y Sara. Explica qué significa para ti ser el Pueblo Elegido de Dios. ¿Cuáles son los derechos y deberes del Pueblo Elegido? Comparte tu lista con un compañero.

Conexión con la liturgia

Los católicos tenemos costumbres que le dicen al mundo que somos el Pueblo de Dios. Una costumbre es la Señal de la Cruz. Cuando rezamos la Señal de la Cruz, oramos en nombre del Padre, del Hijo y del Espíritu Santo. Lo hacemos varias veces durante la misa.

Name _____   Date _____

Art Print 4 shows an interpretation of a traditional Jewish dance, the hora. Why are the traditions of our ancestors important? How can these help us grow our faith?

The Chosen People

Because Abraham was willing to obey God, he promised that Abraham would be the father of not only Isaac, but of an entire nation of people.

When God made a covenant with Abraham, he started a new chapter in the story of our relationship with God. Ever since God's covenant with Abraham, Abraham's descendants have been known as God's **Chosen People.** God's Chosen People were given a mission to help other people learn about and trust God. In each generation God calls people to know him in a special way.

Jesus was a descendant of Abraham's. Through Jesus we can be God's people. Just as Abraham knew God, trusted him, and carried out his plans, we can too.

God's People

On a separate sheet of paper, list how we are connected to Abraham and Sarah. Explain what being God's Chosen People means to you. What are the rights and responsibilities of the Chosen People? Share your list with a partner.

Link to Liturgy

Catholics have customs that tell the world that we are God's people. One custom is the Sign of the Cross. When we pray the Sign of the Cross, we pray in the name of the Father, the Son, and the Holy Spirit. We do this a number of times at Mass.

Nombre _____   Fecha _____

La Lámina de arte 5 muestra los símbolos de los evangelistas. ¿Por qué son importantes esos símbolos y los demás símbolos cristianos para nuestra relación con Dios?

Símbolos de los evangelistas

Los Evangelios, escritos por Mateo, Marcos, Lucas y Juan, relatan la vida, el ministerio y los milagros de Jesús. Al igual que muchos elementos de la Iglesia, los escritores del Evangelio, o evangelistas, tienen sus propios símbolos para representarlos. Esos símbolos representan el tema de cada escritor del Evangelio.

A Mateo se le muestra a menudo como un hombre con alas para representar la humanidad de Jesús. El símbolo de Marcos, un león con alas, representa a Cristo Rey. El toro con alas de Lucas simboliza a Jesucristo como sacerdote y hombre de sacrificio. El símbolo de Juan es un águila, que simboliza el carácter divino de Jesús. Cuando entres en una iglesia busca estos y otros símbolos como recordatorios de tu fe.

Símbolos de la Iglesia

Elige y dibuja un símbolo cristiano en el recuadro. Escribe qué crees que significa.

Name _____ Date _____

Art Print 5 shows the symbols of the Evangelists. Why are these symbols, along with other Christian symbols, important to our relationship with Jesus?

Evangelists' Symbols

The Gospels, written by Matthew, Mark, Luke, and John, present the life, ministry, and miracles of Jesus. Like many aspects of the Church, the Gospel writers, or Evangelists, are represented by their own symbols. These symbols represent the theme of each Gospel writer.

Matthew is often depicted as a winged man to represent the humanness of Jesus. Mark's symbol, a winged lion, represents Christ the King. The winged ox for Luke is symbolic of Jesus Christ as a priest and as a man of sacrifice. John's symbol is an eagle. This is a symbol for Jesus' divine nature. When you enter church, look for these and other symbols as reminders of your faith.

Church Symbols

Select and draw a Christian symbol in the box. Write what you think it means.

Nombre _____   Fecha _____

La Lámina de arte 6 muestra una imagen de José, el hijo de Jacob.
¿Cómo puede nuestra herencia ayudarnos a fortalecer la fe?

Jesús, descendiente de Jacob

Jesús fue descendiente de numerosos hombres
y mujeres, incluyendo Jacob y el rey David.
Los antepasados de Jesús fueron personas que
cometieron errores y aprendieron de ellos,
tal como lo hacemos nosotros.

Por medio de los ejemplos de Jesús y sus antepasados,
podemos ver que nuestras decisiones y acciones son
parte del plan de Dios. Todos enfrentamos decisiones
difíciles en la vida, y a veces las decisiones que
tomamos perjudican a otras personas. Aunque
no siempre entendemos el plan de Dios, Jesús nos
enseña a confiar en la bondad y la fidelidad de Dios.

Tu árbol genealógico

En una hoja de papel dibuja un árbol genealógico.
Incluye la mayor cantidad de miembros de tu familia
que recuerdes. Luego, en las líneas de abajo escribe un
párrafo corto explicando la importancia de aprender
sobre tus antecesores.

_____

_____

_____

_____

_____

Leyendo la Palabra de Dios

Y a propósito de la resurrección, ¿no han leído lo que les dice Dios:
"Yo soy el Dios de Abrahán, el Dios de Isaac, el Dios de Jacob"?
No es Dios de muertos, sino de vivos.

Mateo 22:31–32

Name _____   Date _____

Art Print 6 shows an image of Joseph, Jacob's son.
How can our own heritage help us grow in faith?

Jesus, Descendant of Jacob's

Jesus descended from a long line of men and women, including Jacob and King David. Jesus' ancestors were people who made mistakes and learned from them, just as we do.

Through the examples of Jesus and his ancestors, we can see that our choices and actions are part of God's plan. We all face difficult choices in life, and sometimes the choices we make hurt other people. Although we may not always understand God's plan, Jesus teaches us to trust the goodness and faithfulness of God.

Your Own Family Tree

On a separate sheet of paper, make a family tree. Include as many family members as you can recall. Then write a summary statement below, telling why it is important to know about your ancestors.

_____

_____

_____

_____

_____

_____

Reading God's Word

And concerning the resurrection of the dead, have you not read what was said to you by God, "I am the God of Abraham, the God of Isaac, and the God of Jacob"? He is not the God of the dead but of the living.

Matthew 22:31–32

La Lámina de arte 7 muestra una interpretación de la celebración del Séder, que es parte de la pascua judía. ¿Por qué son importantes la pascua judía y el sabbat para la fe católica?

La pascua judía y el sabbat

Dios le dijo a Moisés que cierta noche un ángel pasaría por Egipto y mataría al primogénito de cada familia. Si el pueblo hebreo seguía las instrucciones de Dios, sus hijos se salvarían. Moisés instruyó a cada familia que matara un cordero y rociara su sangre en la puerta de la casa. Si lo hacían, el ángel pasaría de largo. Dios también instruyó a los hebreos que comieran una comida especial.   *adaptado de Éxodo 12:1–30*

La comida y las oraciones ofrecidas aquella noche se convirtieron en un homenaje conocido como la pascua judía. Fue un homenaje para que el pueblo hebreo recordara la noche en que el ángel pasó de largo sobre las casas de los hebreos.

El **sabbat** es una celebración que conmemoramos en la actualidad. Cuando Dios creó el mundo, descansó el séptimo día. Él ordenó que las personas hicieran lo mismo. Este día se llama sabbat. Hoy en día los cristianos celebran el sabbat el domingo, cuando conmemoran la Resurrección de Jesús.

El domingo

El domingo, o sabbat, es un día importante y de santa celebración. Escribe dos cosas que puedes hacer en el sabbat para honrar a Jesús.

_____

_____

Conexión con la liturgia

Antes de recibir la Sagrada Comunión, rezamos: "Señor, no soy digno de que entres en mi casa, pero una palabra tuya bastará para sanarme". Con esas palabras le pedimos a Dios que nos ayude y nos perdone.

Name _____ Date _____

Art Print 7 shows an interpretation of a Seder celebration, which is part of Passover. Why are Passover and the Sabbath important to our Catholic faith?

Passover and the Sabbath

God told Moses that on a certain night an angel would travel over Egypt and kill the firstborn child in every family. If the Hebrew people followed God's instructions, their children would be spared. Moses told each family to kill a lamb and sprinkle its blood on the door of the house. If they did, the angel would pass over. God also instructed the Hebrews to eat a special meal.   *adapted from Exodus 12:1–30*

The meal and prayers offered on that night became a memorial known as the Passover. It was a memorial for the Hebrew people to help remember the night the angel passed over the Hebrew houses.

The **Sabbath** is a celebration we observe today. When God created the world, he rested on the seventh day. He commanded people to do the same. This day is called the Sabbath. Today Christians celebrate the Sabbath on Sunday when we recall Jesus' Resurrection.

Your Sunday

Sunday, the Sabbath, is an important day of holy celebration. Write two things you could do on the Sabbath to honor Jesus.

_____

_____

Link to Liturgy

Before receiving Holy Communion, we pray, "Lord, I am not worthy that you should enter under my roof, but only say the word and my soul shall be healed." With these words we are asking for God's help and forgiveness.

Nombre _____   Fecha _____

*La Lámina de arte 8 muestra una estatua de Moisés hecha de mármol.
¿Cómo nos ayudan los Diez Mandamientos a fortalecer nuestra relación con Dios?*

Dios le da a Moisés los Diez Mandamientos

Moisés fue a Egipto a desafiar al faraón en nombre del pueblo hebreo. El faraón no cooperó y comenzó una batalla con Dios que no podía ganar. Después de finalmente liberar al pueblo hebreo, el faraón trató de detenerlos de nuevo. Dios destruyó el ejército del faraón mientras Moisés guió a los hebreos a través del mar.

Cuando los hebreos llegaron al monte Sinaí, Dios le dio a Moisés los Diez Mandamientos. Dios le preguntó a los hebreos si querían ser su pueblo. En respuesta, el pueblo contestó sí y aceptó obedecer esos mandamientos.

Jesús vivió según los Diez Mandamientos y enseñó a otros a hacer lo mismo. Con la ayuda de Dios, estas instrucciones básicas nos ayudan a tener una fuerte relación con Dios y con los demás.

Moisés es líder

Enumera los sucesos en orden.

_____ Moisés y su pueblo cruzan el mar.

_____ Moisés desafía al faraón.

_____ Dios da a Moisés los Diez Mandamientos en el monte Sinaí.

_____ Dios destruye el ejército del faraón.

Leyendo la Palabra de Dios

Escucha, Israel, el Señor, nuestro Dios, es solamente uno. Amarás al Señor, tu Dios, con todo el corazón, con toda el alma, con todas las fuerzas.

Deuteronomio 6:4–5

Name _____ Date _____

Art Print 8 shows a marble statue of Moses. How do the Ten Commandments help us strengthen our relationship with God?

God Gives Moses the Ten Commandments

Moses went to Egypt to challenge the pharaoh for the Hebrew people. The pharaoh didn't cooperate and began a battle with God that could not be won. After finally releasing the Hebrew people, the pharaoh tried again to stop them. God crushed the pharaoh's army while Moses led the Hebrews across the sea.

When the Hebrews reached Mount Sinai, God gave Moses the Ten Commandments. God asked the Hebrews if they wanted to be his people. In response the people said yes and agreed to follow these commandments.

Jesus lived by the Ten Commandments and told others to do so. With God's help these basic instructions guide us to a strong relationship with God and with one another.

Moses Leads

Number the events in order.

_____ Moses and his people cross the sea.

_____ Moses challenges the pharaoh.

_____ God gives Moses the Ten Commandments on Mount Sinai.

_____ God crushes the pharaoh's army.

Reading God's Word

"Hear, O Israel! The LORD is our God, the LORD alone! Therefore, you shall love the LORD, your God, with all your heart, and with all your soul, and with all your strength."   *Deuteronomy 6:4–5*

Nombre _____   Fecha _____

La Lámina de arte 9 muestra una escena de la historia de Rut. ¿Con qué frecuencia consideras todas las consecuencias antes de tomar una decisión difícil?

La decisión de Rut

El rey David no habría nacido si no fuera por una mujer llamada Rut. Ella era una moabita conversa que se casó con un judío. Cuando su esposo murió, ella tuvo que tomar una decisión: quedarse en Moab con sus parientes o ir a Israel con su suegra enviudada, Noemí. Las viudas dependían de la ayuda de sus familias, por lo que Rut decidió acompañar a Noemí y cuidarla.

Rut sacrificó sus propias necesidades para cuidar a su suegra mientras vivían en Israel. Con el tiempo, se casó con Booz, un pariente lejano de Noemí. Rut fue la bisabuela del rey David.   *adaptado de Rut 1—4*

Decisiones morales, consecuencias morales

David y Rut tomaron decisiones que cambiaron sus vidas pero que tuvieron consecuencias diferentes. David era arrogante y quería satisfacer sus deseos, lo cual le causó la muerte a Urías. David fue incapaz de tomar la decisión correcta y sufrió las consecuencias por el resto de su vida. Su vida familiar con Betsabé estuvo llena de conflictos.

Sin embargo, Rut puso por delante las necesidades de Noemí. La decisión de Rut fue buena. Noemí tuvo alguien que la cuidara y Rut volvió a casarse y pudo tener familia.

La decisión correcta

Escribe un ejemplo de una decisión correcta que hayas tomado.

_____

_____

_____

Name _____   Date _____

Art Print 9 shows a scene from Ruth's story. How often do you consider all the consequences when making difficult choices?

Ruth's Choice

King David would not have been born had it not been for a woman named Ruth. She was a converted Moabite who married a Jewish man. When her husband died, she had a choice: remain in Moab with her relatives or go with her widowed mother-in-law, Naomi, to Israel. A widow relied on relatives for help, so Ruth chose to go with Naomi to take care of her.

Ruth set aside her own needs to care for her mother-in-law while they lived in Israel. She eventually married a distant relative of Naomi's named Boaz. Ruth became the great-grandmother of King David.   *adapted from Ruth 1—4*

Moral Decisions, Moral Consequences

David and Ruth made life-changing decisions with different consequences. David was arrogant and wanted to satisfy himself, costing Uriah his life. David was unable to make the right decision and lived with the consequences for the rest of his life. David's family life with Bathsheba was filled with conflict.

Ruth, however, placed the needs of Naomi first. Ruth's decision was good. Naomi had someone to care for her, and Ruth was remarried and started a family.

The Right Decision

Write an example of a time when you made the right decision.

_____

_____

_____

Nombre _____   Fecha _____

La Lámina de arte 10 muestra un vitral del Árbol de Jesé.
¿Por qué son los árboles de Jesé importantes para la celebración del Adviento?

La Iglesia celebra el Adviento

A lo largo del Antiguo Testamento, los profetas revelan la promesa de Dios de enviar al Mesías. En sus mensajes —muchos de ellos alentadores— las personas creyentes esperan al Mesías. Será un día de paz cuando "el lobo y el cordero irán juntos, y la pantera se tumbará con el cabrito, el novillo y el león engordarán juntos y un chiquillo los pastorea".

adaptado de Isaías 11:6

Durante el Adviento a menudo vemos un **Árbol de Jesé** que representa a la familia de Jesús. El Árbol de Jesé es decorado con símbolos de la Biblia. Los símbolos nos enseñan sobre los antepasados del Mesías. Tradicionalmente se colocan los símbolos de Adán y Eva, Abrahán y Sara, Isaac, Noé, Moisés y el rey David. María y José también son incluidos con Jesús en la cima del árbol. El Árbol de Jesé obtuvo su nombre por Jesé, padre del rey David. La genealogía de Jesús se remonta a Jesé.

Un Árbol de Jesé para tu familia

Piensa en los símbolos que podrías usar para decorar un Árbol de Jesé. En una hoja de papel dibuja tres símbolos de la lista que hiciste.

_____

_____

_____

_____

_____

Name _____   Date _____

Art Print 10 shows a stained-glass version of a Jesse Tree.
Why are Jesse Trees important in celebrating Advent?

The Church Celebrates Advent

Throughout the Old Testament, the prophets share God's promise to send the Messiah. In their messages, many hopeful, faithful people are waiting for the Messiah. It would be a day of peace when "the wolf will be a guest of the lamb. The leopard shall lie down with the kid. The calf and young lion shall eat together with a little child to lead them."

adapted from Isaiah 11:6

During Advent we often see a **Jesse Tree** representing Jesus' family. A Jesse Tree is decorated with symbols from the Bible. The symbols help teach about the Messiah's ancestry. Symbols for Adam and Eve, Abraham and Sarah, Isaac, Noah, Moses, and King David are traditionally seen. Mary and Joseph are included with Jesus near the top of the tree. The Jesse Tree is named after Jesse, who was the father of King David. Jesus' genealogy can be traced back to Jesse.

A Family Jesse Tree

Brainstorm possible symbols you would use to decorate a Jesse Tree. On a separate sheet of paper, make three drawings of symbols from the list you wrote.

_____

_____

_____

_____

_____

Nombre _____   Fecha _____

La Lámina de arte 11 muestra a Jesús ayudando a alguien necesitado.
¿Qué cualidades refleja Jesús en esta imagen?

La presencia de Dios en Jesucristo

A lo largo de su vida, Jesús tuvo un respeto especial por el Templo de Jerusalén. Para Jesús el Templo no era solo un monumento a Dios; era la casa de su Padre.

Después de la Resurrección, la presencia de Dios alcanzó un nuevo significado. El propio Cristo se convirtió en sacerdote, profeta y rey. Su muerte en la cruz fue el sacrificio final. Jesús es el único mediador entre Dios y nosotros, su familia humana. Jesús es la mano derecha de Dios Padre e intercede por nosotros. Jesús envía al Espíritu Santo a reunir al nuevo Pueblo de Dios. Nosotros, como Pueblo de Dios, somos la Iglesia. Somos el nuevo Templo del Espíritu Santo. Dios ya no vive en una casa de piedras; vive dentro de nosotros, su pueblo.

La presencia de Dios en nosotros

Escribe una cualidad, una costumbre y una meta que te permiten aceptar que Dios habite en ti.

cualidad: _____

costumbre: _____

meta: _____

Leyendo la Palabra de Dios

"Derriben este santuario y en tres días lo reconstruiré". Solo después de que Jesús resucitó de entre los muertos, sus discípulos recordaron que había dicho eso y creyeron en la Escritura y en las palabras de Jesús.

adaptado de Juan 2:19–22

Name _____   Date _____

Art Print 11 shows Jesus helping someone in need.
What qualities does Jesus portray in this image?

God's Presence in Jesus Christ

During his life Jesus had a special respect for the Temple at Jerusalem. For Jesus the Temple was not just a monument to God; it was his Father's house.

After the Resurrection, God's presence took on a new meaning. Christ himself became the ultimate priest, prophet, and king. His death on the cross became the final sacrifice. Jesus is the one mediator between God and us, his human family. Jesus is at the right hand of God the Father, where he intercedes for us. Jesus sends the Holy Spirit to gather the new People of God. We, as the People of God, are called the Church. We are the new Temple of the Holy Spirit. God no longer dwells in a stone house; he dwells within us, his people.

God's Presence Within Us

Write one quality, habit, and goal that allow you to accept God to dwell within you.

quality: _____

habit: _____

goal: _____

Reading God's Word

"Destroy this temple and in three days I will raise it up." Only after Jesus rose from the dead did his disciples recall and believe the Scripture and the words Jesus spoke.

adapted from John 2:19,22

Nombre _____ Fecha _____

La Lámina de arte 12 muestra un pastor a la cabeza de su rebaño. ¿Cómo te recuerda esta imagen a Jesús?

Las experiencias diarias reviven la Palabra

Recuerda la historia de Jacob, quien trabajó años para Labán para poder casarse con su hija. Jacob era un pastor que cuidaba afanosamente a sus ovejas 24 horas al día. Prefería pasar hambre que comerse una. En Génesis, Jacob dice: "De día me consumía el calor, de noche el frío, y no conciliaba el sueño".

adaptado de Génesis 31:38–40

La vida de Jacob como pastor nos ayuda a entender nuestra relación con Dios. Jacob hizo sacrificios para proteger a sus ovejas, al igual que Dios nos cuida y nos protege.

El Señor es mi pastor, nada me falta. En verdes praderas me hace reposar, me conduce a fuentes tranquilas; recrea mis fuerzas. Me guía por el sendero adecuado haciendo gala de su oficio. Aunque camine por lúgubres cañadas, ningún mal temeré, porque tú vas conmigo; tu vara y tu bastón me defienden.

adaptado de Salmo 23:1–4

El Salmo 23 nos recuerda que Dios siempre nos protegerá sin importar el tipo de problemas que enfrentemos.

El Señor es. . .

Termina la frase con la imagen que tienes de Dios.

El Señor es _____

_____

_____

_____ .

Leyendo la Palabra de Dios

El hombre se compadece de su prójimo;
    el Señor, de todos los vivientes;
avisa y educa y enseña,
    y guía como pastor a su rebaño.

Eclesiástico 18:13

Name _____   Date _____

Art Print 12 shows a shepherd leading his flock.
How does this image remind you of Jesus?

Daily Experiences Make the Word Come Alive

Recall the story of Jacob, who worked for Laban for years to get permission to marry Laban's daughter. Jacob was a shepherd who diligently protected his sheep 24 hours a day. He would go hungry rather than eat one of them. In Genesis, Jacob says, "How often the scorching heat ravaged me by day, and the frost by night, while sleep fled from my eyes!"

adapted from Genesis 31:38–40

Jacob's life as a shepherd helps us understand God's relationship with us. Jacob sacrificed to protect his sheep as God cares for and protects us.

The LORD is my shepherd; there is nothing I lack. In green pastures you let me graze; to safe waters you lead me; you restore my strength. You guide me along the right path for the sake of your name. Even when I walk through a dark valley, I fear no harm for you are at my side; your rod and staff give me courage.   *adapted from Psalm 23:1–4*

Psalm 23 reminds us that God is there to protect us no matter what troubles we may encounter.

The Lord Is . . .

Complete the sentence with your image of God.

The Lord is _____

_____

_____

_____ .

Reading God's Word

Man may be merciful to his fellow man,
    but the LORD's mercy reaches all flesh,
Reproving, admonishing, teaching,
    as a shepherd guides his flock[.]
Sirach 18:11–12

Nombre _____ Fecha _____

La Lámina de arte 13 muestra a Jesucristo con los apóstoles.
¿Qué crees que le dice Jesús a Pedro en la lámina de arte?

Los comienzos de la Iglesia

Después de que Jesús fuera **crucificado**, resucitó de entre los muertos y se apareció ante sus seguidores. Instruyó a sus seguidores a que esperaran al Espíritu Santo que llegaría a ayudarles a vivir como seguidores de Jesucristo.

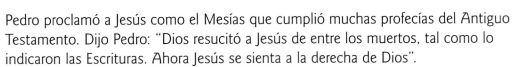

Pedro explicó cómo el Espíritu Santo había llegado a los discípulos y recordó a quienes le escuchaban las palabras del profeta Joel: "Derramaré mi espíritu sobre todos: sus hijos e hijas profetizarán, sus ancianos soñarán sueños y sus jóvenes verán visiones".

Pedro proclamó a Jesús como el Mesías que cumplió muchas profecías del Antiguo Testamento. Dijo Pedro: "Dios resucitó a Jesús de entre los muertos, tal como lo indicaron las Escrituras. Ahora Jesús se sienta a la derecha de Dios".

Cuando la multitud escuchó la explicación de Pedro, muchos le preguntaron qué podían hacer. Pedro les contestó: "Arrepiéntanse y háganse bautizar para que se les perdonen los pecados". Unos 3,000 judíos fueron bautizados. Todos creían que Jesús era el Mesías. Ellos formaron la Iglesia de los primeros siglos.

adaptado de Hechos de los Apóstoles 2:1–41

Sobre Jesús

Escribe tres cosas que Pedro dijo sobre Jesús.

_____

_____

_____

Conexión con la liturgia

Durante misa, el sacerdote o diácono nos dice que le demos gloria al Señor con nuestra vida. Nuestra respuesta confirma que proclamaremos lo que hemos aprendido en las lecturas y lo que hemos recibido en la Eucaristía.

Name _____ Date _____

Art Print 13 shows Jesus Christ with the apostles.
What do you think Jesus is telling Peter in the Art Print?

The Beginning of the Church

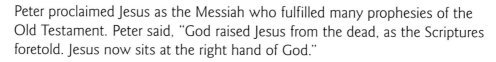

After Jesus was **crucified,** he was raised from the dead and appeared to his followers. He instructed his followers to wait for the Holy Spirit, who would come and help them continue to live as followers of Jesus Christ.

Peter explained how the Holy Spirit came to the disciples and reminds people of the words of the prophet Joel. "God would pour out his Spirit on all. Your sons and daughters shall prophesy, your old men shall see dreams, your young men shall see visions."

Peter proclaimed Jesus as the Messiah who fulfilled many prophesies of the Old Testament. Peter said, "God raised Jesus from the dead, as the Scriptures foretold. Jesus now sits at the right hand of God."

When the crowd heard Peter's explanation, many asked what they could do. Peter said "repent, be baptized, and receive forgiveness of your sins." About 3,000 Jews were baptized. All believed that Jesus was the Messiah. They formed the early Church.

adapted from Acts of the Apostles 2:1–41

About Jesus

Write three things Peter said about Jesus.

_____

_____

_____

Link to Liturgy

At Mass the priest or deacon tells us to glorify the Lord by our lives. Our response confirms that we will proclaim what we have learned in the readings and received in the Eucharist.

Nombre _____   Fecha _____

La Lámina de arte 14 *muestra a Pablo predicando.*
¿Cuál fue el mensaje principal de Pablo?

Pablo habla de amor y unidad

El profeta Jeremías presenció el exilio del pueblo judío en 587 a. C. Dedicó su vida a que el pueblo se comprometiera con Dios. Las últimas palabras de Jeremías al pueblo fueron palabras de esperanza y no de desesperación. Él repitió la promesa de Dios de hacer una nueva alianza con el pueblo.

> Meteré mi Ley en su pecho, la escribiré en su corazón, yo seré su Dios y ellos serán mi pueblo.
> *Jeremías 31:33*

En las cartas de Pablo a la Iglesia de los primeros siglos, vemos cumplidas las esperanzas de Jeremías. En sus cartas llenas de esperanza, escritas mientras era prisionero, Pablo les contó a los efesios que estaba convencido que la Iglesia continuaría cooperando con el Espíritu Santo para fundar la familia de Dios.

> Pablo vio cristianos que hacían buenas obras en el mundo con humildad, amabilidad, paciencia y amor. Él animó a los cristianos a tratarse unos a otros con amor, como habían aprendido de Jesús y los apóstoles.
>
> Pablo enseñó que todos los miembros de la familia de Dios están unidos en Cristo. Ellos han descubierto la ley de Dios escrita en sus corazones y forman parte de un solo cuerpo con Jesús.
> *adaptado de Efesios 4:1–6,15–16*

Cualidades cristianas

Escribe cómo muestras tú las siguientes cualidades.

humildad: _____

_____

paciencia: _____

_____

Name _____   Date _____

Art Print 14 shows Paul preaching.
What was at the heart of Paul's message?

Paul Speaks of Love and Unity

The prophet Jeremiah witnessed the exile of the Jewish people in
587 B.C. His life was dedicated to having people commit themselves
to God. Jeremiah's last words to the people were of hope, not despair.
He repeated God's promise to make a new covenant with the people.

> I will place my law within them, and write it upon their hearts;
> I will be their God, and they shall be my people.   *Jeremiah 31:33*

In Paul's letters to the early Church, we see Jeremiah's hopes
fulfilled. In his hope-filled letters from prison, Paul wrote to the
Ephesians that he was convinced the Church would continue
to cooperate with the Holy Spirit in building God's family.

Paul saw Christians making a difference in the world
through acts of humility, gentleness, patience, and
love. He encouraged Christians to treat one
another with love as they learned from
Jesus and the apostles.

Paul taught that all members of God's
family are united in Christ. They
discovered the law of God written
upon their hearts and were all part of
one body with Jesus Christ.
adapted from Ephesians 4:1–6,15–16

Christian Qualities

Write how you show the following qualities.

humility: _____

_____

patience: _____

_____

Nombre _____   Fecha _____

La Lámina de arte 15 muestra a los tres Reyes Magos. ¿Cual es su importancia en el tiempo de la Navidad?

La Iglesia celebra el tiempo de la Navidad

Durante el tiempo de la Navidad aprendemos sobre los comienzos de la vida de Jesús —su nacimiento, la Sagrada Familia, su bautismo y la visita de los Reyes Magos, es decir, la Epifanía—.

Epifanía significa "revelación". Esta fiesta celebra el anuncio del nacimiento de Jesús y la llegada de los Reyes Magos. Los Reyes Magos no pudieron llamar por teléfono, ni enviar un correo electrónico o un mensaje de texto, ni ver las noticias por televisión. Siendo astrónomos, los Reyes Magos dependieron de una estrella brillante para enterarse del nacimiento de un rey.

Según la tradición, los Reyes Magos —llamados Gaspar, Melchor y Baltasar— fueron los primeros visitantes en reconocer a Jesús como rey. Ellos llegaron para rendirle culto y traerle obsequios. El largo viaje de los Reyes Magos simboliza nuestro propio viaje en la vida buscando a Jesús. La presentación de Jesús a los Reyes Magos nos recuerda que el nacimiento de Jesús es importante para todo el mundo.

Nuestra guía

La brillante estrella de la Navidad guió a los Reyes Magos. Todos necesitamos algo que nos guíe en nuestra vida para hacer lo correcto. Escribe algunas maneras en que Jesús te puede guiar.

_____

_____

_____

_____

Name _____ Date _____

Art Print 15 depicts the three Wise Men.
What is their importance to the Christmas season?

The Church Celebrates the Christmas Season

During the Christmas season, we learn about the beginning of Jesus' life—his birth, Holy Family, baptism, and the visit of the Magi, or the Epiphany.

Epiphany means "revelation." This feast celebrates the announcement of Jesus' birth and the arrival of the Magi. The Magi could not call on a phone, send an e-mail or text message, or see the news on TV. The Magi, being astronomers, relied on a bright star to learn of the birth of a king.

According to tradition the Magi, named Caspar, Melchior, and Balthazar, were the first visitors to acknowledge Jesus as king. They came to worship him and bear gifts. The Magi's long journey is a symbol of our own journey through life, seeking Jesus. The presentation of Jesus to the Magi reminds us that Jesus' birth is important to the whole world.

Guiding Us

The bright Christmas star guided the Magi. We all need a guide in our lives to help us do the right thing. Write ways that Jesus can guide you.

_____

_____

_____

_____

La Lámina de arte 16 muestra un retrato del profeta Jeremías. ¿Cuál fue el mensaje principal de los profetas del Antiguo Testamento?

El desafío del profeta

Los profetas de Dios tuvieron que hacer un trabajo sagrado, o ministerio. Dios los llamó para intervenir en las sociedades que ya no seguían sus mandamientos.

Los profetas a menudo solicitaban a los ciudadanos y gobernantes que repartieran sus riquezas, alimentos y otras necesidades. Esta tradición de compartir sigue siendo una misión importante para la Iglesia hoy en día.

Esos mensajes no siempre fueron bien recibidos en la antigua sociedad judía, al igual que ocurre hoy en día. Las personas no hacían caso a los profetas que pedían que compartieran sus bienes, aún cuando sabían que esos bienes creados por Dios no estaban destinados a unos pocos. A veces un gobernante enviaba al profeta a prisión o lo exiliaba del país con la esperanza de callarlo. Pero los profetas siguieron proclamando las palabras de Dios. Dios los había llamado y les había dado la sabiduría y la fortaleza para obrar. Uno de estos profetas, Jeremías, enseñó entre 629 y 588 a. C. con la esperanza de que la gente reanudara su alianza con Dios.

La profecía de hoy

Escribe cómo sería cada mensaje si Dios enviase hoy un profeta para hablarle a tu país, a tu vecindario y a ti personalmente.

A tu país: _____

_____

_____

A tu vecindario: _____

_____

_____

A ti: _____

_____

_____

Name _____ Date _____

Art Print 16 shows a painting of the prophet Jeremiah.
What was the main message of the Old Testament prophets?

A Prophet's Challenge

God's prophets had a holy job, or ministry, to perform. God called them to intervene in societies that no longer followed his commandments.

Prophets often asked citizens and rulers to share wealth, food, and other necessities. This tradition of sharing is still an important mission in today's Church.

In ancient Jewish society, as well as today, such messages were not always well received. People ignored prophets who asked them to share, even though they knew the goods created by God were not meant for a few. Sometimes a ruler would throw a prophet in prison or out of the country, hoping to silence him. But the prophets kept delivering God's words. God called on them and gave them the wisdom and strength to act. One such prophet, Jeremiah, taught from 629 to 588 B.C., hoping people would renew their covenant with God.

A Prophecy for Today

Write what each message would be if God sent a prophet today to speak to your country, your neighborhood, and you personally.

To your country: _____

_____

_____

To your neighborhood: _____

_____

_____

To you: _____

_____

_____

Nombre _____   Fecha _____

La Lámina de arte 17 muestra una litografía del profeta Isaías. ¿Por qué son importantes las profecías de Isaías para los Evangelios del Nuevo Testamento?

Jesús y las profecías antiguas

El Evangelio de Mateo contiene muchas referencias a los libros proféticos del Antiguo Testamento, especialmente el de Isaías. Mateo era judío y conocía bien las profecías del Antiguo Testamento. Él se dirigía principalmente a los judíos y quería usar sus Escrituras para demostrarles que Jesús había cumplido las profecías relacionadas con el Mesías.

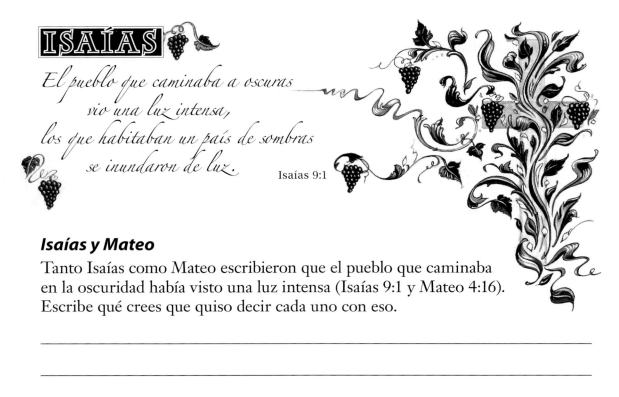

ISAÍAS

El pueblo que caminaba a oscuras vio una luz intensa, los que habitaban un país de sombras se inundaron de luz.

Isaías 9:1

Isaías y Mateo

Tanto Isaías como Mateo escribieron que el pueblo que caminaba en la oscuridad había visto una luz intensa (Isaías 9:1 y Mateo 4:16). Escribe qué crees que quiso decir cada uno con eso.

_____

_____

_____

¿Sabías que...?

El libro de Isaías fue escrito por diferentes escritores en tres momentos y lugares distintos. Los capítulos del 1 al 39 fueron escritos entre 738 y 700 a. C., cuando Judá era un reino y había sido invadido por los asirios. Los capítulos del 40 al 55 fueron escritos mientras los judíos estaban en exilio. Los capítulos del 56 al 66 fueron escritos después de que el pueblo volvió del exilio a Jerusalén. Las personas que regresaron se sintieron desesperadas porque su reino había desaparecido. El profeta los llamó a continuar creyendo en Dios, quien los había salvado de Babilonia.

Name _____ Date _____

Art Print 17 is a lithograph of the prophet Isaiah. Why are Isaiah's prophecies important to the Gospels of the New Testament?

Jesus and the Prophecies of Old

The Gospel of Matthew contains many references to the prophetic books of the Old Testament, especially Isaiah. Matthew was a Jew and would have been quite familiar with the Old Testament prophecies. He was talking mostly to Jews, and he wanted to use their own Scriptures to prove how Jesus had fulfilled prophecies concerning the Messiah.

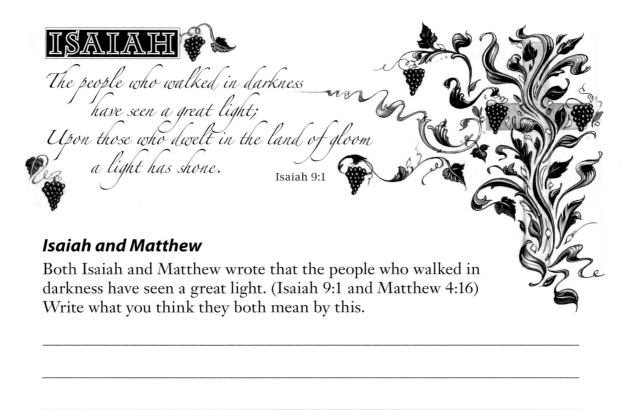

ISAIAH

The people who walked in darkness have seen a great light; Upon those who dwelt in the land of gloom a light has shone.

Isaiah 9:1

Isaiah and Matthew

Both Isaiah and Matthew wrote that the people who walked in darkness have seen a great light. (Isaiah 9:1 and Matthew 4:16) Write what you think they both mean by this.

_____

_____

_____

? Did You Know...?

The Book of Isaiah was written by different writers in three times and places. Chapters 1–39 were written between 738 and 700 B.C., when Judah was a kingdom and had been invaded by the Assyrians. Chapters 40–55 were written while the Jewish people were in exile. Chapters 56–66 were written after the people returned to Jerusalem from exile. The returning people felt hopeless because their kingdom was gone. The prophet called them to continue to believe in God, who had rescued them from Babylon.

Nombre _____   Fecha _____

La Lámina de arte 18 muestra una imagen de la iglesia de San Pedro en Francia. ¿Cuáles son las piedras angulares de la Iglesia católica?

La piedra que lo mantiene todo unido

El escritor de Efesios entendió la importancia de una base fuerte para la Iglesia. Los apóstoles y profetas son la base del hogar de Dios y Jesús es la piedra angular. La piedra angular es aquella piedra en el centro del arco que lo mantiene unido.

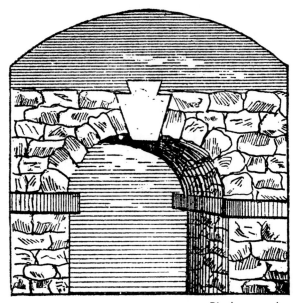

> Por él todo el edificio bien trabado crece hasta ser santuario consagrado al Señor, por él ustedes entran con los demás en la construcción para ser morada de Dios en el Espíritu.
>
> *Efesios 2:21–22*

La Iglesia se edifica sobre las enseñanzas de Jesús, los profetas y los apóstoles. Al ser el Pueblo de Dios, somos también las piedras vivas de su hogar. Jesús nos mantiene unidos. Este hogar formado por piedras vivas es un signo de la presencia de Dios en el mundo.

Piedra angular

Tu piedra angular

Escribe un ejemplo de una persona que conozcas que mantiene unidas a otras personas.

_____

_____

_____

_____

Leyendo la Palabra de Dios

Él es la piedra viva, rechazada por los hombres, elegida y estimada por Dios; por eso, al acercarse a él, también ustedes, como piedras vivas, participan en la construcción de un templo espiritual y forman un sacerdocio santo, que ofrece sacrificios espirituales, aceptables a Dios por medio de Jesucristo.

1 Pedro 2:4–5

Name _____ Date _____

Art Print 18 shows an image of St. Peter's Church in France.
What are the keystones of the Catholic Church?

The Stone That Holds Everything Together

The writer of Ephesians understood the importance of a strong foundation for the Church. The apostles and prophets are the foundation of the household of God, and Jesus is the keystone. A keystone is the stone in the center of an arch that holds it together.

> Through him the whole structure is held together and grows into a temple sacred in the Lord; in him you also are being built together into a dwelling place of God in the Spirit.
>
> *Ephesians 2:21–22*

The Church is built on the teachings of Jesus, the prophets, and the apostles. As the people of God, we are living stones in his household. Jesus holds us all together. This household made of living stones is a sign of God's presence in the world.

Your Keystone

Write an example of a person you know who holds other people together.

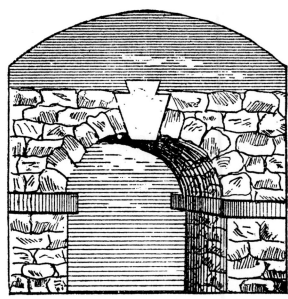

Keystone

_____

_____

_____

_____

Reading God's Word

Come to him, a living stone, rejected by human beings but chosen and precious in the sight of God, and, like living stones, let yourselves be built into a spiritual house to be a holy priesthood to offer spiritual sacrifices acceptable to God through Jesus Christ.

1 Peter 2:4–5

Nombre _____   Fecha _____

La Lámina de arte 19 es un mosaico de un discípulo sanando a un hombre ciego.
¿Cómo se relaciona esta imagen con los sacramentos de la Curación?

Jesús envía a los sanadores

El libro de Isaías tiene palabras reconfortantes para
quienes anhelan tener a Dios en su vida.

> Se despegarán los ojos del ciego,
>   los oídos del sordo se abrirán,
> saltará como ciervo el tullido,
>   la lengua del mudo cantará.　*Isaías 35:5-6*

Jesús cumplió con esa profecía al anunciar la Buena Nueva del Reino
de Dios. Reunió a sus apóstoles y les dio autoridad para sanar a los
enfermos. Los discípulos hicieron milagros en nombre de Jesús.

En tiempos de Jesús los enfermos eran marginados de la sociedad
y considerados impuros. El ministerio de sanación espiritual y
social de Jesús sanó sus enfermedades físicas y les devolvió a todos
la dignidad concedida por Dios.

La Iglesia celebra la sanación

Jesús sigue curando a través de la Iglesia al llamar al Espíritu
Santo a rezar por la sanación. El Espíritu Santo otorga
los dones de sanación para el cuerpo y el alma en los
sacramentos de la Curación —la Unción de los Enfermos
y la Reconciliación—.

Sé un sanador

Escribe un ejemplo de cómo puedes tú ser un sanador.

_____

_____

_____

_____

Leyendo la Palabra de Dios

Pero yo vendré para reunir a las naciones
de toda lengua: vendrán para ver mi gloria.　*Isaías 66:18*

Name _____ Date _____

Art Print 19 is a mosaic of a disciple curing a blind man.
How does this image connect to the Sacraments of Healing?

Jesus Sends Forth Healers

The Book of Isaiah has words of healing for those
longing for God in their lives.

> Then will the eyes of the blind be opened,
>   the ears of the deaf be cleared;
> Then the lame will leap like a stag,
>   then the tongue of the dumb will sing.   *Isaiah 35:5–6*

Jesus fulfilled this prophecy by proclaiming the good news of
God's kingdom. He gathered his apostles and gave them authority
to heal the sick. The disciples performed miracles in Jesus' name.

In Jesus' time those who were ill were shamefully kept apart
from society and considered unclean. Jesus' ministry of spiritual
and social healing cured physical ills and restored the dignity
everyone is granted by God.

The Church Celebrates Healing

Jesus continues to heal through the Church, calling upon
the Holy Spirit to pray for healing. The Holy Spirit gives
gifts for healing the body and spirit in the Sacraments of
Healing—the Anointing of the Sick and Reconciliation.

Be a Healer

Write an example of how you can be a healer.

_____

_____

_____

_____

Reading God's Word

I come to gather nations of every language;
they shall come and see my glory.   *Isaiah 66:18*

La Lámina de arte 20 muestra una interpretación de Getsemaní, donde Jesús rezó después de la Última Cena. ¿Por qué es importante la oración durante la Cuaresma y la Semana Santa?

La Iglesia celebra la Cuaresma y la Semana Santa

Durante el tiempo cuaresmal, nos preparamos para conmemorar la muerte y Resurrección de Jesús. Recordamos el gran sacrificio que hizo Jesús al morir en la cruz. La Cuaresma es un tiempo para rezar con mayor frecuencia, hacer sacrificios como el ayuno, y ayudar a los necesitados. Mediante estos actos reconocemos nuestra dependencia de Dios. Al recibir el sacramento de la Reconciliación durante la Cuaresma somos sanados y obtenemos fuerza.

Cuando Jesús enfrentaba decisiones difíciles, rezaba. Hacia el final de su vida, después de la Última Cena, Jesús fue al huerto de Getsemaní para rezar. Sintió gran tristeza cuando eligió asumir nuestros pecados y morir en la cruz. Jesús negó su propia voluntad para obedecer la voluntad de su Padre.

Hoy en día las personas buscan a Jesús por su gran amor. Cuando enfrentes decisiones difíciles sigue el ejemplo de Jesús, rezando para obtener fuerza y poder seguir la voluntad de Dios.

Obras durante la Cuaresma

Traza líneas para unir cada promesa cuaresmal con una obra que puedes hacer.

1. rezar
2. ayunar
3. ayudar a los demás

a. Abstenerse de comer carne.
b. Hacer una donación a un comedor social.
c. Reflexionar sobre un pasaje de la Biblia.

Name _____   Date _____

Art Print 20 shows an interpretation of Gethsemane, where Jesus prayed after the Last Supper. Why is prayer important to Lent and Holy Week?

The Church Celebrates Lent and Holy Week

During the Lenten season, we prepare ourselves to observe the Death and Resurrection of Jesus. We remember the great sacrifice Jesus made by dying on the cross. Lent is a time to pray more often, make sacrifices such as fasting, and give to people in need. Through these acts we acknowledge relying on God. Receiving the Sacrament of Reconciliation during Lent gives us healing and strength.

When Jesus faced difficult decisions, he prayed. Near the end of his life after the Last Supper, Jesus went to the Garden of Gethsemane to pray. He felt great sorrow as he chose to bear our sins and die on the cross. Jesus put his will aside to obey his Father's will.

People seek Jesus today because of his great love. When you face difficult decisions, follow Jesus' example by praying for the strength to follow God's will.

Lenten Acts

Draw lines to match each Lenten promise with an act you can do.

1. pray   **a.** Have a meatless meal.

2. fast   **b.** Donate to a food bank.

3. help others   **c.** Reflect on a Bible passage.

Nombre _____   Fecha _____

La Lámina de arte 21 muestra una pintura de Santa Teresita del Niño Jesús. ¿Cómo sirve ella de ejemplo para que podamos mostrar nuestro agradecimiento a Dios todos los días?

Una joven que escuchó a Dios

Teresa de Lisieux nació en Francia en 1873. Ella quiso ingresar al convento de las carmelitas como lo habían hecho sus hermanas mayores, pero la madre superiora del convento pensó que Teresita aún no estaba lista para seguir la vida estricta y rigurosa que ellas llevaban. Sin embargo, Teresita persistió en lograr su sueño de hacer cosas grandes por Dios.

A la edad de 14 años hizo una peregrinación a Roma con su padre. Allí tuvo la oportunidad de unirse al convento. Aunque tenían prohibido hablar con el papa, ella corrió hacia él y le rogó que le permitiera ser carmelita.

A pesar de que no se le otorgó ese permiso, un oficial de la Iglesia se dio cuenta de su espíritu y exhortó a la madre superiora del convento para que la admitiera. Teresita entró al convento a la edad de 15 años.

Teresita mostraba su amor por Dios al hacer pequeños sacrificios a diario y siempre estaba atenta a la presencia de Dios en su vida.

Teresa de Lisieux en julio de 1896

Las cosas pequeñas

Escribe ejemplos de cosas pequeñas que puedes hacer para mostrar tu amor a Dios y a los demás.

_____

_____

_____

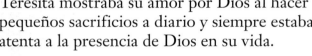

Leyendo la Palabra de Dios

Escucha, Israel, el Señor, nuestro Dios, es solamente uno. Amarás al Señor, tu Dios, con todo el corazón, con toda el alma, con todas las fuerzas.

Deuteronomio 6:4–5

Name _____ Date _____

Art Print 21 is a painting of Saint Thérèse of Lisieux. Why is she a great example of how we can show our appreciation for God every day?

A Young Woman Who Listened to God

Thérèse of Lisieux was born in 1873 in France. She wanted to join the Carmelite convent as her older sisters had, but the head of the convent did not think Thérèse was ready for the strict and rigorous convent life. Thérèse persisted to pursue her dreams of doing great things for God.

At age 14 she went on a pilgrimage to Rome with her father. There she saw a chance to join the convent. Even though they were forbidden to speak to the pope, she ran up to him and begged him to let her enter the Carmelite Order.

Although permission was not granted, a Church official noticed her courage and urged the head of the convent to admit her. At age 15 Thérèse entered the convent.

Thérèse showed her love for God by making small sacrifices every day and was constantly aware of God's presence in her life.

Thérèse of Lisieux in July 1896

The Little Way

Write examples of small things you can do to show love for God and others.

_____

_____

_____

Reading God's Word

Hear, O Israel! The LORD is our God, the LORD alone! Therefore, you shall love the LORD, your God, with all your heart, and with all your soul, and with all your strength.   *Deuteronomy 6:4–5*

Nombre _____   Fecha _____

La Lámina de arte 22 muestra una interpretación de las bodas de Caná.
¿Por qué el sacramento del Matrimonio es una celebración espiritual tan importante?

El Matrimonio: un llamado sagrado

En el sacramento del Matrimonio una mujer y un hombre son llamados por el Espíritu Santo a una alianza con Dios y entre ellos mismos. La pareja asume este compromiso en una celebración ante un sacerdote, un diácono o un testigo autorizado por la Iglesia.

El esposo y la esposa son llamados a la santidad mediante el Bautismo. Ellos reciben la gracia de amarse uno a otro y a sus hijos, a los cuales cuidarán y educarán en la fe. Su relación refleja la unión entre Cristo y la Iglesia. Viven como pareja física y emocionalmente.

La castidad une de manera espiritual a la pareja: "Prometo serte fiel en lo próspero y en lo adverso, en la salud y en la enfermedad, y amarte y respetarte por todos los días de mi vida".

El hombre y la mujer se comprometen a ser una pareja fiel de por vida, atestiguando la fidelidad y el amor infinito de Dios, y aceptando tener hijos. Un hijo, creado a imagen y semejanza de Dios, debe ser tratado como ser humano desde el momento de su concepción.

Entrevista matrimonial

Escribe tres preguntas para hacerle a un miembro de tu familia sobre la ceremonia de su matrimonio.

1. _____

2. _____

3. _____

Conexión con la liturgia

Durante la celebración del sacramento del Matrimonio la pareja intercambia anillos como símbolo de su fe profunda, de su paz y de la incondicional promesa de amor y fidelidad que se han hecho uno a otro.

Name _____ Date _____

Art Print 22 depicts an interpretation of the Wedding at Cana.
Why is the Sacrament of Matrimony such an important spiritual celebration?

Marriage: A Holy Calling

In the Sacrament of Matrimony, a woman and a man are called by the Holy Spirit into a marriage covenant with God and with each other. They make this commitment in a celebration before a priest, a deacon, or an authorized witness of the Church.

A husband and wife are called to holiness through their Baptism. They receive the grace to love each other and their children, whom they care for and educate in the faith. Their relationship reflects the union between Christ and the Church. They live as one couple, physically and emotionally.

Chastity unites a couple spiritually: "I promise to be true to you in good times and bad, in sickness and in health. I will love you and honor you all the days of my life."

They commit to being a faithful couple for life, witnessing to God's faithfulness and infinite love, and accepting children. A child, created in God's likeness, must be treated as a human being from the moment of conception.

Matrimony Interview

Write three questions to ask a relative about his or her wedding ceremony.

1. _____

2. _____

3. _____

Link to Liturgy

During the celebration of the Sacrament of Matrimony, rings are exchanged as symbols of deep faith, peace, and the promise of unconditional love and fidelity toward each other.

Nombre _____   Fecha _____

La Lámina de arte 23 *muestra una pintura de la vida humana coexistiendo con la naturaleza. ¿Por qué somos responsables de cuidar la creación de Dios?*

El Evangelio de la vida: carta a la Iglesia

Tenemos una relación especial con el mundo natural y obtenemos alegría de su belleza y diversidad. Dependemos de la naturaleza para sobrevivir y aprovechamos sus recursos naturales para beneficio de la sociedad. Todas las personas deben compartir los bienes de la Tierra y tener lo suficiente para cubrir nuestras necesidades básicas. Es importante tener una relación sana con el medio ambiente en el cual vivimos.

En 1995 el Papa Juan Pablo II escribió una **encíclica**, es decir, una carta de instrucción para la Iglesia, llamada *El Evangelio de la vida*. Su mensaje nos enseña que toda vida es un don sagrado de Dios. Como Pueblo de Dios tenemos la responsabilidad de cuidar el medio ambiente en el que vivimos. Se nos encomendó compartir la autoridad de Dios sobre el mundo para defender y promover la vida, y sentir reverencia y amor por ella. Nuestro llamado de proteger y preservar la creación de Dios no es solamente para el presente sino también para las generaciones futuras.

Cuidar el medio ambiente

Escribe dos maneras en las que puedes conservar el medio ambiente para las futuras generaciones.

_____

_____

Conexión con la liturgia

Al final de la Liturgia de la Palabra rezamos la Oración Universal por las necesidades del mundo, de la Iglesia y de nuestra comunidad parroquial. Después de cada súplica, respondemos "Roguemos al Señor" u otras palabras similares.

Name _____ Date _____

Art Print 23 is a painting of human life coexisting with nature.
Why is it our responsibility to care for God's creation?

Gospel of Life: A Letter to the Church

We have a special relationship with the natural world and find joy in its beauty and diversity. We depend on nature for survival and harness its natural resources for social benefits. All people must share the goods of the earth and have enough to meet basic needs. It is important to appreciate and have a healthy relationship with the environment we live in.

In 1995 Pope John Paul II wrote an **encyclical,** a letter of instruction to the Church, called *The Gospel of Life.* The message teaches that all life is a sacred gift from God. As God's people we have the responsibility to care for the environment in which we live. We are entrusted to share in God's lordship over the world by defending and promoting life and showing reverence and love for it. Our calling, to protect and preserve God's creation, is not only for the present, but also for future generations.

Care for the Environment

Write two ways you can preserve the environment for future generations.

_____

_____

Link to Liturgy

At the end of the Liturgy of the Word, we pray the Prayer of the Faithful for the needs of the world, the Church, and the parish community. After each prayer we respond "Lord, hear our prayer" or similar words.

La Lámina de arte 24 muestra a san Patricio. ¿Por qué los santos son ejemplos importantes a seguir en nuestra fe?

Un esclavo convertido en sirviente

San Patricio supo lo que era perder sus derechos como persona. Era hijo de un oficial militar en Gran Bretaña y fue capturado por piratas y esclavizado en Irlanda. Trabajó como pastor durante seis años, sufriendo hambre, frío y soledad. Pero nunca perdió la fe y rezaba diariamente a Dios.

Patricio logró escapar y regresó a su hogar. Una vez libre se convirtió en sacerdote para ayudar a otras personas a obtener los mismos derechos que él había perdido.

Después de varios años como clero parroquial, Patricio fue ordenado obispo. Él respondió al llamado de Dios para volver a Irlanda. Regresó allí y predicó a las tribus celtas presentándoles el cristianismo. Cambió la vida social en Irlanda al establecer monasterios, conventos y parroquias, y al adaptar las celebraciones paganas a las fiestas cristianas.

Patricio perdonó a los que lo habían esclavizado y ayudó a establecer sistemas y prácticas para darle apoyo a la dignidad y libertad de las personas. La fiesta de san Patricio es el 17 de marzo.

Oraciones de Patricio

Escribe una oración que hubiera podido decir Patricio en los siguientes momentos de su vida.

Como esclavo: _____

_____

_____

Como obispo: _____

_____

_____

Art Print 24 shows Saint Patrick. Why are the saints important role models in our faith?

The Slave Becomes the Servant

Saint Patrick knew what it was like to lose his rights as a person. The son of a military officer in Britain, he was captured by pirates and enslaved in Ireland. For six years he worked as a shepherd, suffering from hunger, cold, and loneliness. He never lost his faith and prayed to God daily.

Eventually Patrick escaped and returned home. Once free, he became a priest to help others achieve the same rights he once lost.

After several years in parish ministry, Patrick was ordained a bishop. He answered God's call to return to Ireland. He returned and preached to the Celtic tribes, introducing them to Christianity. He changed the social life of Ireland by establishing monasteries, convents, and parishes, and by adapting pagan celebrations to Christian feasts.

Patrick forgave those who had enslaved him and helped establish systems and practices that supported people's dignity and freedom. His feast day is March 17.

Patrick Prays

Write a prayer Patrick may have said at these times in his life.

As a slave: _____

_____

_____

As a bishop: _____

_____

_____

La Lámina de arte 25 es un recordatorio visual de todos los dones que Dios nos ha dado. ¿Cuáles son algunos de esos dones, y por qué es importante recordarlos en la Pascua de Resurrección?

La Iglesia celebra la Pascua

Durante la Pascua celebramos la Resurrección y Ascensión de Jesús. A través de ellos, Jesús nos trae el don de la Salvación y la certeza de que hemos sido salvados.

La Iglesia se reúne en la tarde del Sábado Santo para celebrar la Vigilia Pascual. Esto marca el comienzo de la Pascua de Resurrección. La Vigilia Pascual tiene cuatro partes: el Lucernario, o liturgia de la luz, la Liturgia de la Palabra, la liturgia bautismal y la Liturgia de la Eucaristía.

Durante la Liturgia de la Palabra se proclama la historia del amor de Dios por nosotros a través de las lecturas del Antiguo y el Nuevo Testamentos. Las lecturas del Antiguo Testamento hacen referencia a la historia de la Salvación, comenzando con la Creación y continuando con el Pueblo de Dios que esperó al Salvador durante miles de años. La Salvación es el don de la nueva vida en Jesús y nuestro reto al aceptar este don es cuidar la creación de Dios y cuidarnos unos a otros.

Entrevistando nuestra fe

Elige a una persona del Antiguo Testamento. Escribe lo que le dirías o preguntarías a esa persona que esperó fielmente la venida de Jesús.

_____

_____

_____

_____

_____

_____

_____

Name _____   Date _____

Art Print 25 is a visual reminder of all the gifts God has given us.
What are some of these gifts, and why are these important to remember at Easter?

The Church Celebrates Easter

We celebrate the Resurrection and Ascension of Jesus at Easter. Through these acts, Jesus brings us the gift of Salvation and the knowledge that we have been saved.

The Church gathers on Holy Saturday evening to celebrate the Easter Vigil. This is the beginning of Easter. The Easter Vigil has four parts: Service of Light, Liturgy of the Word, Liturgy of Baptism, and Liturgy of the Eucharist.

During the Liturgy of the Word, the story of God's love for us is proclaimed in the readings of the Old and New Testaments. The Old Testament readings recall the history of Salvation, beginning with creation and continuing with God's people who were waiting for thousands of years for the Savior to come. Salvation is the gift of new life in Jesus and our challenge to accept this gift by caring for God's creation and one another.

Interviewing Our Faith

Choose an Old Testament figure. Write what you would say to or ask this person who waited faithfully for Jesus to come.

_____

_____

_____

_____

_____

_____

Glosario

A

Abba modo informal de decir *padre* en arameo, la lengua que hablaba Jesús. Es como *papá* en español. Cuando Jesús habla a Dios Padre, lo llama "Abba". [Abba]

absolución el perdón que recibimos de Dios por medio del sacerdote en el sacramento de la Penitencia y la Reconciliación. [absolution]

Acto Penitencial fórmula que se usa en la misa para la confesión general y en la que se pide la misericordia de Dios. El sacerdote guía a la asamblea rezando la fórmula para la confesión de los pecados: "Yo confieso ante Dios todopoderoso…" o en la invocación triple en la que se repite: "Señor, ten piedad… Cristo, ten piedad… Señor, ten piedad…" en español o en griego. [Penitential Act]

Adviento el período de cuatro semanas que precede a la Navidad. Es un tiempo de preparación gozosa para la celebración de la Encarnación, el nacimiento de Jesús como nuestro Salvador, y a su vez el tiempo en el que anticipamos la llegada de Jesucristo al final de los tiempos. [Advent]

agua bendita agua que ha sido bendecida y se usa como sacramental para recordarnos nuestro Bautismo. [holy water]

alabanza la expresión de nuestra respuesta a Dios, no solo por lo que hace sino simplemente por ser quien es. Durante la Eucaristía la Iglesia entera se une a Jesucristo agradeciendo y alabando al Padre. [praise]

Aleluya oración de alabanza a Dios. Se suele cantar como aclamación del Evangelio antes de la lectura del Evangelio en la misa, excepto durante el tiempo de Cuaresma. [Alleluia]

alianza compromiso solemne entre las personas o entre las personas y Dios. Dios estableció alianzas con la humanidad a través de los acuerdos con Noé, Abrahán y Moisés. Esas alianzas ofrecían la Salvación. La Nueva Alianza definitiva de Dios se estableció a través de la vida, muerte, Resurrección y Ascensión de Jesús. La palabra *testamento* es otra manera de decir *alianza*. [covenant]

alma la parte de nosotros que nos hace humanos y a la vez una imagen de Dios. Cuerpo y alma, juntos, dan forma a una única naturaleza humana. El alma es responsable de nuestra conciencia y nuestra libertad. El alma nunca muere y se vuelve a unir con el cuerpo en la resurrección final. [soul]

altar la mesa dentro de la iglesia sobre la que el sacerdote celebra la misa y donde el sacrificio de Cristo en la cruz se hace presente en el sacramento de la Eucaristía. El altar representa dos aspectos de la Eucaristía: es el lugar donde Jesucristo se ofrece a sí mismo por nuestros pecados y donde se nos da como alimento para la vida eterna. [altar]

ambón plataforma elevada desde la que una persona lee la Palabra de Dios durante la misa. [ambo]

Amén palabra hebrea que se dice al concluir oraciones judías y cristianas. Se puede traducir como "en verdad", "que así sea" o "dejemos que así sea". Decimos *Amén* al finalizar las oraciones para mostrar que realmente creemos en lo que acabamos de decir. [Amen]

ángel criatura espiritual que adora a Dios en el cielo. Los ángeles cumplen la función de ser mensajeros de Dios. Nos transmiten los planes de Dios para nuestra Salvación. [angel]

ángel de la guarda el ángel que le ha sido designado a una persona para que la proteja, rece por ella y le ayude a vivir una vida santa. [guardian angel]

Ángelus devoción católica que se recita tres veces al día: por la mañana, al mediodía y por la tarde. Esta devoción reflexiona sobre el misterio de la Anunciación: la visita del ángel a María, su aceptación a ser la madre de Jesús y la Palabra hecha carne. [Angelus]

Glossary

A

Abba an informal name for *father* in Aramaic, the language Jesus spoke. It is like *dad* in English. When Jesus spoke to God the Father, he called him "Abba." [Abba]

absolution the forgiveness we receive from God through the priest in the Sacrament of Penance and Reconciliation [absolución]

Advent the four weeks before Christmas. It is a time of joyful preparation for the celebration of the Incarnation, Jesus' birth as our Savior, and a time for anticipating the coming of Jesus Christ at the end of time. [Adviento]

Advocate Jesus' name for the Holy Spirit. The Holy Spirit comforts us, speaks for us in difficult times, and makes Jesus present to us. [Defensor]

All Saints Day November 1, the day on which the Church honors all who have died and now live with God as saints in Heaven. This group includes those who are officially recognized as saints as well as many unknown people who after a good life have died and now live in God's presence. The feast celebrates our union with those who have gone before us and points to our ultimate goal of union with God. [Día de Todos los Santos]

All Souls Day November 2, the day on which the Church prays that all friends of God who have died may rest in peace. Those who have died may need purification in Purgatory before living fully in God's presence. Our prayers and good works can help them in this process. Along with All Saints Day, this feast reminds us that all who love God, living and dead, are united in living communion with Jesus Christ and with one another. [Día de Todos los Fieles Difuntos]

Alleluia a prayer of praise to God. It is usually sung as the Gospel Acclamation before the proclamation of the Gospel Reading at Mass except during Lent. [Aleluya]

almsgiving the practice of giving money to those in need as an act of love [limosna, dar]

altar the table in the church on which the priest celebrates Mass, where the sacrifice of Christ on the cross is made present in the Sacrament of the Eucharist. The altar represents two aspects of the mystery of the Eucharist. It is the place where Jesus Christ offers himself for our sins and where he gives us himself as our food for eternal life. [altar]

ambo a raised stand from which a person reads the Word of God during Mass [ambón]

Amen the Hebrew word used to conclude Jewish and Christian prayers. It means "This is true," "So be it," or "Let it be so." We end prayers with *Amen* to show that we mean what we have just said. [Amén]

angel a spiritual creature who worships God in Heaven. Angels serve God as messengers. They tell us of God's plans for our Salvation. [ángel]

Angelus a Catholic devotion recited three times a day—morning, noon, and evening. The devotion reflects on the mystery of the Annunciation—the coming of the angel to Mary, her acceptance of the invitation to be the mother of Jesus, and the Word made flesh. [*Ángelus*]

Annunciation the announcement to Mary by the angel Gabriel that God had chosen her to be the mother of Jesus. When Mary agreed, the Son of God became man in her. The Feast of the Annunciation is celebrated on March 25, nine months before Christmas. [Anunciación]

Antiguo Testamento los primeros 46 libros de la Biblia, donde se relata la Alianza de Dios con el pueblo de Israel y su plan de Salvación para todas las personas. Los cinco primeros libros se conocen como la Torá. El Antiguo Testamento se cumple en el Nuevo Testamento, pero la Alianza que se nos presenta en el Antiguo Testamento tiene un valor permanente y nunca ha sido revocada. [Old Testament]

Anunciación el momento en que el ángel Gabriel anuncia a María que Dios la ha elegido para ser la madre de Jesús. Cuando María accede, el Hijo de Dios se hace hombre en ella. La Anunciación se celebra el 25 de marzo, nueve meses antes de la Navidad. [Annunciation]

año litúrgico la celebración a lo largo del año de los misterios del nacimiento, vida, muerte, Resurrección y Ascensión del Señor. El ciclo del año litúrgico constituye el ritmo básico de la vida de oración de los cristianos. [liturgical year]

apóstol cada uno de los doce hombres elegidos para acompañar a Jesús en su ministerio y que fueron testigos de su Resurrección. La palabra *apóstol* significa "enviado". Estos fueron los hombres enviados a predicar el Evangelio por todo el mundo. [apostle]

apostólica uno de los cuatro atributos de la Iglesia. La Iglesia es apostólica porque continúa transmitiendo las enseñanzas de los apóstoles a través de sus sucesores, los obispos, en unión con el sucesor de san Pedro, el papa. [apostolic]

Árbol de Jesé una actividad de Adviento que nos prepara para celebrar el nacimiento de Jesús. Un árbol pequeño, real o artificial, es decorado con imágenes de los ancestros de Jesús, comenzando con Jesé de Belén, padre del rey David. Esta imagen está basada en Isaías 11:1 *Pero retoñará el tocón de Jesé, de su cepa brotará un vástago.* [Jesse Tree]

Arca de la Alianza la caja sagrada que Dios mandó a Moisés a construir (Éxodo 25:10–16), hecha de madera de acacia para guardar las tablas de la Ley restauradas. [Ark of the Covenant]

arrepentimiento alejarnos del pecado con el deseo de cambiar nuestra vida para vivir de una forma más cercana a como Dios quiere que vivamos. Expresamos nuestra penitencia externamente al orar, ayunar y ayudar a los pobres. [repentance]

asamblea el Pueblo de Dios, reunido para adorarle. [assembly]

Ascensión la llegada de Jesús ante la presencia de Dios en el cielo. En los Hechos de los Apóstoles está escrito que después de su Resurrección, Jesús pasó 40 días en la tierra instruyendo a sus seguidores; después volvió a su Padre en el cielo. [Ascension]

Asunción el hecho de que María fue llevada al cielo en cuerpo y alma. María tuvo una relación especial con su Hijo, Jesús, desde el momento de la concepción. Los católicos creen que gracias a esta relación María participa de forma especial en la Resurrección de Jesús y ha sido llevada al cielo, donde ahora vive con él. La Asunción de la Santísima Virgen María se celebra el 15 de agosto. [Assumption]

atributos de la Iglesia las cuatro características más importantes de la Iglesia, que se identifican en el Credo Niceno. De acuerdo al Credo Niceno, la Iglesia es una, santa, católica y apostólica. [Marks of the Church]

ayuno limitar la cantidad de alimento que tomamos durante un período de tiempo para expresar nuestro arrepentimiento por haber pecado y para ser más conscientes de la obra de Dios en nuestra vida. Los adultos mayores de dieciocho años ayunan el Miércoles de Ceniza y el Viernes Santo. Esta práctica también se recomienda como devoción privada en otros momentos de penitencia. [fasting]

Anointing of the Sick one of the seven sacraments. In this sacrament a sick person is anointed with holy oil and receives the strength, peace, and courage to overcome the difficulties associated with illness. Through this sacrament Jesus brings the sick person spiritual healing and forgiveness of sins. If it is God's will, healing of the body is given as well. [Unción de los Enfermos]

apostle one of twelve chosen men who accompanied Jesus in his ministry and were witnesses to the Resurrection. *Apostle* means "one sent." These were the men sent to preach the Gospel to the whole world. [apóstol]

Apostles' Creed a statement of Christian belief that developed out of a creed used in Baptism in Rome. The Apostles' Creed lists simple statements of belief in God the Father, Jesus Christ the Son, and the Holy Spirit. It is the basis for the profession of faith used in Baptism today. [Credo de los Apóstoles]

apostolic one of the four Marks of the Church. The Church is apostolic because it continues to hand on the teaching of the apostles through their successors, the bishops, in union with the successor of Saint Peter, the pope. [apostólica]

Ark of the Covenant the sacred box God commanded Moses to build (Exodus 25:10–16), made of acacia wood to hold the restored tablets of the Law [Arca de la Alianza]

Ascension the entry of Jesus into God's presence in Heaven. In the Acts of the Apostles, it is written that Jesus, after his Resurrection, spent 40 days on earth, instructing his followers. He then returned to his Father in Heaven. [Ascensión]

Ash Wednesday the first day of Lent, on which we receive ashes on our foreheads. The ashes remind us that we should prepare for Easter by repenting and showing sorrow for the choices we make that offend God and hurt our relationships with others. [Miércoles de Ceniza]

assembly the People of God when they are gathered together to worship him [asamblea]

Assumption Mary's being taken, body and soul, into Heaven. Mary had a special relationship with her Son, Jesus, from the very beginning, when she conceived him. Catholics believe that because of this relationship, she enjoys a special participation in Jesus' Resurrection and has been taken into Heaven where she now lives with him. We celebrate this event in the Feast of the Assumption on August 15. [Asunción]

B

Baptism the first of the seven sacraments. Baptism frees us from Original Sin and is necessary for Salvation. Baptism gives us new life in Jesus Christ through the Holy Spirit. The celebration of Baptism consists of immersing a person in water while declaring that the person is baptized in the name of the Father, the Son, and the Holy Spirit. [Bautismo]

baptismal font The water vessel where the Sacrament of Baptism is celebrated. The baptismal font may be located in a separate baptistery, near the entrance of the church, or in the midst of the community. [fuente bautismal]

basic rights the human rights a government should protect, such as religious liberty, personal freedom, access to necessary information, right to life, and protection from terror and torture. [derechos humanos básicos]

B

báculo el cayado que lleva el obispo y que sirve para recordarnos que él se preocupa por nosotros de la misma manera en que un pastor se preocupa por sus ovejas. También nos recuerda que el obispo representa a Jesús, el Buen Pastor. [crosier]

basílica término usado para designar una iglesia con una historia especialmente significativa en un área local. Las basílicas más importantes, las basílicas mayores, están en Roma y son iglesias de un origen muy antiguo, que sirven como lugares de peregrinación. Las basílicas menores son iglesias designadas por todo el mundo, que tienen importancia histórica o devocional en áreas locales. [basilica]

Bautismo el primero de los siete sacramentos. El Bautismo nos libera del pecado original y es necesario para nuestra Salvación. El Bautismo nos da una vida nueva en Jesucristo a través del Espíritu Santo. La celebración del Bautismo consiste en sumergir a una persona en agua mientras se declara que la persona es bautizada en el nombre del Padre, del Hijo y del Espíritu Santo. [Baptism]

bendición oración que insta al poder de Dios para que cuide de una persona, lugar, cosa o actividad especial. [blessing]

Biblia conjunto de libros que contienen las verdades de la Revelación de Dios. Estos escritos fueron inspirados por el Espíritu Santo y escritos por seres humanos. La Biblia se compone de 46 libros en el Antiguo Testamento y 27 en el Nuevo Testamento. [Bible]

Bienaventuranzas las enseñanzas de Jesús en el Sermón de la Montaña, recopiladas en el Evangelio de san Mateo. Las Bienaventuranzas son ocho formas de vivir una vida cristiana, la realización de los mandamientos dados a Moisés. Estas enseñanzas nos presentan el camino hacia la verdadera felicidad. [Beatitudes]

C

Canaán el nombre de la tierra en que se asentaron los israelitas, situada entre Siria y Egipto. [Canaan]

canonizar declarar que un cristiano que ha muerto es de hecho un santo en el cielo, que puede tenerse como modelo de vida cristiana y que puede interceder por nosotros. [canonize]

carácter marca espiritual permanente. El carácter muestra que una persona tiene una nueva relación con Jesús y una categoría especial en la Iglesia. El Bautismo, la Confirmación y el sacramento del Orden tienen cada uno un carácter específico permanente, por lo que solo se pueden recibir una vez. [character]

caridad virtud que Dios nos ha dado para ayudarnos a amar a Dios sobre todas las cosas y al prójimo como a nosotros mismos. [charity]

castidad la integración de nuestra sexualidad física con nuestra naturaleza espiritual. La castidad nos ayuda a ser completamente humanos, a tener la capacidad de dar a los demás toda nuestra vida y amor. Todas las personas, solteras o casadas, están llamadas a la práctica de la castidad. [chastity]

casulla vestidura litúrgica visible que el sacerdote o el obispo usa durante la misa. Es parte del ritual de la ordenación dar una casulla al sacerdote recién ordenado. [chasuble]

catecúmeno persona que está siendo educada en la vida cristiana por medio de la instrucción y el ejemplo de los miembros de la comunidad parroquial. Por su conversión y la madurez de su fe, el catecúmeno se prepara para ser bienvenido como miembro de la Iglesia al recibir los sacramentos del Bautismo, la Confirmación y la Eucaristía el día de Pascua de Resurrección. [catechumen]

católica uno de los cuatro atributos de la Iglesia. La Iglesia es católica porque Jesús está presente en su totalidad en ella y porque Jesús le ha dado la Iglesia al mundo entero. Es universal. [catholic]

basilica the term used to designate a certain church of historical significance in a local area. Major basilicas are in Rome and are designated churches of ancient origin that serve as places of pilgrimage. Minor basilicas are designated churches that have historical or devotional importance in local areas throughout the world. [basílica]

Beatitudes the teachings of Jesus in the Sermon on the Mount in Matthew's Gospel. The Beatitudes are eight ways of living the Christian life. They are the fulfillment of the commandments given to Moses. These teachings present the way to true happiness. [Bienaventuranzas]

Bible the collection of books containing the truths of God's revelation to us. These writings were inspired by the Holy Spirit and written by human beings. The Bible is made up of the 46 books in the Old Testament and 27 books in the New Testament. [Biblia]

bishop a man who has received the fullness of Holy Orders. As a successor to the original apostles, he takes care of the Church and is a principal teacher in it. [obispo]

Blessed Sacrament the Eucharist that has been consecrated by the priest at Mass. It is kept in the tabernacle to adore and to be taken to those who are sick. [Santísimo Sacramento]

blessing a prayer that calls for God's power and care upon some person, place, thing, or special activity [bendición]

Body and Blood of Christ consecrated by the priest at Mass. In the Sacrament of Eucharist, all of the risen Lord Jesus Christ—body, blood, soul, and divinity—is present under the appearances of Bread and Wine. [Cuerpo y Sangre de Cristo]

Bread of Life a title that Jesus gives himself in John 6:33–35. Jesus is the Bread of the Eucharist. He becomes spiritual food for the faithful. [Pan de Vida]

C

Canaan the name of the land between Syria and Egypt in which the Israelites settled [Canaán]

canonize to declare that a Christian who has died is already a saint in Heaven and may be looked to as a model of Christian life who may intercede for us [canonizar]

capital sins those sins that can lead us to more serious sin. They are pride, covetousness, envy, anger, gluttony, lust, and sloth. [pecados capitales]

cast lots to throw down small stones or pebbles called lots to help determine a decision needing divine guidance. Lots were cast to choose the disciple to replace Judas in Acts of the Apostles 1:23–26. Roman soldiers also cast lots to divide Jesus' clothing among them as in John 19:24. [echar a suertes]

catechumen a person being formed in the Christian life through instruction and by the example of the parish community. Through conversion and maturity of faith, a catechumen is preparing to be welcomed into the Church at Easter through the Sacraments of Baptism, Confirmation, and the Eucharist. [catecúmeno]

catholic one of the four Marks of the Church. The Church is catholic because Jesus is fully present in it and because Jesus has given the Church to the whole world. It is universal. [católica]

celebrant a bishop or priest who leads the people in praying the Mass. A deacon who baptizes or witnesses a marriage is also a celebrant. [celebrante]

celebrante obispo o sacerdote que dirige al pueblo para rezar durante la misa. Un diácono que bautiza o que es testigo de un matrimonio es también un celebrante. [celebrant]

celebrar adorar, alabar y dar gracias a Dios por todo lo que ha hecho por nosotros con oraciones y canciones, especialmente en la celebración de la Eucaristía. [celebrate]

cielo la unión con Dios Padre, Hijo y Espíritu Santo en una vida y amor que nunca terminan. El cielo es un estado de felicidad completa y la meta de los deseos más profundos que aspira a alcanzar el corazón humano. [Heaven]

ciencia uno de los siete dones del Espíritu Santo. Este don nos ayuda a saber qué es lo que Dios quiere de nosotros y cómo le debemos responder. [knowledge]

clero los hombres que han sido escogidos como ministros sagrados para servir a la Iglesia a través del sacramento del Orden. [clergy]

codiciar el deseo excesivo de poseer algo de valor que pertenece a otra persona, hasta el punto de dejar que la envidia destruya la relación con esa persona. [covet]

compasión la actitud básica que Dios muestra hacia su pueblo. Ejemplo de ello es el intento que Jesús siempre hace de acercarse a sanar a aquellos que lo necesitan. Cuando una persona actúa con compasión y misericordia hacia los necesitados hace que podamos identificarla como alguien que le pertenece a Dios. [compassion]

comunidad grupo de cristianos que se reúnen en el nombre de Jesucristo para recibir su gracia y vivir de acuerdo con sus valores. [community]

Comunión de los Santos la unidad de todos los que, vivos o muertos, han sido salvados en Jesucristo. La Comunión de los Santos se cimenta en nuestra fe única y se nutre de nuestra participación en la Eucaristía. [Communion of Saints]

conciencia voz interior que nos ayuda a juzgar la moralidad de nuestros propios actos. Nos guía para que sigamos la ley de Dios haciendo el bien y evitando el mal. [conscience]

condición humana el estado general de la especie humana. Aunque la familia humana fue creada a imagen y semejanza de Dios, ha sido dañada por el pecado y a menudo rechaza la gracia obtenida por Jesucristo. De esta forma, aunque hemos recibido la llamada de Dios para aspirar al bien mayor, en numerosas ocasiones el comportamiento humano nos lleva a la destrucción personal y social. [human condition]

confesión el acto de decirle nuestros pecados a un sacerdote en el sacramento de la Penitencia y la Reconciliación. A veces cuando hablamos de confesión nos estamos refiriendo al sacramento mismo. [confession]

Confirmación sacramento que completa la gracia que recibimos en el Bautismo. Este sacramento sella, o confirma, esta gracia a través de los siete dones del Espíritu Santo que recibimos como parte de la Confirmación. Este sacramento también nos capacita mejor para participar en el culto y la vida apostólica de la Iglesia. [Confirmation]

consagración hacer que una cosa o una persona sea especial para Dios por medio de una oración o bendición. Las palabras del sacerdote en la misa consagran el pan y el vino, convirtiéndolos en el Cuerpo y la Sangre de Cristo. Las personas y objetos que están dedicados de una forma especial a Dios también son consagrados, por ejemplo, las iglesias y los altares se consagran para su uso en la liturgia y los obispos son consagrados al recibir la plenitud del sacramento del Orden. [consecration]

celebrate worshiping, praising, and thanking God for what he has done for us with prayers and songs, especially in the celebration of the Eucharist. [celebrar]

character a permanent spiritual mark. Character shows that a person has a new relationship with Jesus and a special standing in the Church. Baptism, Confirmation, and Holy Orders each have a specific permanent character and therefore may be received only once. [carácter]

charity a virtue given to us by God that helps us love God above all things and our neighbor as ourselves [caridad]

chastity the integration of our physical sexuality with our spiritual nature. Chastity helps us to be completely human, able to give to others our whole life and love. All people, married and single, are called to practice chastity. [castidad]

chasuble the visible liturgical vestment worn by the bishop or priest at Mass. The newly ordained priest receives a chasuble as part of the ordination ritual. [casulla]

Chosen People the people set apart by God to have a special relationship with him. God first formed a Chosen People when he made a covenant, or solemn agreement, with Abraham. He reaffirmed the Covenant through Moses at Mount Sinai. The covenant is fulfilled in Jesus and his Church. [Pueblo Elegido]

Chrism a perfumed oil, consecrated by a bishop, that is used in the Sacraments of Baptism, Confirmation, and Holy Orders. Anointing with Chrism signifies the call of the baptized to the threefold ministry of priest, prophet, and king. [crisma]

Christ a title that means "anointed with oil." It is from a Greek word that means the same thing as the Hebrew word *Messiah*, or "anointed." It is the name given to Jesus after the Resurrection when he completed his mission as priest, prophet, and king. [Cristo]

Christian the name given to all those who have been anointed through the gift of the Holy Spirit in Baptism and have become followers of Jesus Christ [cristiano]

Christmas the feast of the birth of Jesus (December 25) [Navidad]

Church the People of God throughout the whole world, or diocese (the local Church), or the Assembly of those called together to worship God. The Church is one, holy, catholic, and apostolic. [Iglesia]

clergy those men who are set apart as sacred ministers to serve the Church through Holy Orders [clero]

commandment a standard, or rule, for living as God wants us to live. Jesus summarized all the commandments into two: love God and love your neighbor. [mandamiento]

communal prayer the worship of God together with others. The Liturgy of the Hours and the Mass are the main forms of communal prayer. [oración comunitaria]

Communion of Saints the unity of all, dead or living, who have been saved in Jesus Christ. The Communion of Saints is based on our one faith, and it is nourished by our participation in the Eucharist. [Comunión de los Santos]

community Christians who are gathered in the name of Jesus Christ to receive his grace and live according to his values. [comunidad]

compassion God's fundamental attitude toward his people. This is best seen in Jesus' reaching out to heal those in need. Acting with compassion and mercy toward those in need identifies a person as belonging to God. [compasión]

consejo uno de los siete dones del Espíritu Santo. Nos ayuda a tomar las decisiones correctas en nuestra vida por medio de la reflexión, el discernimiento, la consulta y la orientación. [counsel]

contrición el arrepentimiento que sentimos cuando sabemos que hemos pecado, seguido de la decisión de no volver a pecar. El acto perfecto de contrición surge del amor que proviene de amar a Dios por encima de todas las cosas. La contrición imperfecta deriva de otros motivos. La contrición es el acto más importante del penitente que se prepara para celebrar el sacramento de la Penitencia y la Reconciliación. [contrition]

conversión un cambio de vida serio o radical, alejándose del pecado y dirigiéndose a Dios. Este llamado al cambio en nuestro corazón es una parte fundamental de las enseñanzas de Jesús. A lo largo de toda nuestra vida Jesús nos llama a cambiar de esta manera. [conversion]

Cordero de Dios título de Jesús que enfatiza su disposición a dar su vida por la Salvación del mundo. Jesús es el Cordero sin mancha ni pecado, que nos redime con su muerte expiatoria. [Lamb of God]

corresponsabilidad el cuidado prudente y responsable de algo que se nos ha encomendado, especialmente los bienes de la creación, que están destinados para la raza humana en su totalidad. El sexto mandamiento de la Iglesia deja claro nuestro papel al requerir que atendamos a las necesidades materiales de la Iglesia, de acuerdo con nuestras posibilidades. [stewardship]

creación el acto de Dios con el que crea todo lo que existe fuera de sí mismo. La creación incluye a todo lo que existe. Dios dijo que todo en la creación era bueno. [creation]

Creador Dios, quien hizo todo lo que existe y a quien podemos llegar a conocer a través de todo lo que ha creado. [Creator]

credo breve resumen de las creencias de las personas. La palabra *credo* está tomada del latín y significa "yo creo". El Credo Niceno es el resumen más importante de las creencias cristianas. [creed]

Credo de los Apóstoles enunciación de las creencias cristianas, derivado de un credo que se utilizaba durante el Rito del Bautismo en Roma. El Credo de los Apóstoles enuncia una serie de sencillas declaraciones de la creencia en Dios Padre, en su Hijo Jesucristo y en el Espíritu Santo. Es el origen de la profesión de fe que se usa hoy en el Bautismo. [Apostles´ Creed]

Credo Niceno resumen de las creencias cristianas, elaborado por los obispos en los dos primeros concilios de la Iglesia en los años 325 y 381 d. C. Este es el credo compartido por la mayoría de los cristianos de Oriente y Occidente. [Nicene Creed]

crisma aceite perfumado que ha sido consagrado por un obispo para ser usado en los sacramentos del Bautismo, la Confirmación y el sacramento del Orden. Ser ungido con crisma simboliza el llamado del bautizado al triple ministerio de sacerdote, profeta y rey. [Chrism]

cristiano nombre dado a todos los que han sido ungidos por el don del Espíritu Santo en el Bautismo y se han convertido en seguidores de Jesucristo. [Christian]

Cristo título que significa "ungido con aceite". Esta palabra proviene del griego. La palabra *Mesías*, que es de origen hebreo, también significa "ungido". Este es el nombre que Jesús recibe después de su Resurrección, cuando cumplió su misión como sacerdote, profeta y rey. [Christ]

crucificado la manera en que Jesús fue llevado a la muerte, clavado a una cruz. Jesús murió crucificado para salvar al mundo. [crucified]

confession the act of telling our sins to a priest in the Sacrament of Penance and Reconciliation. The sacrament itself is sometimes referred to as confession. [confesión]

Confirmation the sacrament that completes the grace we receive in Baptism. It seals, or confirms, this grace through the seven Gifts of the Holy Spirit that we receive as part of Confirmation. This sacrament also makes us better able to participate in the worship and apostolic life of the Church. [Confirmación]

conscience the inner voice that helps each of us to judge the morality of our own actions. It guides us to follow God's law by doing good and avoiding evil. [conciencia]

consecration the making of a thing or a person to be special to God through a prayer or blessing. At Mass the words of the priest are a consecration of the bread and wine that become the Body and Blood of Christ. People or objects set apart for God in a special way are also consecrated. For example, churches and altars are consecrated for use in liturgy, and bishops are consecrated as they receive the fullness of the Sacrament of Holy Orders. [consagración]

contrition the sorrow we feel when we know that we have sinned, followed by the decision not to sin again. Perfect contrition arises from a love that loves God above all else. Imperfect contrition arises from other motives. Contrition is the most important act of the penitent preparing to celebrate the Sacrament of Penance and Reconciliation. [contrición]

conversion a radical or serious change of the whole life, away from sin and toward God. The call to change of heart is a key part of the preaching of Jesus. Throughout our entire lives, Jesus calls us to change in this way. [conversión]

Corporal Works of Mercy kind acts by which we help our neighbors with their everyday material needs. Corporal Works of Mercy include feeding the hungry, finding a home for the homeless, clothing the naked, visiting the sick and those in prison, giving alms to the poor, and burying the dead. [obras de misericordia corporales]

counsel one of the seven Gifts of the Holy Spirit. Counsel helps us to make correct choices in life through reflection, discernment, consultation, and advisement. [consejo]

covenant a solemn agreement between people or between people and God. God made covenants with humanity through agreements with Noah, Abraham, and Moses. These covenants offered Salvation. God's new and final covenant was established through Jesus' life, Death, Resurrection, and Ascension. *Testament* is another word for *covenant*. [alianza]

covet the excessive desire to possess something of value belonging to another person to the point of letting envy destroy the relationship [codiciar]

creation God's act of making everything that exists outside himself. Creation is everything that exists. God said that all of creation is good. [creación]

Creator God, who made everything that is and whom we can come to know through everything he created [Creador]

creed a brief summary of what people believe. The word *creed* comes from the Latin *credo*, "I believe." The Nicene Creed is the most important summary of Christian beliefs. [credo]

Cuaresma el período de 40 días, sin contar los domingos, durante los que nos preparamos por medio de la oración, el ayuno y ayudando a los necesitados para cambiar nuestra vida y vivir el Evangelio de una forma más completa. [Lent]

Cuerpo Místico de Cristo los miembros de la Iglesia, constituidos en un cuerpo espiritual y unificados por la vida que le ha sido comunicada por Jesucristo a través de los sacramentos. Cristo es el centro de este cuerpo, y su fuente de vida. En él estamos todos unidos. Cada miembro de este cuerpo recibe dones que Cristo le da de acuerdo con lo que la persona necesita. [Mystical Body of Christ]

Cuerpo y Sangre de Cristo consagrados por el sacerdote de los elementos de pan y vino durante la misa. Durante el sacramento de la Eucaristía nuestro Señor Jesucristo, resucitado y en su totalidad (cuerpo, sangre, alma y divinidad), está presente bajo la apariencia de Pan y Vino. [Body and Blood of Christ]

culto honrar y adorar a Dios en oración pública. [worship]

cultura el conjunto de los conocimientos, las creencias y el comportamiento de un grupo de personas en particular. La cultura expresa las actitudes, valores, metas y prácticas sociales que ese grupo en particular comparte. Para afianzarse en una cultura, el Evangelio debe tanto adaptarse a esa cultura como transformarla. [culture]

D

decisión moral elegir hacer lo que está bien o no hacer lo que está mal. Tomamos una decisión moral porque nos ayuda a estar más cerca de Dios y porque tenemos la libertad de elegir el bien y evitar el mal. [moral choice]

Defensor el nombre que Jesús le dio al Espíritu Santo. El Espíritu Santo nos consuela, intercede por nosotros en los momentos difíciles y hace que Jesús esté presente en nosotros. [Advocate]

derechos humanos básicos los derechos humanos que los gobiernos deben proteger, como la libertad religiosa, libertad personal, acceso libre a la información, derecho a la vida y protección del terror y la tortura. [basic rights]

despedida la parte del Rito de Conclusión en la misa en que los fieles son enviados por el sacerdote o el diácono a hacer el bien y a alabar y bendecir a Dios. [Dismissal]

detracción el acto de hablar sobre los defectos y pecados de otra persona con alguien que no tiene por qué saberlo y que no puede ayudar a la persona. Detraer es dañar la reputación de otra persona sin tener intención alguna de ayudarla. [detraction]

Día de Todos los Fieles Difuntos el 2 de noviembre, día en el que la Iglesia reza para que todos los que han muerto como amigos de Dios descansen en paz. Podemos ayudar con nuestras oraciones y buenas obras a aquellos que han muerto y necesitan purificarse en el purgatorio antes de poder vivir en la presencia completa de Dios. Junto con el Día de Todos los Santos, esta fiesta nos recuerda que todos los que aman a Dios, vivos y muertos, están unidos viviendo en comunión con Jesucristo y con los demás. [All Souls Day]

Día de Todos los Santos el 1 de noviembre, día en el que la Iglesia honra a todos los que han muerto y ahora viven como santos con Dios en el cielo. Se incluye tanto a aquellos que han sido reconocidos oficialmente como santos como a todos los que después de vivir una vida buena han muerto y ahora viven en la presencia de Dios. En esta festividad se celebra nuestra unión con quienes se han ido antes que nosotros y se nos dirige a nuestra última meta, la unión con Dios. [All Saints Day]

crosier the staff carried by a bishop that shows he cares for us in the same way that a shepherd cares for his sheep. It also reminds us that he represents Jesus, the Good Shepherd. [báculo]

crucified the way in which Jesus was put to death, nailed to a cross. As the crucified one, Jesus died for the sake of the world. [crucificado]

culture the collection of knowledge, belief, and behavior of a particular group of people. Culture expresses the shared attitudes, values, goals, and social practices of the group. To take root in a culture, the Gospel must be adapted to live in that culture as well as transform it. [cultura]

D

deacon a man ordained through the Sacrament of Holy Orders to the ministry of service in the Church. Deacons help the bishop and priests by serving in the various charitable practices of the Church. They help by proclaiming the Gospel and preaching and by assisting at the Liturgy of the Eucharist. Deacons also celebrate Baptism, bless marriages, and preside at funerals. [diácono]

detraction the act of talking about the faults and sins of another person to someone who has no reason to hear this and cannot help the person. Detraction damages the reputation of another person without any intent to help that person. [detracción]

diocese the members of the Church in a particular area, united in faith and the sacraments, and gathered under the leadership of a bishop [diócesis]

disciple a person who has accepted Jesus' message and tries to live as he did, sharing his mission, his suffering, and his joys [discípulo]

discipleship for Christians, the willingness to answer the call to follow Jesus. The call is received in Baptism, nourished in the Eucharist, and practiced in service to the world. [discipulado]

discrimination the act of mistreating other people because of how they look or act, or just because they are different [discriminación]

Dismissal the part of the Concluding Rites of the Mass in which the people are sent forth by the priest or deacon to do good works and praise and bless God [despedida]

Divine Praises a series of praises beginning with "Blessed be God," traditionally prayed at the end of the worship of the Blessed Sacrament in benediction [divinas alabanzas]

Divine Providence the guidance of God over all he has created. Divine Providence exercises care for all creation and guides it toward its final perfection. [Divina Providencia]

Doctor of the Church a man or a woman recognized as a model teacher of the Christian faith [doctor de la Iglesia]

domestic church the Christian home, which is a community of grace and prayer and a school of human virtues and Christian charity [iglesia doméstica]

doxology from two Greek words *doxa*, "glory," and *logos*, "word" or "saying." In the liturgy it is our way of giving praise to God for being who he is and for what he has done and will do. [doxología]

E

Easter the celebration of the bodily raising of Jesus Christ from the dead. Easter is the festival of our redemption and the central Christian feast, the one from which other feasts arise. [Pascua de Resurrección]

diácono hombre que ha sido ordenado por el sacramento del Orden para el ministerio del servicio en la Iglesia. Los diáconos ayudan a los obispos y los sacerdotes sirviendo en las diferentes prácticas caritativas de la Iglesia, ayudan a proclamar el Evangelio, a predicar y asisten durante la Liturgia de la Eucaristía. Los diáconos también celebran bautizos, bendicen matrimonios y presiden funerales. [deacon]

días de precepto los días festivos más importantes de la Iglesia, aparte de los domingos. En los días de precepto se celebran las cosas más importantes que Dios ha hecho por nosotros a través de Jesús y de los santos. Los católicos estamos obligados a participar en la Eucaristía en esos días, al igual que los domingos. [Holy Days of Obligation]

Diez Mandamientos las diez reglas que Dios entregó a Moisés en el monte Sinaí y en las que se resume la Ley de Dios y se nos muestra todo lo que es requerido para amar a Dios y al prójimo. Al seguir los Diez Mandamientos, los hebreos aceptaron su Alianza con Dios. [Ten Commandments]

difamación acusación falsa que daña la reputación de alguien y hace que los demás piensen mal de esa persona. La difamación es una ofensa contra el Octavo Mandamiento. [slander]

diócesis miembros de la Iglesia de una zona concreta, unidos por la fe y los sacramentos y reunidos bajo el liderazgo de un obispo. [diocese]

Dios el Padre, el Hijo y el Espíritu Santo, un solo Dios en tres personas distintas. Dios creó todo lo que existe, es la fuente de nuestra Salvación y es verdad y amor. [God]

discipulado para los cristianos, es el deseo de responder al llamado a seguir a Jesús. Este llamado se recibe en el Bautismo, se nutre en la Eucaristía y se practica en el servicio al mundo. [discipleship]

discípulo persona que ha aceptado el mensaje de Jesús y trata de vivir como él vivió, compartiendo su misión, su sufrimiento y su alegría. [disciple]

discriminación el hecho de maltratar a otras personas por su apariencia, por su forma de actuar o simplemente porque son diferentes. [discrimination]

Divina Providencia el cuidado que Dios ejerce sobre todo lo que ha creado. La Divina Providencia cuida de toda la creación y la guía hacia la perfección final. [Divine Providence]

divinas alabanzas una serie de alabanzas que comienzan con "Bendito sea Dios" y que tradicionalmente se rezan a modo de bendición al final de la adoración del Santísimo Sacramento. [Divine Praises]

doctor de la Iglesia hombre o mujer reconocido como maestro modelo de la fe cristiana. [Doctor of the Church]

Domingo de Ramos día en que se celebra la entrada triunfal de Jesús en Jerusalén el domingo anterior a la Pascua de Resurrección. Este día da comienzo a la semana que conmemora los eventos salvíficos de la Semana Santa. [Palm Sunday]

don de la paz la paz que Jesús nos da, que emana de su relación con el Padre. Esta es la paz que el mundo no puede dar, pues es el don de la Salvación que solo Jesús puede ofrecer. [gift of peace]

dones del Espíritu Santo la disposición permanente que nos da el Espíritu Santo para que seamos capaces de hacer lo que Dios nos pide. Los dones del Espíritu Santo están tomados del libro de Isaías (11:1–3) y son: sabiduría, entendimiento, consejo, fortaleza, ciencia y temor de Dios. La Tradición de la Iglesia ha añadido el don de la piedad, dando un total de siete. [Gifts of the Holy Spirit]

Eastern Catholic Churches a group of churches that developed in the Near East (in countries such as Lebanon) that are in union with the Roman Catholic Church but have their own liturgical, theological, and administrative traditions. They show the truly catholic nature of the Church, which takes root in many cultures. [iglesias católicas orientales]

Easter Vigil the celebration of the first and greatest Christian feast, the Resurrection of Jesus. It occurs on the first Saturday evening after the first full moon of spring. During this night watch before Easter morning, catechumens are baptized, confirmed, and receive Eucharist for the first time. [Vigilia Pascual]

Emmanuel a Hebrew name from the Old Testament that means "God with us." In Matthew's Gospel, Jesus is called *Emmanuel*. [Emanuel]

encyclical a letter written by the pope and sent to the whole Church and sometimes to the whole world. It expresses Church teaching on some specific and important issue. [encíclica]

envy a feeling of resentment or sadness because someone has a quality, a talent, or a possession that we want. Envy is one of the seven capital sins, and it is contrary to the Tenth Commandment. [envidia]

Epiphany the day on which we celebrate the visit of the Magi to Jesus after his birth. This is the day that Jesus was revealed as the Savior of the whole world. [Epifanía]

epistle a letter written by Saint Paul or another leader to a group of Christians in the early Church. Twenty-one of the 27 books of the New Testament are epistles. The Second Reading at Mass on Sundays and holy days is always from one of these books. [epístola]

eternal life living happily with God in Heaven when we die in grace and friendship with him. Jesus calls all people to eternal life. [vida eterna]

Eucharist the sacrament in which we give thanks to God for giving us the Body and Blood of Jesus Christ. This sacrament brings us into union with Jesus Christ and his saving Death and Resurrection. [Eucaristía]

Eucharistic liturgy the public worship, held by the Church, in which the consecrated Bread and Wine become the Body and Blood of Jesus Christ. The Sunday celebration of the Eucharistic liturgy is at the heart of Church life. [Liturgia Eucarística]

Eucharistic Prayer during the Mass the liturgical expression of praise and thanksgiving for all that God has done in creation and in the Paschal Mystery (Christ's dying and rising from the dead for all) and through the Holy Spirit [Plegaria Eucarística]

euthanasia an action taken or omitted that purposely results in the death of a sick, disabled, or dying person. It is always gravely wrong and morally unacceptable. [eutanasia]

Evangelists the four men credited with writing the Gospels of Matthew, Mark, Luke, and John [evangelistas]

evangelization the proclamation, or declaring by word and by example, of the good news about the Salvation we have received in Jesus Christ. Evangelization is a sharing of our faith with others, both those who do not know Jesus and those who are called to follow Jesus more closely. [evangelización]

doxología palabra que tiene su origen en los términos griegos *doxa*, que significa "gloria" y *logos*, que significa "palabra" o "dicho". En la liturgia es nuestra forma de alabar a Dios por ser quien es, por todo lo que ya ha hecho y por lo que va a hacer. [doxology]

E

echar a suertes tirar piedras pequeñas o guijarros para ayudar en la toma de una decisión que necesita de la guía divina. Se echó a suertes la elección del discípulo que reemplazaría a Judas (Hechos de los Apóstoles 1:23–26). También los soldados romanos se echaron a suertes las ropas de Jesús para dividirlas entre ellos (Juan 19:24). [cast lots]

Emanuel nombre hebreo que aparece en el Antiguo Testamento y que significa "Dios con nosotros". En el Evangelio de san Mateo, Jesús es llamado *Emanuel*. [Emmanuel]

Encarnación el Hijo de Dios, Jesús, nacido totalmente humano para salvarnos. El Hijo de Dios, segunda Persona de la Trinidad, es a la vez verdadero Dios y verdadero hombre. [Incarnation]

encíclica carta escrita por el papa y enviada a toda la Iglesia, y algunas veces a todo el mundo. Expresa las enseñanzas de la Iglesia en una materia específica de gran relevancia. [encyclical]

entendimiento uno de los siete dones del Espíritu Santo. Este don nos ayuda a tomar las decisiones adecuadas en nuestra vida y en nuestras relaciones con Dios y con los demás. [understanding]

envidia actitud de resentimiento o tristeza que acontece porque alguien tiene una cualidad, un talento o algo que queremos. La envidia es uno de los siete pecados capitales y va en contra del Décimo Mandamiento. [envy]

Epifanía día en el que celebramos la visita de los Reyes Magos a Jesús después de su nacimiento. En este día Jesús fue revelado como el Salvador del mundo. [Epiphany]

epístola carta escrita por san Pablo u otro líder a un grupo de cristianos en la Iglesia de los primeros siglos. Veintiuno de los 27 libros del Nuevo Testamento son epístolas. La Segunda Lectura de los domingos en la misa es siempre de uno de estos libros. [epistle]

escena de la Natividad del Señor un cuadro o una representación con figuras que muestran a Jesús recién nacido, a María y a José en el establo, tal como se nos describe en los Evangelios de Lucas y Mateo. [Nativity scene]

esperanza la confianza de que Dios siempre va a estar con nosotros, que nos va a traer la felicidad ahora y por siempre y que nos va a guiar en nuestra vida para que podamos estar con él para siempre. [hope]

Espíritu Santo la tercera Persona de la Trinidad, que nos fue enviado para ayudarnos y quien a través de los sacramentos del Bautismo y de la Confirmación nos llena de la vida de Dios. Junto con el Padre y el Hijo, el Espíritu Santo lleva el plan divino de Salvación a su cumplimiento. [Holy Spirit]

Eucaristía sacramento en el que damos gracias a Dios por darnos el Cuerpo y la Sangre de Jesucristo. Este sacramento nos lleva a la unión con Jesucristo y con su muerte y Resurrección salvadoras. [Eucharist]

eutanasia el hacer o dejar de hacer algo con el fin de que ocurra la muerte de una persona enferma, imposibilitada o que se está muriendo. Es siempre un pecado gravísimo y moralmente inaceptable. [euthanasia]

Evangelio la Buena Nueva de la misericordia y el amor de Dios que experimentamos al escuchar la historia de la vida, muerte y Resurrección de Jesús. Esta historia es transmitida por el

examination of conscience the act of prayerfully thinking about what we have said or done in light of what the Gospel asks of us. We also think about how our actions may have hurt our relationship with God or with others. An examination of conscience is an important part of our preparing to celebrate the Sacrament of Penance and Reconciliation. [examen de conciencia]

Exile the period in the history of Israel between the destruction of Jerusalem in 587 B.C. and the return to Jerusalem in 537 B.C. During this time many of the Jewish people were forced to live in Babylon, far from home. [Exilio]

Exodus God's liberation of the Hebrew people from slavery in Egypt and his leading them to the Promised Land [Éxodo]

F

faith a gift of God that helps us to believe in him. We profess our faith in the creed, celebrate it in the sacraments, live by it through our good conduct of loving God and our neighbor, and express it in prayer. [fe]

fasting limiting the amount we eat for a period of time to express sorrow for sin and to make ourselves more aware of God's action in our lives. Adults 18 years old and older fast on Ash Wednesday and Good Friday. The practice is also encouraged as a private devotion at other times of penitence. [ayuno]

fear of the Lord one of the seven Gifts of the Holy Spirit. This gift leads us to a sense of wonder and awe in the presence of God because we recognize his greatness. [temor de Dios]

Feast of the Holy Family celebrated on the Sunday that falls within the octave of Christmas, or, if no Sunday falls within the octave, on December 30. The feast celebrates the family of Jesus, Mary, and Joseph as a model for all Catholic families. [Fiesta de la Sagrada Familia]

forgiveness the willingness to be kind to those who have hurt us but have then shown that they are sorry. In the Lord's Prayer, we pray that since God will forgive us for our sins, we are able to forgive those who have hurt us. [perdón]

fortitude the strength to choose to do the right thing even when that is difficult. Fortitude is one of the four central human virtues, called the cardinal virtues, by which we guide our conduct through faith and the use of reason. It is also one of the Gifts of the Holy Spirit. [fortaleza]

free will the ability to choose to do good because God has made us like him. Our free will is what makes us truly human. Our exercise of free will to do good increases our freedom. Using free will to choose sin makes us slaves to sin. [libre voluntad]

Fruits of the Holy Spirit the demonstration through our actions that God is alive in us. Saint Paul lists the Fruits of the Holy Spirit in Galatians 5:22–23: love, joy, peace, patience, kindness, generosity, faithfulness, gentleness, and self-control. Church Tradition has added goodness, modesty, and chastity to make a total of 12. [frutos del Espíritu Santo]

G

Garden of Eden a garden created by God, filled with trees and lush vegetation, where God first placed Adam and Eve and from which they were later expelled [jardín del Edén]

genuflect to show respect in church by touching a knee to the ground, especially before the Blessed Sacrament in the tabernacle [genuflexión, hacer la]

ministerio de enseñanza de la Iglesia como fuente de toda verdad y vida de rectitud. Se nos presenta en los cuatro libros del Nuevo Testamento, que son los Evangelios de Mateo, Marcos, Lucas y Juan. [Gospel]

evangelistas los cuatro hombres a los que se acredita la escritura de los Evangelios de Mateo, Marcos, Lucas y Juan. [Evangelists]

evangelización la proclamación o manifestación, a través de la palabra y testimonio de vida, de la Buena Nueva de la Salvación que hemos recibido en Jesucristo. Evangelizar es compartir nuestra fe con los demás, con quienes no conocen a Jesús y con los que están llamados a seguirle más de cerca. [evangelization]

examen de conciencia el hecho de reflexionar en oración sobre nuestras obras o palabras a la luz de lo que el Evangelio nos pide. También debemos reflexionar sobre cómo nuestra forma de actuar puede haber dañado nuestra relación con Dios o con los demás. Hacer un examen de conciencia es una parte importante de la preparación para la celebración del sacramento de la Penitencia y la Reconciliación. [examination of conscience]

Exilio el período de tiempo en la historia de Israel que va entre la destrucción de Jerusalén en el año 587 a. C. y el regreso de los judíos a Jerusalén en el año 537 a. C. Durante este tiempo muchos de los judíos fueron obligados a vivir en Babilonia, lejos de su tierra. [Exile]

Éxodo la liberación del pueblo hebreo de su esclavitud en Egipto, por obra de Dios, quien los guío hacia la Tierra Prometida. [Exodus]

F

faraón palabra egipcia que significa "gran casa", en referencia a la residencia real del rey de Egipto. Más tarde la palabra pasa a designar al rey mismo, de forma similar a como el término "la Casa Blanca" se puede referir

también a la figura del presidente de los Estados Unidos. El faraón era a la vez el líder religioso y político de Egipto. [Pharaoh]

fe don de Dios que nos ayuda a creer en él. Profesamos nuestra fe en el credo, la celebramos en los sacramentos, la vivimos con nuestra buena conducta al amar a Dios y al prójimo y la expresamos a través de la oración. [faith]

Fiesta de la Sagrada Familia se celebra el domingo que cae dentro de la octava de Navidad. Si en un año dado no hay domingo dentro de la octava, se celebra el 30 de diciembre. En esta fiesta se celebra la familia que formaron Jesús, María y José, como modelo para todas las familias católicas. [Feast of the Holy Family]

fortaleza la capacidad de elegir hacer el bien, incluso cuando se hace difícil. La fortaleza es una de las cuatro virtudes humanas más importantes, llamadas virtudes cardinales, que guían nuestra conducta a través de la fe y del uso de la razón. Es también uno de los dones del Espíritu Santo. [fortitude]

frutos del Espíritu Santo la demostración, a través de nuestras obras, de que Dios vive en nosotros. San Pablo enumera los frutos del Espíritu Santo en su carta a los Gálatas (5:22–23): caridad, gozo, paz, paciencia, longanimidad, bondad, fidelidad, mansedumbre y continencia. La Tradición de la Iglesia ha añadido la benignidad, modestia y castidad, dando un total de doce. [Fruits of the Holy Spirit]

fuente bautismal recipiente de agua donde se celebra el sacramento del Bautismo. La fuente bautismal puede ubicarse cerca de la entrada de la iglesia o en un baptisterio cerca de la entrada. [baptismal font]

G

genuflexión, hacer la forma de mostrar respeto en la iglesia tocando el suelo con una rodilla, especialmente ante el Santísimo Sacramento en el sagrario, o tabernáculo. [genuflect]

gestures the movements we make, such as the Sign of the Cross or bowing, to show our reverence during prayer [gestos]

gift of peace the peace that Jesus gives to us that flows from his relationship with his Father. This is the peace that the world cannot give, for it is the gift of Salvation that only Jesus can give. [don de la paz]

Gifts of the Holy Spirit the permanent willingness, given to us by the Holy Spirit, that makes it possible for us to do what God asks of us. The Gifts of the Holy Spirit are drawn from Isaiah 11:1–3. They include wisdom, understanding, counsel, fortitude, knowledge, and fear of the Lord. Church Tradition has added piety to make a total of seven. [dones del Espíritu Santo]

God the Father, Son, and Holy Spirit, one God in three distinct Persons. God created all that exists. He is the source of Salvation, and he is truth and love. [Dios]

godparent a witness to Baptism who assumes the responsibility for helping the baptized person along the road of Christian life [padrino/madrina de Bautismo]

Gospel the good news of God's mercy and love that we experience by hearing the story of Jesus' life, Death, and Resurrection. The story is passed on in the teaching ministry of the Church as the source of all truth and right living. It is presented to us in four books in the New Testament: the Gospels of Matthew, Mark, Luke, and John. [Evangelio]

grace the gift from God given to us without our meriting it. Sanctifying grace fills us with God's life and makes it possible for us always to be his friends. Grace is the Holy Spirit alive in us, helping us to live our Christian vocation. Grace helps us to live as God wants us to live. [gracia]

Great Commandment Jesus' commandment that we are to love both God and our neighbor as we love ourselves. Jesus tells us that this commandment sums up everything taught in the Old Testament. [Mandamiento Mayor]

guardian angel the angel who has been appointed to protect, pray for, and help a person live a holy life [ángel de la guarda]

H

habit the distinctive clothing worn by members of religious orders. It is a sign of the religious life and a witness to poverty. [hábito]

Heaven union with God the Father, Son, and Holy Spirit in life and love that never ends. Heaven is a state of complete happiness and the goal of the deepest wishes of the human heart. [cielo]

Hebrews the descendants of Abraham, Isaac, and Jacob, who were enslaved in Egypt. God helped Moses lead the Hebrews out of slavery. (*See* Israelites.) [hebreos]

Hell a life of total separation from God forever. In his infinite love for us, God can only desire our Salvation. Hell is the result of the free choice of a person to reject God's love and forgiveness once and for all. [infierno]

holiness the fullness of Christian life and love. All people are called to holiness, which is made possible by cooperating with God's grace to do his will. As we do God's will, we are transformed more and more into the image of the Son, Jesus Christ. [santidad]

holy one of the four Marks of the Church. It is the kind of life we live when we share in the life of God, who is all holiness. The Church is holy because it is united with Jesus Christ. [santa]

gestos los movimientos que hacemos, como el inclinarnos o la Señal de la Cruz, para mostrar reverencia durante la oración. [gestures]

gracia don que Dios nos ha dado sin que hayamos tenido que hacer nada para obtenerlo. La gracia santificante nos llena con la vida de Dios y hace que siempre sea posible para nosotros tener una relación de amistad con él. La gracia es el Espíritu Santo vivo dentro de nosotros, ayudándonos a vivir nuestra vocación cristiana. La gracia nos ayuda a vivir como Dios quiere que vivamos. [grace]

gracia santificante don de Dios que nos ha sido dado sin merecerlo. Este don nos une con la vida de la Trinidad y cura nuestra naturaleza humana, que ha sido dañada por el pecado. La gracia santificante continúa la obra de hacernos santos, que se inició en nuestro Bautismo. [sanctifying grace]

H

hábito vestimenta distintiva que llevan los miembros de las órdenes religiosas. Es señal de su vida religiosa y testimonio de su voto de pobreza. [habit]

hebreos los descendientes de Abrahán, Isaac y Jacob. Los hebreos fueron esclavizados en Egipto. Dios ayudó a Moisés para que guiara a los hebreos y los liberara de la esclavitud. (*Véase* israelitas). [Hebrews]

Hijo de Dios título de Jesús que él mismo nos reveló y donde nos muestra su relación tan única con el Padre. La revelación de esta divina relación filial es el punto cumbre en el desarrollo de la historia de Jesús de Nazaret de acuerdo al relato de los Evangelios. [Son of God]

homilía la explicación que un obispo, un sacerdote o un diácono hace de la Palabra de Dios durante la liturgia. La homilía relaciona la Palabra de Dios con nuestra vida como cristianos en la actualidad. [Homily]

honrar dar a Dios o a una persona el respeto que se merece. Dios recibe este respeto por ser nuestro Creador y Redentor. Todas las personas merecen respeto como hijos que son de Dios. [honor]

I

idolatría en la Biblia se refiere al culto pagano a imágenes físicas a las que se adora como si fuesen dioses. Para los cristianos en la actualidad la idolatría ocurre cuando se honra o venera algo en lugar de Dios; esto puede ser reverenciar el poder, el placer, la raza, los ancestros o el dinero más de lo que honramos a Dios. [idolatry]

Iglesia el Pueblo de Dios extendido por todo el mundo o diócesis (Iglesia local) o una asamblea de personas que se juntan para adorar a Dios. La Iglesia es una, santa, católica y apostólica. [Church]

iglesias católicas orientales un grupo de iglesias que surgieron en el cercano Oriente (en países como El Líbano), que están en unión con la Iglesia Católica Romana pero que tienen sus propias tradiciones litúrgicas, teológicas y administrativas. Con ellas se muestra la verdadera naturaleza de la Iglesia, que toma raíces en diferentes culturas. [Eastern Catholic Churches]

iglesia doméstica el hogar cristiano, que es una comunidad de gracia y oración y una escuela de virtudes humanas y caridad cristiana. [domestic church]

Iglesia universal la totalidad de la Iglesia tal y como existe en todo el mundo. Las personas de cada diócesis, junto con sus obispos y el papa, forman la Iglesia universal. [universal Church]

indulgencia reducción del castigo que se debe por los pecados que han sido perdonados. Las indulgencias nos llevan hacia la purificación final, cuando viviremos con Dios por siempre. [indulgence]

Holy Communion the reception of the Body and Blood of Christ during Holy Mass. It brings us into union with Jesus and his saving Death and Resurrection. [Sagrada Comunión]

Holy Days of Obligation the principal feast days, other than Sundays, of the Church. On Holy Days of Obligation, we celebrate the great things that God has done for us through Jesus and the saints. Catholics are obliged to participate in the Eucharist on these days, just as we are on Sundays. [días de precepto]

Holy Family the family of Jesus as he grew up in Nazareth. It included Jesus; his mother, Mary; and his foster father, Joseph. [Sagrada Familia]

Holy of Holies the holiest part of the Temple in Jerusalem. The high priest entered this part of the Temple once a year to address God and ask his forgiveness for the sins of the people. [*Sanctasanctórum*]

Holy Orders the sacrament through which the mission given by Jesus to his apostles continues in the Church. The sacrament has three degrees: deacon, priest, and bishop. Through the laying on of hands in the Sacrament of Holy Orders, men receive a permanent sacramental mark that calls them to minister to the Church. [sacramento del Orden]

Holy Spirit the third Person of the Trinity, who is sent to us as our helper and, through Baptism and Confirmation, fills us with God's life. Together with the Father and the Son, the Holy Spirit brings the divine plan of Salvation to completion. [Espíritu Santo]

Holy Thursday the Thursday of Holy Week on which the Mass of the Lord's Supper is celebrated, commemorating the institution of the Eucharist. The season of Lent ends with the celebration of this Mass. [Jueves Santo]

holy water water that has been blessed and is used as a sacramental to remind us of our Baptism [agua bendita]

Holy Week the celebration of the events surrounding Jesus' establishment of the Eucharist, his suffering, Death, and Resurrection. Holy Week commemorates Jesus' triumphal entry into Jerusalem on Palm Sunday, the gift of himself in the Eucharist on Holy Thursday, his Death on Good Friday, and his Resurrection at the Easter Vigil on Holy Saturday. [Semana Santa]

Homily the explanation by a bishop, a priest, or a deacon of the Word of God in the liturgy. The Homily relates the Word of God to our life as Christians today. [homilía]

honor giving God or a person the respect that they are owed. God is given this respect as our Creator and Redeemer. All people are worthy of respect as children of God. [honrar]

hope the confidence that God will always be with us, make us happy now and forever, and help us to live so that we will be with him forever [esperanza]

human condition the general state of humankind. While the human family is created in the image and likeness of God, it is also wounded by sin and often rejects the grace won by Jesus Christ. So while called by God to the highest good, too often human behavior leads to personal and social destruction. [condición humana]

I

idolatry in the Bible, the pagan worship of physical images given adoration as gods. For Christians today idolatry occurs whenever someone honors and reveres something in place of God. This can mean giving honor to power, pleasure, race, ancestors, or money over that which is owed to God. [idolatría]

infierno una vida de separación total de Dios para siempre. En su amor infinito por nosotros, Dios solo puede desear nuestra Salvación. El infierno es el resultado de la elección libre de una persona de renegar del amor de Dios y de su perdón, de una vez y para siempre. [Hell]

inspirado bajo la influencia del Espíritu Santo. Los autores humanos de las Sagradas Escrituras se encontraban bajo la influencia del Espíritu Santo. La inspiración creativa del Espíritu Santo tenía como finalidad que las Escrituras se escribieran de acuerdo con la verdad que Dios quiere que conozcamos para poder lograr nuestra Salvación. [inspired]

interpretación explicación de las palabras de la Sagrada Escritura, en la que se combinan el conocimiento humano y las enseñanzas oficiales de la Iglesia bajo la guía del Espíritu Santo. [interpretation]

islam la tercera de las religiones más importantes, junto con el judaísmo y el cristianismo, que profesan creencia en un solo Dios. La palabra *Islam* significa "sumisión" a ese Dios único. [Islam]

israelitas los descendientes de Abrahán, Isaac y Jacob. Dios cambió el nombre de Jacob por "Israel". Los doce hijos de Jacob y los hijos de estos se convirtieron en los líderes de las doce tribus de Israel. (*Véase* hebreos). [Israelites]

J

jardín del Edén jardín que Dios creó, lleno de árboles y frondosa vegetación, donde Dios ubicó a Adán y a Eva, y el lugar de donde más tarde fueron expulsados. [Garden of Eden]

Jerusalén ciudad que David conquistó en el año 1000 a. C. y que instituyó como capital de su reino. David también la convirtió en centro religioso al depositar allí el Arca de la Alianza, donde se guardaban las Tablas de la Ley. [Jerusalem]

Jesús Segunda Persona de la Santísima Trinidad. El Hijo de Dios, que nació de la Virgen María y murió y resucitó de entre los muertos por nuestra Salvación. Regresó a Dios y volverá de nuevo para juzgar a los vivos y a los muertos. *Jesús* significa "Dios salva". [Jesus]

José el padre adoptivo de Jesús, que estaba comprometido con María cuando el ángel anunció que María tendría un hijo por la gracia del Espíritu Santo. En el Antiguo Testamento se nos dice que José era hijo de Jacob, a quien sus hermanos habían vendido como esclavo en Egipto, pero que luego los salvó de morir de hambre cuando llegó el tiempo de la hambruna. [Joseph]

judaísmo el nombre de la religión de Jesús y de todo el pueblo de Israel después de volver de su exilio en Babilonia y de haber construido su segundo Templo. [Judaism]

judíos nombre dado al pueblo hebreo desde el tiempo del exilio hasta nuestros días. La palabra *judíos* significa "la gente que vive en el territorio de Judá". Judá es la zona de Palestina que rodea a Jerusalén. [Jews]

Jueves Santo el jueves de la Semana Santa, día en el que se celebra la Misa de la Cena del Señor, donde se conmemora la institución de la Eucaristía. El tiempo de Cuaresma termina con la celebración de esta misa. [Holy Thursday]

justicia la virtud que nos guía para que demos a Dios y a los demás lo que se merecen. La justicia es una de las cuatro virtudes humanas más importantes, las llamadas virtudes cardinales, que nos sirven de guía en nuestra vida cristiana. [justice]

L

laicado los que se han convertido en miembros de Cristo en el Bautismo y que participan en las funciones de Jesús como sacerdote, profeta y rey en su misión por todo el mundo. El laicado es diferente del clero, ya que los miembros del clero se distinguen porque han sido instituidos como ministros para servir a la Iglesia de una manera singular. [laity]

Incarnation the Son of God, Jesus, being born as a full human being in order to save us. The Son of God, the second Person of the Trinity, is both true God and true man. [Encarnación]

indulgence a lessening of the punishment due for sins that have been forgiven. Indulgences move us toward our final purification, when we will live with God forever. [indulgencia]

inspired influenced by the Holy Spirit. The human authors of Scripture were influenced by the Holy Spirit. The creative inspiration of the Holy Spirit made sure that the Scripture was written according to the truth God wants us to know for our Salvation. [inspirado]

interpretation an explanation of the words of Scripture, combining human knowledge and the teaching office of the Church under the guidance of the Holy Spirit [interpretación]

Islam the third great religion, along with Judaism and Christianity, professing belief in one God. *Islam* means "submission" to that one God. [islam]

Israelites the descendants of Abraham, Isaac, and Jacob. God changed Jacob's name to "Israel," and Jacob's twelve sons and their children became the leaders of the twelve tribes of Israel. (*See* Hebrews.) [israelitas]

J

Jerusalem city conquered by David in 1000 B.C. to serve as his capital. David also made it the center of worship by bringing in the Ark of the Covenant, which held the tablets of the Law. [Jerusalén]

Jesse Tree an Advent activity that helps us to prepare to celebrate Jesus' birth. A small real or artificial tree is decorated with images of Jesus' ancestors beginning with Jesse of Bethlehem,

father of King David. The image is based on Isaiah 11:1 *But a shoot shall sprout from the stump of Jesse, and from his roots a bud shall blossom.* [Árbol de Jesé]

Jesus the second Person of the Trinity. The Son of God, who was born of the Virgin Mary and who died and was raised from the dead for our Salvation. He returned to God and will come again to judge the living and the dead. *Jesus* means "God saves." [Jesús]

Jews the name given to the Hebrew people, from the time of the exile to the present. The name means "the people who live in the territory of Judah," the area of Palestine surrounding Jerusalem. [judíos]

Joseph the foster father of Jesus, who was engaged to Mary when the angel announced that Mary would have a child through the power of the Holy Spirit. In the Old Testament, Joseph was the son of Jacob, who was sold into slavery in Egypt by his brothers and then saved them from starvation when famine came. [José]

Judaism the name of the religion of Jesus and all of the people of Israel after they returned from exile in Babylon and built the second Temple [judaísmo]

justice the virtue that guides us to give to God and others what is due them. Justice is one of the four central human virtues, called the cardinal virtues, by which we guide our Christian life. [justicia]

K

Kingdom of God God's rule over us, announced in the Gospel and present in the Eucharist. The beginning of the Kingdom here on earth is mysteriously present in the Church, and it will come in completeness at the end of time. [Reino de Dios]

Leccionario el libro oficial que contiene todas las lecturas de las Escrituras que se usan en la Liturgia de la Palabra. [*Lectionary for Mass*]

ley moral regla de vida establecida por Dios y por personas con autoridad cuyo interés es el bien de todos. La ley moral se basa en el mandato de Dios de que hagamos el bien y evitemos el mal. Algunas leyes morales están "escritas" en el corazón humano y las reconocemos por nuestra propia capacidad de razonar. Otras leyes morales nos han sido reveladas por Dios en el Antiguo Testamento y en la Nueva Ley que Jesús nos dio. [moral law]

ley natural la ley moral que está "escrita" en el corazón humano. Conocemos esta ley a través de nuestro propio razonamiento porque el Creador ha puesto el conocimiento en nuestros corazones. Puede darnos una base sólida sobre la cual diseñar reglas para guiar las decisiones que tomamos en nuestra vida. La ley natural es la base de nuestros derechos y deberes fundamentales y actúa como cimiento sobre el cual la obra del Espíritu Santo puede guiar nuestra toma de decisiones desde la moralidad. [natural law]

libre voluntad la capacidad que tenemos para elegir hacer el bien porque Dios nos ha hecho a su semejanza. La libre voluntad nos hace verdaderamente humanos. Nuestro ejercicio de la libre voluntad para hacer el bien nos hace más libres. Utilizar la libre voluntad para pecar nos convierte en esclavos del pecado. [free will]

limosna, dar la práctica de dar dinero a los necesitados como acto de amor. [almsgiving]

literatura sapiencial el conjunto de los libros del Antiguo Testamento que incluye los libros de Job, Salmos, Proverbios, Eclesiastés, Cantar de los Cantares, Sabiduría y Eclesiástico. El objetivo de estos libros es instruirnos para entender los problemas de la vida y a enfrentarnos a ellos, además de instruirnos en sobre cómo vivir. [Wisdom Literature]

liturgia la oración pública de la Iglesia en la que se celebran las cosas tan maravillosas que Dios ha hecho por nosotros a través de Jesucristo, nuestro sumo sacerdote, y la forma en la que continúa la obra de nuestra Salvación. El significado original de la palabra *liturgia* era "obra pública o servicio a las personas". [liturgy]

Liturgia de la Eucaristía la parte de la misa en la que el pan y el vino son consagrados, convirtiéndose así en el Cuerpo y la Sangre de Jesucristo. Es entonces cuando recibimos a Cristo en la Sagrada Comunión. [Liturgy of the Eucharist]

Liturgia de la Palabra la parte de la misa en la que escuchamos la Palabra de Dios de la Biblia y reflexionamos sobre su significado actual para nosotros. La Liturgia de la Palabra puede ser también una oración pública y proclamación de la Palabra de Dios sin que esté seguida por la Liturgia de la Eucaristía. [Liturgia de la Palabra]

Liturgia de las Horas la oración pública de la Iglesia para alabar a Dios y santificar el día. Incluye un oficio de lecturas antes de que salga el sol, la oración de la mañana al amanecer, la oración de la noche cuando se pone el sol y una oración antes de acostarse. El recitar salmos ocupa la mayor parte de estos oficios. [Liturgy of the Hours]

Liturgia Eucarística el culto público celebrado por la Iglesia durante el cual el pan y el vino consagrados se convierten en el Cuerpo y la Sangre de Jesucristo. La celebración dominical de la Liturgia Eucarística es el centro de la vida de la Iglesia. [Eucharistic liturgy]

Luz del Mundo nombre que le damos a Jesús y que nos ayuda a ver que él es la luz que nos lleva al Padre. Jesús ilumina nuestra mente y nuestro corazón, reemplazando el pecado y la oscuridad por el conocimiento de Dios. [Light of the World]

Kingdom of Heaven the Gospel of Matthew's term for the Kingdom of God. The Kingdom of God is God's rule over us, announced in the Gospel and present in the Eucharist. [Reino de los cielos]

knowledge one of the seven Gifts of the Holy Spirit. This gift helps us to know what God asks of us and how we should respond. [ciencia]

L

laity those who have been made members of Christ in Baptism and who participate in the priestly, prophetic, and kingly functions of Christ in his mission to the whole world. The laity is distinct from the clergy, whose members are set apart as ministers to serve the Church. [laicado]

Lamb of God the title for Jesus that emphasizes his willingness to give up his life for the Salvation of the world. Jesus is the Lamb without blemish or sin who delivers us through his sacrificial Death. [Cordero de Dios]

Last Supper the last meal Jesus ate with his disciples on the night before he died. At the Last Supper, Jesus took bread and wine, blessed them, and said that they were his Body and Blood. Jesus' Death and Resurrection, which we celebrate in the Eucharist, was anticipated in this meal. [Última Cena]

Lectionary for Mass the official book that contains all the Scripture readings used in the Liturgy of the Word [*Leccionario*]

Lent the 40 days before Easter (not counting Sundays) during which we prepare, through prayer, fasting, and giving aid to those who are poor, to change our lives and live the Gospel more completely [Cuaresma]

Light of the World a name that helps us see that Jesus is the light that leads us to the Father. Jesus lights up our minds and hearts, replacing sin and darkness with the knowledge of God. [Luz del Mundo]

liturgical year the celebration throughout the year of the mysteries of the Lord's birth, life, Death, Resurrection, and Ascension. The cycle of the liturgical year constitutes the basic rhythm of the Christian's life of prayer. [año litúrgico]

liturgy the public prayer of the Church that celebrates the wonderful things God has done for us in Jesus Christ, our high priest, and the way in which he continues the work of our Salvation. The original meaning of *liturgy* was "a public work or service done for the people." [liturgia]

Liturgy of the Eucharist the part of the Mass in which the bread and wine are consecrated and become the Body and Blood of Jesus Christ. We then receive Christ in Holy Communion. [Liturgia de la Eucaristía]

Liturgy of the Hours the public prayer of the Church to praise God and sanctify the day. It includes an office of readings before sunrise, morning prayer at dawn, evening prayer at sunset, and prayer before going to bed. The chanting of psalms makes up a major portion of each of these services. [Liturgia de las Horas]

Liturgy of the Word the part of the Mass in which we listen to God's Word from the Bible and consider what it means for us today. The Liturgy of the Word can also be a public prayer and proclamation of God's Word that is not followed by the Liturgy of the Eucharist. [Liturgia de la Palabra]

M

Magisterio de la Iglesia el oficio vivo de enseñanza de la Iglesia. Este oficio, a través de los obispos y con el papa, ofrece una auténtica interpretación de la Palabra de Dios y se asegura de la fidelidad a las enseñanzas de los apóstoles en todo lo que se refiere a la fe y la moral. [Magisterium]

Magníficat la canción de alabanza de María a Dios, en la que le da las gracias por las grandes cosas que ha hecho por ella y por sus planes para nosotros a través de Jesús. [Magnificat]

maná el alimento que Dios proveyó para los israelitas cuando andaban por el desierto. [manna]

mandamiento pauta o regla a seguir para vivir como Dios quiere que vivamos. Jesús resumió todos los mandamientos en dos: amar a Dios y amar al prójimo. [commandment]

Mandamiento Mayor el mandamiento de Jesús de que amemos a Dios y al prójimo como nos amamos a nosotros mismos. Jesús dijo que este mandamiento resume todo lo que se nos enseña en el Antiguo Testamento. [Great Commandment]

mandamientos de la Iglesia conjunto de reglas establecidas por la autoridad de la Iglesia, que describen el esfuerzo mínimo que tenemos que hacer en cuanto a la oración y a la vida moral. Los mandamientos de la Iglesia aseguran que todos los católicos vayamos más allá del mínimo al crecer en el amor a Dios y al prójimo. [Precepts of the Church]

María la madre de Jesús. Decimos que es bendita y está "llena de gracia" porque Dios la eligió para ser la madre del Hijo de Dios, la segunda Persona de la Trinidad. [Mary]

Matrimonio acuerdo solemne entre una mujer y un hombre para ser compañeros de por vida, para el bien de ambos y para el cuidado de los hijos. El Matrimonio es un sacramento cuando se lleva a cabo de la manera apropiada entre cristianos bautizados. [Matrimony]

memorial recordatorio de acontecimientos que sucedieron en el pasado. Recordamos esos acontecimientos porque siguen afectándonos, ya que son parte del plan de Salvación que Dios tiene para nosotros. Cada vez que recordamos esos acontecimientos hacemos presente la obra salvífica de Dios. [memorial]

Mesías título que significa "ungido con aceite". La palabra *Mesías* es de origen hebreo y comparte el mismo significado que la palabra griega *Cristo*. "Mesías" es el título que se le da a Jesús después de la Resurrección, cuando completó su misión como sacerdote, profeta y rey. [Messiah]

Miércoles de Ceniza el primer día de la Cuaresma. Este día se nos impone ceniza en la frente para recordarnos que nos tenemos que preparar para la Pascua de Resurrección arrepintiéndonos y mostrando pesar por las decisiones tomadas que ofenden a Dios y dañan nuestra relación con los demás. [Ash Wednesday]

milagro la sanación de una persona o una ocasión en que la naturaleza es controlada de tal manera que solo puede ser reconocida como una acción directa de Dios en el mundo. Los milagros de Jesús son señales de la presencia del Reino de Dios. [miracle]

ministerio servicio o trabajo hecho para los demás. El ministerio es ejercido por los obispos, sacerdotes y diáconos, quienes son ordenados en el ministerio de la celebración de los sacramentos. Todos los que han sido bautizados son llamados a una variedad de ministerios en la liturgia y en el servicio a las necesidades de los demás. [ministry]

misa la celebración sacramental más importante de la Iglesia; fue establecida por Jesús durante la Última Cena como conmemoración de su muerte y Resurrección. Durante la misa escuchamos la Palabra de Dios contenida en la Biblia y recibimos el Cuerpo y la Sangre de Cristo. [Mass]

M

Magisterium the living, teaching office of the Church. This office, through the bishops and with the pope, provides an authentic interpretation of the Word of God. It ensures faithfulness to the teaching of the apostles in matters of faith and morals.
[Magisterio de la Iglesia]

Magnificat Mary's song of praise to God for the great things he has done for her and for his plans for us through Jesus [*Magníficat*]

manna the food provided by God when the Israelites were in the desert [maná]

Marks of the Church the four most important aspects of the Church found in the Nicene Creed. According to the Nicene Creed, the Church is one, holy, catholic, and apostolic. [atributos de la Iglesia]

Mary the mother of Jesus. She is called blessed and "full of grace" because God chose her to be the mother of the Son of God, the second Person of the Trinity. [María]

Mass the most important sacramental celebration of the Church, established by Jesus at the Last Supper as a remembrance of his Death and Resurrection. At Mass we listen to God's Word from the Bible and receive the Body and Blood of Christ. [misa]

Matrimony a solemn agreement between a woman and a man to be partners for life, both for their own good and for raising children. Marriage is a sacrament when the agreement is properly made between baptized Christians. [Matrimonio]

memorial a remembrance of events that have taken place in the past. We recall these events because they continue to affect us because they are part of God's saving plan for us. Every time we remember these events, we make God's saving action present. [memorial]

mercy the gift to be able to respond to those in need with care and compassion. The gift of mercy is a grace given to us by Jesus Christ. [misericordia]

Messiah a title that means "anointed with oil." It is from a Hebrew word that means the same thing as the Greek word *Christ*. "Messiah" is the title that was given to Jesus after the Resurrection, when he had completed his mission as priest, prophet, and king. [Mesías]

ministry service or work done for others. Ministry is done by bishops, priests, and deacons, who are all ordained to ministry in the celebration of the sacraments. All those baptized are called to a variety of ministries in the liturgy and in service to the needs of others. [ministerio]

miracle the healing of a person, or an occasion when nature is controlled that can only be recognized as God's action in the world. Jesus' miracles are signs of the presence of God's kingdom. [milagro]

mission the work of Jesus Christ that is continued in the Church through the Holy Spirit. The mission of the Church is to proclaim Salvation in Jesus' life, Death, Resurrection, and Ascension. [misión]

monastery a place where men or women live out their solemn vows of poverty, chastity, and obedience in a stable community life. They spend their days in public prayer, work, and meditation. [monasterio]

moral choice a choice to do what is right or not do what is wrong. We make moral choices because they help us grow closer to God and because we have the freedom to choose what is right and avoid what is wrong. [decisión moral]

misericordia el don de ser capaces de responder a los necesitados con atención y compasión. El don de la misericordia es una gracia que Jesucristo nos da. [mercy]

misión la obra de Jesucristo que se continúa en la Iglesia a través del Espíritu Santo. La misión de la Iglesia es proclamar la Salvación en la vida, muerte, Resurrección y Ascensión de Jesús. [mission]

misterio una verdad de carácter religioso que podemos conocer solo a través de la revelación de Dios y que no podemos entender del todo. Nuestra fe es un misterio que profesamos en el Credo y celebramos en la liturgia y en los sacramentos. [mystery]

Misterio Pascual la obra salvífica realizada por Jesucristo a través de su Pasión, muerte y Resurrección. El Misterio Pascual se celebra en la liturgia de la Iglesia y vivimos sus efectos salvíficos en los sacramentos. [Paschal Mystery]

monasterio lugar en el que hombres o mujeres viven sus votos solemnes de pobreza, castidad y obediencia dentro de una vida comunitaria estable. Pasan sus días en oración, trabajando y meditando. [monastery]

musulmán seguidor de la religión islámica. *Musulmán* significa "aquél que se somete a Dios". [Muslim]

N

Navidad la fiesta del nacimiento de Jesús (25 de diciembre). [Christmas]

Nuevo Testamento los 27 libros de la segunda parte de la Biblia, que hablan de las enseñanzas, ministerio y obra salvífica de la vida de Jesús. Los cuatro Evangelios presentan la vida, muerte y Resurrección de Jesús. El libro de los Hechos de los Apóstoles relata la historia de la Ascensión de Jesús al cielo y nos cuenta cómo el mensaje de Salvación de Jesús se extendió con la expansión de la Iglesia. Varias cartas nos instruyen sobre cómo vivir como seguidores de Jesucristo. El libro del Apocalipsis ofrece apoyo a los cristianos que sufren persecución. [New Testament]

O

obedecer seguir las enseñanzas o indicaciones que nos ha dado Dios o alguien con autoridad sobre nosotros. [obey]

obediencia el acto de seguir de forma voluntaria las instrucciones de Dios para lograr nuestra Salvación. El Cuarto Mandamiento requiere que los hijos obedezcan a sus padres y que todas las personas obedezcan la autoridad civil cuando actúa por el bien de todos. Para imitar el ejemplo de obediencia de Jesús, los miembros de comunidades religiosas hacen un voto especial de obediencia. [obedience]

obispo hombre que ha recibido la totalidad del sacramento del Orden. Como sucesor de los primeros apóstoles, es maestro principal de la Iglesia y la cuida. [bishop]

obras de misericordia corporales actos piadosos mediante los que ayudamos a quienes nos rodean con las necesidades materiales de su vida diaria. Las obras de misericordia corporales incluyen dar de comer al hambriento, dar posada al peregrino, vestir al desnudo, visitar y cuidar a los enfermos, redimir al cautivo, dar limosna a los pobres y enterrar a los muertos. [Corporal Works of Mercy]

obras de misericordia espirituales actos piadosos mediante los que ayudamos a quienes nos rodean con las necesidades que van más allá de lo material. Las obras de misericordia espirituales incluyen enseñar, aconsejar, corregir, perdonar, consolar, sufrir con paciencia los defectos de los demás y rogar a Dios por los vivos y los difuntos. [Spiritual Works of Mercy]

ofensas actos ilícitos cometidos contra la propiedad o los derechos de otra persona, o actos que dañan físicamente a una persona. [trespasses]

moral law a rule for living that has been established by God and people in authority who are concerned about the good of all. Moral laws are based on God's direction to us to do what is right and avoid what is wrong. Some moral laws are "written" in the human heart and can be known through our own reasoning. Other moral laws have been revealed to us by God in the Old Testament and in the new Law given by Jesus. [ley moral]

mortal sin a decision to turn away from God by doing something that we know is seriously wrong. For a sin to be mortal, it must be a very serious offense, the person must know how serious the sin is, and the person must freely choose to do it anyway. [pecado mortal]

Muslim a follower of the religion of Islam. *Muslim* means "one who submits to God." [musulmán]

mystery a religious truth that we can know only through God's revelation and that we cannot fully understand. Our faith is a mystery that we profess in the Creed and celebrate in the liturgy and sacraments. [misterio]

Mystical Body of Christ the members of the Church formed into a spiritual body and bound together by the life communicated by Jesus Christ through the sacraments. Christ is the center of this body and the source of life. In it we are all united. Each member of the body receives from Christ gifts fitting for him or her. [Cuerpo Místico de Cristo]

N

Nativity scene a picture or crèche that shows Jesus, Mary, and Joseph in the stable after the birth of Jesus as described in the Gospels of Matthew and Luke [escena de la Natividad del Señor]

natural law the moral law that is "written" in the human heart. We can know natural law through our own reason because the Creator has placed the knowledge of it in our hearts. It can provide the solid foundation on which we can make rules to guide our choices in life. Natural law forms the basis of our fundamental rights and duties and is the foundation for the work of the Holy Spirit in guiding our moral choices. [ley natural]

neighbor according to Jesus, everyone, as each person is made in God's image. We are all meant to develop mutually supportive relationships. [prójimo]

New Testament the 27 books of the second part of the Bible which tell of the teaching, ministry, and saving events of the life of Jesus. The four Gospels present Jesus' life, Death, and Resurrection. The Acts of the Apostles tells the story of Jesus' Ascension into Heaven. It also shows how Jesus' message of Salvation spread through the growth of the Church. Various letters instruct us in how to live as followers of Jesus Christ. The Book of Revelation offers encouragement to Christians living through persecution. [Nuevo Testamento]

Nicene Creed the summary of Christian beliefs developed by the bishops at the first two councils of the Church, held in A.D. 325 and 381. It is the Creed shared by most Christians in the East and in the West. [Credo Niceno]

O

obedience the act of willingly following what God asks us to do for our Salvation. The Fourth Commandment requires children to obey their parents, and all people are required to obey civil authority when it acts for the good of all. To imitate the obedience of Jesus, members of religious communities make a special vow of obedience. [obediencia]

óleo de los catecúmenos aceite bendecido por el obispo durante la Semana Santa, que se usa para ungir a los catecúmenos. Esta unción los fortalece en su camino hacia la iniciación dentro de la Iglesia. Se unge también a los bebés con este aceite inmediatamente antes de ser bautizados. [oil of catechumens]

óleo de los enfermos aceite bendecido por el obispo durante la Semana Santa y usado en el sacramento de la Unción de los Enfermos, que ofrece sanación espiritual y, si Dios así lo quiere, también física. [oil of the sick]

oración el acto de elevar nuestros corazones y pensamientos a Dios. Podemos hablar y escuchar a Dios a través de la oración porque él nos enseña cómo orar. [prayer]

oración comunitaria rendir culto a Dios junto con otras personas. La Liturgia de las Horas y la misa son las formas principales de oración comunitaria. [communal prayer]

oración personal el tipo de oración que ofrecemos en nuestra vida cotidiana. Rezamos con otras personas en la liturgia, pero también podemos escuchar y responder a Dios a través de nuestras oraciones personales en cada momento de nuestra vida. [personal prayer]

ordenación el rito del sacramento del Orden, por el que el obispo, a través de la imposición de las manos, les transmite a los hombres la habilidad de ser ministros de la Iglesia ya sea como obispos, sacerdotes o diáconos. [ordination]

ordenado hombre que ha recibido el sacramento del Orden, de forma que puede presidir la celebración de la Eucaristía y servir como líder y maestro de la Iglesia. [ordained]

P

padrino/madrina de Bautismo testigo del Bautismo, que asume la responsabilidad de ayudar a la persona bautizada a lo largo del camino de la vida cristiana. [godparent]

Pan de Vida título que Jesús se otorga a sí mismo en Juan 6:33–35. Jesús es el pan de la Eucaristía, donde se convierte en alimento espiritual para los creyentes. [Bread of Life]

papa el obispo de Roma, sucesor de san Pedro y líder de la Iglesia católica romana. Al papa se le denomina Vicario de Cristo porque tiene la autoridad de actuar en el nombre de Cristo. El papa, junto con todos los obispos, forman el oficio vivo de enseñanza de la Iglesia: el Magisterio de la Iglesia. [pope]

parábola una de las sencillas historias que Jesús contó para mostrarnos cómo es el Reino de Dios. Las parábolas presentan imágenes tomadas de la vida diaria, imágenes que ejemplifican la decisión tan radical que tomamos cuando respondemos a la invitación de formar parte del Reino de Dios. [parable]

párroco sacerdote a cargo del cuidado espiritual de los miembros de una comunidad parroquial. Es responsabilidad del párroco que en su parroquia se predique la Palabra de Dios, se enseñe la fe y se celebren los sacramentos. [pastor]

parroquia comunidad estable de creyentes en Jesucristo que se reúnen de forma regular en un lugar específico para rendir culto a Dios bajo el liderazgo de un párroco. [parish]

Pascua de Resurrección la celebración de la Resurrección del cuerpo de Jesucristo de entre los muertos. La Pascua de Resurrección es el festejo de nuestra redención y la fiesta cristiana más importante, de la cual se derivan el resto de las fiestas. [Easter]

pascua judía festividad judía que conmemora la liberación del pueblo hebreo de la esclavitud bajo la que vivían en Egipto. En la Eucaristía celebramos nuestra liberación de la muerte y nueva vida a través de la muerte y Resurrección de Jesús. [Passover]

Pasión el sufrimiento y la muerte de Jesús. [Passion]

obey to follow the teachings or directions given by God or by someone who has authority over us [obedecer]

oil of catechumens the oil blessed by the bishop during Holy Week and used to anoint catechumens. This anointing strengthens them on their path to initiation into the Church. Infants are anointed with this oil right before they are baptized. [óleo de los catecúmenos]

oil of the sick the oil blessed by the bishop during Holy Week and used in the Sacrament of the Anointing of the Sick, which brings spiritual and, if it is God's will, physical healing [óleo de los enfermos]

Old Testament the first 46 books of the Bible, which tell of God's Covenant with the people of Israel and his plan for the Salvation of all people. The first five books are known as the Torah. The Old Testament is fulfilled in the New Testament, but God's Covenant presented in the Old Testament has permanent value and has never been revoked. [Antiguo Testamento]

one one of the four Marks of the Church. The Church is one because of its source in the one God and because of its founder, Jesus Christ. Jesus, through his Death on the cross, united all to God in one body. Within the unity of the Church, there is great diversity because of the variety of the gifts given to its members. [una]

ordained men who have received the Sacrament of Holy Orders so that they may preside at the celebration of the Eucharist and serve as leaders and teachers of the Church [ordenado]

Ordinary Time the longest liturgical season of the Church. It is divided into two periods—the first after the Christmas season and the second after Pentecost. The first period focuses on Jesus' childhood and public ministry. The second period focuses on Christ's reign as King of Kings. [Tiempo Ordinario]

ordination the rite of the Sacrament of Holy Orders, by which a bishop gives to men, through the laying on of hands, the ability to minister to the Church as bishops, priests, and deacons [ordenación]

Original Sin the consequence of the disobedience of the first human beings. They disobeyed God and chose to follow their own will rather than God's will. As a result human beings lost the original blessing God had intended and became subject to sin and death. In Baptism we are restored to life with God through Jesus Christ although we still experience the effects of Original Sin. [pecado original]

P

Palm Sunday the celebration of Jesus' triumphant entry into Jerusalem on the Sunday before Easter. It begins a week-long commemoration of the saving events of Holy Week. [Domingo de Ramos]

parable one of the simple stories that Jesus told to show us what the Kingdom of God is like. Parables present images drawn from everyday life. These images show us the radical choice we make when we respond to the invitation to enter the Kingdom of God. [parábola]

parish a stable community of believers in Jesus Christ who meet regularly in a specific area to worship God under the leadership of a pastor [parroquia]

patriarcas líderes de familias y clanes del antiguo Israel. De acuerdo a los estudios bíblicos, los patriarcas son los fundadores del pueblo hebreo, tal y como se describe en Génesis, capítulos 12 al 50. Los más destacados de los patriarcas fueron Abrahán, Isaac, Jacob y los doce hijos de Jacob. [patriarchs]

paz, los que trabajan por la persona que nos enseña a ser respetuosos con nuestras palabras y nuestros actos hacia los demás. [peacemaker]

pecado pensamiento, palabra, algo que se ha hecho o algo que se ha dejado de hacer de forma deliberada, que ofende a Dios y daña nuestras relaciones con otras personas. Algunos pecados pueden ser mortales y deben ser confesados en el sacramento de la Penitencia y la Reconciliación. Otros pecados son veniales, o menos serios. [sin]

pecado mortal la decisión de dar la espalda a Dios haciendo algo que sabemos que es gravemente erróneo. Para que un pecado sea mortal ha de tratarse de una ofensa muy seria, la persona ha de ser consciente de la seriedad de la ofensa y a pesar de ello elegir libremente cometerla. [mortal sin]

pecado original la consecuencia de la desobediencia de los primeros seres humanos. Ellos desobedecieron a Dios y eligieron hacer su propia voluntad en lugar de la voluntad de Dios. Como consecuencia, los seres humanos perdieron la bendición original que Dios les había ofrecido y quedaron sujetos a la muerte y al pecado. En el Bautismo nos volvemos a incorporar a la vida con Dios a través de Jesucristo, pero todavía sentimos las consecuencias del pecado original. [Original Sin]

pecado personal pecado que elegimos cometer, ya sea muy grave (mortal) o no tan serio (venial). Aunque las consecuencias del pecado original hacen que tengamos una tendencia a pecar, la gracia de Dios, especialmente a través de los sacramentos, nos ayuda a ser capaces de elegir el bien por encima del pecado. [personal sin]

pecado venial decisión que tomamos que debilita nuestra relación con Dios o con los demás. Los pecados veniales dañan y menguan la vida divina dentro de nosotros. Si no hacemos un esfuerzo para mejorar, los pecados veniales nos pueden llevar a pecar de forma más seria. Nuestros pecados veniales son perdonados a través de nuestra participación en la Eucaristía, que también nos ayuda a fortalecer nuestra relación con Dios y con los demás. [venial sin]

pecados capitales los pecados que nos llevan a pecar de forma más seria. Estos son: soberbia, avaricia, envidia, ira, gula, lujuria y pereza. [capital sins]

penitencia lo que hacemos para demostrar que nos alejamos del pecado con un deseo de cambiar nuestra vida para vivir de forma más cercana a como Dios quiere que vivamos. Expresamos externamente nuestra penitencia rezando, ayunando y ayudando a los pobres. Así es también como se denomina a las cosas que el sacerdote nos pide que hagamos o las oraciones que nos pide que recemos después de darnos la absolución en el sacramento de la Penitencia y la Reconciliación. (*Véase* sacramento de la Penitencia y la Reconciliación). [penance]

Pentecostés 50 días después de la Resurrección de Jesús de entre los muertos. Ese día el Espíritu Santo fue enviado desde el cielo y nació la Iglesia. También es la fiesta judía que celebra el momento en que se recibieron los Diez Mandamientos en el monte Sinaí 50 días después del Éxodo. [Pentecost]

perdón el deseo de ser bondadoso hacia quienes nos han hecho daño pero que nos han mostrado que están arrepentidos. En el Padrenuestro pedimos que, al igual que Dios nos perdona por nuestros pecados, podamos perdonar a aquellos que nos ofenden. [forgiveness]

Paschal Mystery the work of Salvation accomplished by Jesus Christ through his Passion, Death, and Resurrection. The Paschal Mystery is celebrated in the liturgy of the Church, and its saving effects are experienced by us in the sacraments. [Misterio Pascual]

Passion the suffering and Death of Jesus [Pasión]

Passover the Jewish festival that commemorates the delivery of the Hebrew people from slavery in Egypt. In the Eucharist, we celebrate our passover from death to life through Jesus' Death and Resurrection. [pascua judía]

pastor a priest who is responsible for the spiritual care of the members of a parish community. It is the job of the pastor to see that the Word of God is preached, the faith is taught, and sacraments are celebrated. [párroco]

patriarchs the leaders of families and clans within ancient Israel. More specifically, in biblical studies, patriarchs are the founders of the Hebrew people described in Genesis chapters 12 through 50. Prominent among the patriarchs are Abraham, Isaac, Jacob, and Jacob's 12 sons. [patriarcas]

peacemaker a person who teaches us to be respectful in our words and actions toward one another [paz, los que trabajar por la]

penance the turning away from sin with a desire to change our life and more closely live the way God wants us to live. We express our penance externally by praying, fasting, and helping those who are poor. This is also the name of the action that the priest asks us to take or the prayers that he asks us to pray after he absolves us in the Sacrament of Penance and Reconciliation. (*See* Sacrament of Penance and Reconciliation.) [penitencia]

Penitential Act a formula of general confession asking for God's mercy said at Mass. The priest may lead the assembly in praying the *Confiteor* ("I confess to almighty God . . .") or a threefold invocation echoed by "Lord have mercy . . . Christ have mercy . . . Lord have mercy" in English or in Greek. [Acto Penitencial]

Pentecost the 50th day after Jesus was raised from the dead. On this day the Holy Spirit was sent from Heaven, and the Church was born. It is also the Jewish feast that celebrated the giving of the Ten Commandments on Mount Sinai 50 days after the Exodus. [Pentecostés]

People of God another name for the Church. In the same way that the people of Israel were God's people through the Covenant he made with them, the Church is a priestly, prophetic, and royal people through the new and eternal covenant with Jesus Christ. [Pueblo de Dios]

personal prayer the kind of prayer that rises up in us in everyday life. We pray with others in the liturgy, but in addition we can listen and respond to God through personal prayer every moment of our lives. [oración personal]

personal sin a sin we choose to commit, whether serious (mortal) or less serious (venial). Although the consequences of Original Sin leave us with a tendency to sin, God's grace, especially through the sacraments, helps us to choose good over sin. [pecado personal]

petition a request to God, asking him to fulfill a need. When we share in God's saving love, we understand that every need is one that we can ask God to help us with through petition. [petición]

pereza desidia que lleva a una persona a ignorar su desarrollo como persona, especialmente su crecimiento espiritual y su relación con Dios. La pereza es uno de los siete pecados capitales y va en contra del Primer Mandamiento. [sloth]

petición solicitud que le hacemos a Dios pidiéndole que satisfaga una necesidad. Cuando somos partícipes del amor salvífico de Dios, entendemos que a través de una petición podemos pedirle que nos ayude con cualquier cosa que necesitemos. [petition]

piedad uno de los siete dones del Espíritu Santo. Este don nos llama a ser fieles en nuestras relaciones con Dios y con los demás. La piedad nos ayuda a amar a Dios y a comportarnos de forma responsable y con generosidad y afecto hacia los demás. [piety]

plaga calamidad natural o enfermedad que es vista como causada por Dios para hacer que las personas sean más conscientes de sus deberes hacia Dios y hacia los demás (Números 14:37). En el libro del Éxodo 7:14—12:30 las plagas infligidas contra los egipcios son vistas como la manera en que Dios convenció a los egipcios para que liberaran al pueblo hebreo de la esclavitud. [plague]

Plegaria Eucarística es la expresión litúrgica que se hace durante la misa para alabar y agradecer a Dios por todo lo que ha hecho en la creación, en el Misterio Pascual (Cristo muriendo y resucitando de entre los muertos por todos nosotros) y a través del Espíritu Santo. [Eucharistic Prayer]

presbítero palabra que en su origen significaba "persona mayor o asesor de confianza del obispo". De esta palabra proviene la palabra inglesa *priest* (sacerdote), uno de los tres niveles del sacramento del Orden. Todos los sacerdotes de una diócesis bajo el mandato del obispo forman el presbiterado. [presbyter]

Presencia Real la forma en la que Jesucristo resucitado está presente en la Eucaristía bajo la apariencia de pan y vino. La presencia de Jesucristo es real porque en la Eucaristía su Cuerpo y su Sangre, alma y divinidad, están completa y enteramente presentes. [Real Presence]

profeta persona que ha sido llamada a hablar en nombre de Dios y a pedir al pueblo que sea fiel a la Alianza. Una gran parte del Antiguo Testamento, 18 de los libros de que se compone, presenta el mensaje y las obras de los profetas. [prophet]

prójimo según Jesús, cada uno de nosotros, puesto que todas las personas están hechas a imagen y semejanza de Dios. Todos nosotros estamos llamados a desarrollar relaciones de apoyo mutuo con los demás. [neighbor]

prudencia la virtud que nos dirige hacia el bien, ayudándonos a elegir la forma correcta de lograr esta meta. Cuando actuamos con prudencia, prestamos cuidadosa atención a nuestra forma de actuar. La prudencia es una de las virtudes cardinales que guían nuestra conciencia, influyéndonos para que vivamos de acuerdo con la Ley de Cristo. [prudence]

Pueblo de Dios otra manera de nombrar a la Iglesia. De la misma forma que el pueblo de Israel era el pueblo de Dios por la Alianza establecida con él, la Iglesia es un pueblo sacerdotal, profético y real a través de la nueva y eterna alianza con Jesucristo. [People of God]

Pueblo Elegido el pueblo que Dios designó para que desarrollara una relación especial con él. Dios estableció primero un Pueblo Elegido cuando formó una Alianza, un acuerdo solemne, con Abrahán. Después reafirmó esta Alianza con Moisés en el monte Sinaí. La Alianza se cumplió en su plenitud con Jesús y su Iglesia. [Chosen People]

Pharaoh the Egyptian word for "Great House," referring to the royal palace of the king of Egypt. Then references to *Pharaoh* became known for the king himself, just as "White House" might refer to the president. Pharaoh was both the political and religious leader of Egypt. [faraón]

piety one of the seven Gifts of the Holy Spirit. This gift calls us to be faithful in our relationships both with God and with others. Piety helps us to love God and to behave responsibly and with generosity and affection toward others. [piedad]

plague a natural calamity or disease that is seen as being inflicted by God as a remedial event to make people more conscious of their duties toward God and one another. (Numbers 14:37) In Exodus 7:14—12:30, the plagues inflicted on the Egyptians are seen as the means by which God convinced the Egyptians to free the Hebrew people from slavery. [plaga]

pope the bishop of Rome, successor of Saint Peter, and leader of the Roman Catholic Church. Because he has the authority to act in the name of Christ, the pope is called the Vicar of Christ. The pope and all of the bishops together make up the living, teaching office of the Church, the Magisterium. [Papa]

praise the expression of our response to God, not only for what he does, but simply because he is. In the Eucharist the whole Church joins with Jesus Christ in expressing praise and thanksgiving to the Father. [alabanza]

prayer the raising of our hearts and minds to God. We are able to speak to and listen to God in prayer because he teaches us how to pray. [oración]

Precepts of the Church those positive requirements that the pastoral authority of the Church has determined are necessary to provide a minimum effort in prayer and the moral life. The Precepts of the Church ensure that all Catholics move beyond the minimum by growing in love of God and love of neighbor. [mandamientos de la Iglesia]

presbyter a word that originally meant "an elder or a trusted advisor to the bishop." From this word comes the English word *priest*, one of the three degrees of the Sacrament of Holy Orders. All the priests of a diocese under the bishop form the presbyterate. [presbítero]

pride a false image of ourselves that goes beyond what we deserve as God's creation. Pride puts us in competition with God. It is one of the seven capital sins. [soberbia]

priest a man who has accepted God's special call to serve the Church by guiding it and building it up through the ministry of the Word and the celebration of the sacraments [sacerdote]

priesthood all the people of God who have been given a share of the one mission of Christ through the Sacraments of Baptism and Confirmation. The ministerial priesthood, which is made up of those men who have been ordained bishops and priests in Holy Orders, is essentially different from the priesthood of all the faithful because its work is to build up and guide the Church in the name of Christ. [sacerdocio]

Promised Land the land first promised by God to Abraham. It was to this land that God told Moses to lead the Chosen People after they were freed from slavery in Egypt and received the Ten Commandments at Mount Sinai. [Tierra Prometida]

purgatorio después de la muerte, estado de depuración final de todas nuestras imperfecciones humanas para prepararnos para entrar en la alegría de la presencia de Dios en el cielo. [Purgatory]

R

racismo la opinión de que la raza determina los rasgos humanos y las capacidades de la persona, y de que una raza en particular posee una superioridad que le es intrínseca a ella. Discriminar a una persona basado en su raza es una violación de la dignidad humana y un pecado contra la justicia. [racism]

reconciliación la reanudación de la amistad después de que esa amistad se haya roto debido a algo que se había hecho o dejado de hacer. En el sacramento de la Penitencia y la Reconciliación, gracias a la misericordia y al amor de Dios, nos reconciliamos con Dios, con la Iglesia y con los demás. [reconciliation]

redención nuestra liberación de la esclavitud al pecado gracias a la vida, a la muerte sacrificial en la cruz y a la Resurrección de Jesucristo de entre los muertos. [redemption]

Redentor Jesucristo, cuya vida, muerte sacrificial en la cruz y Resurrección de entre los muertos nos liberó de la esclavitud del pecado y nos trajo la redención. [Redeemer]

reformar poner fin a algo equivocado tomando un mejor curso de acción. Los profetas hicieron un llamado a las personas para que reformaran sus vidas volviendo a ser fieles a su Alianza con Dios. [reform]

Reino de Dios El reinado de Dios sobre nosotros, anunciado en el Evangelio y presente en la Eucaristía. El comienzo de su reinado aquí en la tierra se hace misteriosamente presente en la Iglesia y se realizará plenamente al final de los tiempos. [Kingdom of God]

Reino de los cielos término que se utiliza en el Evangelio de Mateo para referirse al Reino de Dios. El Reino de Dios es el reinado de Dios sobre nosotros, anunciado en el Evangelio y presente en la Eucaristía. [Kingdom of Heaven]

Resurrección el hecho de que Jesús se levantó de entre los muertos al tercer día de su muerte en la cruz. La Resurrección es la verdad más importante de nuestra fe. [Resurrection]

Revelación la forma en que Dios se comunica con nosotros mediante palabras y acciones a lo largo de la historia para mostrarnos el misterio de su plan para nuestra Salvación. Esta Revelación llega a su conclusión al enviarnos a su Hijo Jesucristo. [Revelation]

rito una de las muchas formas que se siguen en la celebración de la liturgia en la Iglesia. Los ritos pueden diferir dependiendo de la cultura o país donde se celebren. *Rito* también significa "la forma especial en que celebramos cada sacramento". [rite]

Rito de la Paz la parte de la misa en la que nos ofrecemos un gesto de paz los unos a los otros mientras nos preparamos para recibir la Sagrada Comunión. Este gesto muestra nuestro deseo de estar unidos en la paz antes de recibir a nuestro Señor. [Sign of Peace]

Rosario oración en honor de la Santísima Virgen María. Al rezar el Rosario meditamos sobre los misterios de la vida de Jesucristo. Siguiendo el orden de las cuentas en el rosario se reza un avemaría en cada una de las cuentas de los cinco grupos de diez cuentas y un padrenuestro en las cuentas que separan cada grupo. En la iglesia latina rezar el Rosario se convirtió en la forma en que las personas en general podían reflexionar sobre los misterios de la vida de Cristo. [Rosary]

prophet one called to speak for God and call the people to be faithful to the Covenant. A major section of the Old Testament presents, in 18 books, the messages and actions of the prophets. [profeta]

prudence the virtue that directs us toward the good and helps us to choose the correct means to achieve that good. When we act with prudence, we carefully and thoughtfully consider our actions. Prudence is one of the cardinal virtues that guide our conscience and influence us to live according to the Law of Christ. [prudencia]

psalm a prayer in the form of a poem, written to be sung in public worship. Each psalm expresses an aspect of the depth of human prayer. Over several centuries 150 psalms were assembled into the Book of Psalms in the Old Testament. Psalms were used in worship in the Temple in Jerusalem, and they have been used in the public worship of the Church since its beginning. [salmo]

Purgatory a state of final cleansing after death of all of our human imperfections to prepare us to enter into the joy of God's presence in Heaven [purgatorio]

R

racism the opinion that race determines human traits and capacities and that a particular race has an inherent, or inborn, superiority. Discrimination based on a person's race is a violation of human dignity and a sin against justice. [racismo]

Real Presence the way in which the risen Jesus Christ is present in the Eucharist under the form of Bread and Wine. Jesus Christ's presence is called real because in the Eucharist his Body and Blood, soul and divinity, are wholly and entirely present. [Presencia Real]

reconciliation the renewal of friendship after that friendship has been broken by some action or lack of action. In the Sacrament of Penance and Reconciliation, through God's mercy and forgiveness, we are reconciled with God, the Church, and others. [reconciliación]

Redeemer Jesus Christ, whose life, sacrificial Death on the cross, and Resurrection from the dead set us free from the slavery of sin and bring us redemption [Redentor]

redemption our being set free from the slavery of sin through the life, sacrificial Death on the cross, and Resurrection from the dead of Jesus Christ [redención]

reform to put an end to a wrong by introducing a better or changed course of action. The prophets called people to reform their lives by returning to being faithful to their Covenant with God. [reformar]

religious life a state of life recognized by the Church. In the religious life, men and women freely respond to a call to follow Jesus by living the vows of poverty, chastity, and obedience in community with others. [vida religiosa]

repentance our turning away from sin with a desire to change our lives and live more closely as God wants us to live. We express our penance externally by prayer, fasting, and helping those who are poor. [arrepentimiento]

Resurrection the bodily raising of Jesus Christ from the dead on the third day after his Death on the cross. The Resurrection is the crowning truth of our faith. [Resurrección]

Revelation God's communication of himself to us through the words and deeds he has used throughout history to show us the mystery of his plan for our Salvation. This revelation reaches its completion in his sending of his Son, Jesus Christ. [Revelación]

S

sabbat el séptimo día, cuando Dios descansó después de terminar la obra de la Creación. El Tercer Mandamiento nos pide que mantengamos el día del sabbat como día santo. Los cristianos celebran el sabbat los domingos porque fue el domingo cuando Jesús resucitó de entre los muertos y comenzó la nueva creación en Cristo. [Sabbath]

sabiduría uno de los siete dones del Espíritu Santo. La sabiduría nos ayuda a entender el plan de Dios y su propósito, así como a vivir de manera que nos ayude a realizar este plan. Comienza con la maravilla y el asombro ante la grandeza de Dios. [wisdom]

sacerdocio el conjunto del Pueblo de Dios que ha sido encomendado con una parte de la misión de Cristo a través de los sacramentos del Bautismo y de la Confirmación. El sacerdocio ministerial, formado por los hombres que han sido ordenados como obispos o sacerdotes en el sacramento del Orden, difiere esencialmente del sacerdocio de todos los creyentes en que su finalidad es edificar y guiar a la Iglesia en el nombre de Cristo. [priesthood]

sacerdote hombre que ha aceptado el llamado especial de Dios para servir a la Iglesia, guiándola y edificándola a través del ministerio de la Palabra y la celebración de los sacramentos. [priest]

sacramental objeto, oración o bendición dado por la Iglesia para ayudarnos a crecer en nuestra vida espiritual. [sacramental]

sacramento una de las siete maneras en que la vida de Dios entra en nuestra vida a través de la obra del Espíritu Santo. Jesús nos dio tres sacramentos que nos hacen parte de la Iglesia: el Bautismo, la Confirmación y la Eucaristía. Nos dio dos sacramentos que nos traen la sanación: la Penitencia y Reconciliación y la Unción de los Enfermos. También nos dio dos sacramentos que nos ayudan a servir a la comunidad: el Matrimonio y el sacramento del Orden. [sacrament]

sacramento de la Penitencia y la Reconciliación sacramento mediante el cual Dios perdona nuestros pecados y nos reconciliamos con él y con la Iglesia. La Penitencia incluye el arrepentimiento por los pecados cometidos, la confesión de los mismos, la absolución por parte del sacerdote y el cumplimiento de la penitencia como muestra de nuestro deseo de enmendarnos. [Sacrament of Penance and Reconciliation]

sacramento del Orden el sacramento por el cual la misión que Jesús encomendó a sus apóstoles continúa en la Iglesia. Este sacramento tiene tres grados: diácono, sacerdote y obispo. A través de la imposición de las manos en el sacramento del Orden, los hombres reciben una marca sacramental permanente que les llama a servir a la Iglesia. [Holy Orders]

sacramentos al Servicio de la Comunidad el sacramento del Orden y el del Matrimonio. Estos dos sacramentos contribuyen a la Salvación personal de los individuos, ofreciéndoles una forma de servir a los demás. [Sacraments at the Service of Communion]

sacramentos de la Curación el sacramento de la Penitencia y la Reconciliación y el de la Unción de los Enfermos, con los que la Iglesia continúa el ministerio de sanación de Jesús para el alma y el cuerpo. [Sacraments of Healing]

sacramentos de la Iniciación estos sacramentos son la fundación de nuestra vida cristiana. Nacemos de nuevo en el Bautismo, nos fortalecemos en la Confirmación y recibimos el alimento para la vida eterna en la Eucaristía. Por medio de estos sacramentos recibimos una medida cada vez mayor de vida divina y avanzamos hacia la perfección de la caridad. [Sacraments of Initiation]

rite one of the many forms followed in celebrating liturgy in the Church. A rite may differ according to the culture or country where it is celebrated. *Rite* also means "the special form for celebrating each sacrament." [rito]

Rosary a prayer in honor of the Blessed Virgin Mary. When we pray the Rosary, we meditate on the mysteries of Jesus Christ's life while praying the Hail Mary on five sets of ten beads and the Lord's Prayer on the beads in between. In the Latin Church, praying the Rosary became a way for ordinary people to reflect on the mysteries of Christ's life. [Rosario]

S

Sabbath the seventh day, when God rested after finishing the work of Creation. The Third Commandment requires us to keep the Sabbath holy. For Christians the Sabbath became Sunday because it was the day Jesus rose from the dead and the new creation in Jesus Christ began. [sabbat]

sacrament one of seven ways through which God's life enters our lives through the work of the Holy Spirit. Jesus gave us three sacraments that bring us into the Church: Baptism, Confirmation, and the Eucharist. He gave us two sacraments that bring us healing: Penance and Reconciliation and Anointing of the Sick. He also gave us two sacraments that help members serve the community: Matrimony and Holy Orders. [sacramento]

sacramental an object, a prayer, or a blessing given by the Church to help us grow in our spiritual life [sacramental]

Sacrament of Penance and Reconciliation the sacrament in which we celebrate God's forgiveness of sin and our reconciliation with God and the Church. Penance includes sorrow for the sins we have committed, confession of sins, absolution by the priest, and doing the penance that shows our willingness to amend our ways. [sacramento de la Penitencia y la Reconciliación]

Sacraments at the Service of Communion the Sacraments of Holy Orders and Matrimony. These two sacraments contribute to the personal Salvation of individuals by giving them a way to serve others. [sacramentos al Servicio de la Comunidad]

Sacraments of Healing the Sacraments of Penance and Reconciliation and Anointing of the Sick, by which the Church continues the healing ministry of Jesus for soul and body [sacramentos de la Curación]

Sacraments of Initiation the sacraments that are the foundation of our Christian life. We are born anew in Baptism, strengthened by Confirmation, and receive in the Eucharist the food of eternal life. By means of these sacraments, we receive an increasing measure of divine life and advance toward the perfection of charity. [sacramentos de la Iniciación]

sacrifice a ritual offering of animals or produce made to God by the priest in the Temple in Jerusalem. Sacrifice was a sign of the people's adoration of God, giving thanks to God, or asking for his forgiveness. Sacrifice also showed union with God. The great high priest, Christ, accomplished our redemption through the perfect sacrifice of his Death on the cross. [sacrificio]

Sacrifice of the Mass the sacrifice of Jesus on the cross, which is remembered and mysteriously made present in the Eucharist. It is offered in reparation for the sins of the living and the dead and to obtain spiritual or temporal blessings from God. [sacrificio de la misa]

sacrificio ofrenda ritual de animales u otros productos alimenticios hecha a Dios por el sacerdote en el Templo de Jerusalén. Hacer sacrificios también era una muestra de la veneración de las personas a Dios, dándole gracias o pidiéndole su perdón. Hacer sacrificios también es una muestra de unión con Dios. El gran sumo sacerdote, Cristo, logró nuestra redención con el perfecto sacrificio de su muerte en la cruz. [sacrifice]

sacrificio de la misa el sacrificio de Jesús en la cruz, que es recordado y misteriosamente hecho presente en la Eucaristía. El sacrificio de la misa se ofrece como desagravio por los pecados de los vivos y los muertos y para obtener bendición espiritual o temporal de Dios. [Sacrifice of the Mass]

Sagrada Comunión recepción del Cuerpo y la Sangre de Cristo en la Santa Misa. Nos hace uno con Jesús y su muerte y Resurrección redentoras. [Holy Communion]

Sagrada Familia la familia de Jesús mientras creció en Nazaret. Incluye a Jesús, su madre, María y su padre adoptivo, José. [Holy Family]

Sagradas Escrituras los escritos sagrados de los judíos y los cristianos recogidos en el Antiguo y en el Nuevo Testamento de la Biblia. [Scriptures]

sagrario lugar santo en el que se guarda el Santísimo Sacramento para que la Sagrada Comunión se pueda llevar a quienes están enfermos o muriendo. Un sinónimo de *sagrario es tabernáculo*, que también es el nombre de la tienda-santuario en la que los israelitas guardaron el Arca de la Alianza desde el tiempo del Éxodo hasta la construcción del Templo de Salomón. [tabernacle]

salmo oración en forma de poema escrita para ser cantada en culto público. Cada salmo expresa un aspecto de la profundidad de la oración humana. A lo largo de los siglos se han recopilado 150 salmos en el libro de los Salmos del Antiguo Testamento. Los salmos se usaron en el culto en el Templo de Jerusalén y se han usado en el culto público de la Iglesia desde sus comienzos. [psalm]

Salvación el don que solo puede dar Dios del perdón de los pecados y el restablecimiento de la amistad con él. [Salvation]

Salvador Jesús, el Hijo de Dios, que se hizo hombre para perdonar nuestros pecados y reparar nuestra amistad con Dios. El nombre *Jesús* significa "Dios salva". [Savior]

Sanctasanctórum (Lugar Santísimo) la parte más sagrada del Templo de Jerusalén. El sumo sacerdote entraba en esta parte del Templo una vez al año para dirigirse a Dios y pedirle perdón por los pecados del pueblo. [Holy of Holies]

santa uno de los cuatro atributos de la Iglesia. Es el tipo de vida que vivimos cuando somos partícipes de la vida de Dios, que es todo santidad. La Iglesia es santa porque está en unión con Jesucristo. [holy]

santidad la plenitud de la vida y el amor cristianos. Todas las personas están llamadas a la santidad, que es posible lograr al cooperar con la gracia de Dios para hacer su voluntad. Al hacer la voluntad de Dios, nos transformamos más y más en la imagen del Hijo, Jesucristo. [holiness]

Santísimo Sacramento la Eucaristía que ha sido consagrada por el sacerdote durante la misa. Se guarda en el sagrario, o tabernáculo, para ser adorado y para podérselo llevar a los enfermos. [Blessed Sacrament]

santo persona santa que ha muerto en unión con Dios. La Iglesia ha determinado que esta persona está ahora y para siempre con Dios en el cielo. [saint]

saint a holy person who has died united with God. The Church has said that this person is now with God forever in Heaven. [santo]

Salvation the gift, which God alone can give, of forgiveness of sin and the restoration of friendship with him [Salvación]

sanctifying grace the gift of God, given to us without our earning it, that unites us with the life of the Trinity and heals our human nature, wounded by sin. Sanctifying grace continues the work of making us holy that began at our Baptism. [gracia santificante]

Savior Jesus, the Son of God, who became man to forgive our sins and restore our friendship with God. *Jesus* means "God saves." [Salvador]

scriptorium the room in a monastery in which books were copied by hand. Often, beautiful art was created on the page to illustrate the story. [*scriptorium*]

Scriptures the holy writings of Jews and Christians collected in the Old and New Testaments of the Bible [Sagradas Escrituras]

seal of confession also called the "sacramental seal." It declares that the priest is absolutely forbidden to reveal under any circumstances any sin confessed to him in the Sacrament of Penance and Reconciliation. [sigilo sacramental]

seraphim the Heavenly beings who worship before the throne of God. One of them purified the lips of Isaiah with a burning coal so that he could speak for God (Isaiah 6:6–7). [serafines]

Sermon on the Mount the words of Jesus, written in chapters 5 through 7 of the Gospel of Matthew, in which Jesus reveals how he has fulfilled God's Law given to Moses. The Sermon on the Mount begins with the eight Beatitudes and includes the Lord's Prayer. [Sermón de la Montaña]

sexism a prejudice or discrimination based on sex, especially discrimination against women. Sexism leads to behaviors and attitudes that foster a view of social roles based only on sex. [sexismo]

Sign of Peace the part of the Mass in which we offer a gesture of peace to one another as we prepare to receive Holy Communion. This signifies our willingness to be united in peace before we receive our Lord. [Rito de la Paz]

Sign of the Cross the gesture that we make that signifies our belief in God the Father, the Son, and the Holy Spirit. It is a sign of blessing, a confession of faith, and identifies us as followers of Jesus Christ. [Señal de la Cruz]

sin a deliberate thought, word, deed, or failure to act that offends God and hurts our relationships with other people. Some sin is mortal and needs to be confessed in the Sacrament of Penance and Reconciliation. Other sin is venial, or less serious. [pecado]

slander a false statement that harms the reputation of someone and makes other people think badly of that person. Slander is an offense against the Eighth Commandment. [difamación]

sloth a carelessness of heart that leads a person to ignore his or her development as a person, especially spiritual development and a relationship with God. Sloth is one of the seven capital sins, and it is contrary to the First Commandment. [pereza]

solidarity the principle that all people exist in equal dignity as children of God. Therefore, individuals are called to commit themselves to working for the common good in sharing material and spiritual goods. [solidaridad]

scriptorium el espacio dentro de un monasterio donde se copiaban a mano los libros. A menudo se creaban preciosas imágenes artísticas en las páginas para ilustrar el texto. [scriptorium]

Semana Santa la celebración de los acontecimientos que ocurrieron en torno a la institución de la Eucaristía, la Pasión, muerte y Resurrección de Jesús. Durante la Semana Santa se conmemora la entrada triunfal de Jesús en Jerusalén el Domingo de Ramos, el don que nos dio al ofrecerse a sí mismo en la Eucaristía el Jueves Santo, su muerte el Viernes Santo y su Resurrección en la Vigilia Pascual el Sábado Santo. [Holy Week]

Señal de la Cruz señal que hacemos como símbolo de nuestra fe en Dios Padre, Hijo y Espíritu Santo. Es un símbolo de bendición, una confesión de fe y nos identifica como seguidores de Jesucristo. [Sign of the Cross]

serafines seres celestiales que ofrecen culto ante el trono de Dios. Un serafín purificó los labios de Isaías con un carbón encendido para que pudiera hablar en nombre de Dios (Isaías 6:6–7). [seraphim]

Sermón de la Montaña las palabras de Jesús que aparecen en el Evangelio de Mateo en los capítulos 5 al 7, en las que Jesús nos revela cómo ha cumplido la Ley de Dios que le fue dada a Moisés. El Sermón de la Montaña comienza con las ocho Bienaventuranzas e incluye el Padrenuestro. [Sermon on the Mount]

sexismo prejuicio o discriminación basada en el sexo, especialmente la discriminación contra las mujeres. El sexismo nos lleva a comportamientos y actitudes que fomentan una visión de las funciones sociales basándonos solo en el sexo de la persona. [sexism]

sigilo sacramental declara que el sacerdote tiene absolutamente prohibido revelar bajo ninguna circunstancia cualquier pecado que le haya sido confesado bajo el sacramento de la Penitencia y la Reconciliación. [seal of confession]

soberbia imagen falsa de nosotros mismos que va más allá de lo que merecemos como parte que somos de la creación de Dios. La soberbia crea rivalidad con Dios y es uno de los siete pecados capitales. [pride]

solidaridad el principio de que todas las personas existen en igual dignidad como hijos de Dios. En consecuencia, todos los individuos están llamados a comprometerse a trabajar por el bien común y a compartir los bienes materiales y espirituales. [solidarity]

T

temor de Dios uno de los siete dones del Espíritu Santo. Este don nos lleva a un sentimiento de maravilla y sobrecogimiento ante la presencia de Dios porque reconocemos su grandeza. [fear of the Lord]

templanza virtud cardinal que nos ayuda a controlar nuestra atracción por el placer, de modo que nuestros deseos naturales pueden quedar dentro de unos límites apropiados. Esta virtud moral nos ayuda a usar con moderación los bienes creados. [temperance]

Templo (judío) lugar donde se rinde culto a Dios, edificado inicialmente por Salomón. El Templo proporcionaba un lugar donde los sacerdotes podían ofrecer sacrificios, adorar y dar gracias a Dios y pedirle perdón. Fue destruido y vuelto a edificar. El segundo Templo fue destruido y nunca más reedificado. Parte del muro externo de contención del Templo permanece todavía en Jerusalén. [Temple]

tentación una atracción que sentimos dentro de nosotros o que nos viene de fuera, que nos puede llevar a desobedecer los mandamientos de Dios. Todo el mundo es tentado, pero el Espíritu Santo nos ayuda a resistir la tentación y a elegir hacer el bien. [temptation]

Son of God the title revealed by Jesus that indicates his unique relationship to God the Father. The revelation of Jesus' divine sonship is the main dramatic development of the story of Jesus of Nazareth as it unfolds in the Gospels. [Hijo de Dios]

soul the part of us that makes us human and an image of God. Body and soul together form one unique human nature. The soul is responsible for our consciousness and for our freedom. The soul does not die and is reunited with the body in the final resurrection. [alma]

Spiritual Works of Mercy the kind acts through which we help our neighbors meet needs that are more than material. The Spiritual Works of Mercy include instructing, advising, consoling, comforting, forgiving, and bearing wrongs with patience. [obras de misericordia espirituales]

Stations of the Cross a tool for meditating on the final hours of Jesus' life, from his condemnation by Pilate to his Death and burial. We do this by moving to representations of 14 incidents, each one based on the traditional sites in Jerusalem where these incidents took place. [*Vía Crucis*]

stewardship the careful and responsible management of something entrusted to one's care, especially the goods of creation, which are intended for the whole human race. The sixth Precept of the Church makes clear our part in this stewardship by requiring us to provide for the material needs of the Church, according to our abilities. [corresponsabilidad]

T

tabernacle the container in which the Blessed Sacrament is kept so that Holy Communion can be taken to those who are sick and dying. *Tabernacle* is also the name of the tent sanctuary in which the Israelites kept the Ark of the Covenant from the time of the Exodus to the construction of Solomon's Temple. [sagrario]

temperance the cardinal virtue that helps us to control our attraction to pleasure so that our natural desires are kept within proper limits. This moral virtue helps us choose to use created goods in moderation. [templanza]

Temple the house of worship of God, first built by Solomon. The Temple provided a place for the priests to offer sacrifice, to adore and give thanks to God, and to ask for forgiveness. It was destroyed and rebuilt. The second Temple was also destroyed and was never rebuilt. Part of the outer wall of the Temple mount remains to this day in Jerusalem. [Templo, judío]

temptation an attraction, from outside us or inside us, that can lead us to disobey God's commands. Everyone is tempted, but the Holy Spirit helps us to resist temptation and choose to do good. [tentación]

Ten Commandments the ten rules given by God to Moses on Mount Sinai that sum up God's Law and show us what is required to love God and our neighbor. By following the Ten Commandments, the Hebrews accepted their Covenant with God. [Diez Mandamientos]

Theological Virtues those virtues given us by God and not by human effort. They are faith, hope, and charity. [virtudes teologales]

testimonio el transmitir a los demás, con nuestras palabras y por nuestras obras, la fe que nos ha sido dada. Cada cristiano tiene el deber de dar testimonio de la Buena Nueva de Jesucristo que él o ella ha llegado a conocer. [witness]

Tiempo Ordinario el tiempo más largo del calendario litúrgico. Está dividido en dos períodos: el primero después de Navidad y el segundo después de Pentecostés. El primer período se centra en la infancia de Jesús y en su ministerio público. El segundo se centra en el reinado de Cristo como Rey de reyes. [Ordinary Time]

Tierra Prometida el territorio que Dios prometió originalmente a Abrahán. Fue a este lugar adonde Dios pidió a Moisés que guiara al Pueblo Elegido después de haberlos liberado de la esclavitud en Egipto y de haber recibido los Diez Mandamientos en el monte Sinaí. [Promised Land]

Torá palabra hebrea que significa "instrucción" o "ley". Es también el nombre de los cinco primeros libros del Antiguo Testamento: Génesis, Éxodo, Levítico, Números y Deuteronomio. [Torah]

transubstanciación cuando el pan y el vino se convierten en el Cuerpo y la Sangre de Jesucristo. Al decir el sacerdote las palabras de consagración, la sustancia del pan y el vino cambian para convertirse en la sustancia del Cuerpo y la Sangre de Cristo. [transubstantiation]

Trinidad, Santísima el misterio de la existencia de Dios en tres Personas: Dios Padre, Dios Hijo y Dios Espíritu Santo, donde cada persona es Dios, completa y enteramente. Cada persona es distinta solo en su relación con cada una de las otras. [Trinity, Holy]

U

Última Cena la última comida que Jesús tomó con sus discípulos la noche antes de morir. Durante la Última Cena Jesús tomó el pan y el vino, los bendijo y dijo que eran su Cuerpo y su Sangre. La muerte y Resurrección de Jesucristo, que celebramos en la Eucaristía, fueron anticipadas en esta comida. [Last Supper]

una uno de los cuatro atributos de la Iglesia. La Iglesia es una porque está originada en un solo Dios y por su fundador, Jesucristo. Jesús, por su muerte en la cruz, nos reunificó a todos con Dios en un solo cuerpo. Dentro de la unidad de la Iglesia existe una gran diversidad gracias a la variedad de los dones dados a sus miembros. [one]

Unción de los Enfermos uno de los siete sacramentos. En este sacramento una persona enferma es ungida con aceite bendecido y recibe la fuerza, la paz y el valor para enfrentarse a las dificultades asociadas con la enfermedad. A través de este sacramento Jesús lleva al enfermo la sanación espiritual y el perdón de los pecados. Si es la voluntad de Dios, se da también la sanación del cuerpo. [Anointing of the Sick]

V

Vía Crucis un medio que nos ayuda a meditar sobre las últimas horas de la vida de Jesús, desde el momento en que fue condenado por Poncio Pilato hasta su muerte y sepultura. Se hace un recorrido de las representaciones gráficas de los 14 eventos, cada uno basado en los lugares tradicionales en Jerusalén. [Stations of the Cross]

viático la Eucaristía que recibe una persona a punto de morir. Es alimento espiritual para el último viaje que hacemos como cristianos, el viaje a través de la muerte hacia la vida eterna. [viaticum]

Torah the Hebrew word for "instruction" or "law." It is also the name of the first five books of the Old Testament: Genesis, Exodus, Leviticus, Numbers, and Deuteronomy. [Torá]

transubstantiation when the bread and wine become the Body and Blood of Jesus Christ. When the priest speaks the words of consecration, the substance of the bread and wine is changed into the substance of Christ's Body and Blood. [transubstanciación]

trespasses unlawful acts committed against the property or rights of another person or acts that physically harm a person [ofensas]

Trinity, Holy the mystery of the existence of God in three Persons: the Father, the Son, and the Holy Spirit. Each Person is God, whole and entire. Each is distinct only in the relationship of each to the others. [Trinidad, Santísima]

U

understanding one of the seven Gifts of the Holy Spirit. This gift helps us make the right choices in life and in our relationships with God and with others. [entendimiento]

universal Church the entire Church as it exists throughout the world. The people of every diocese, along with their bishops and the pope, make up the universal Church. [Iglesia universal]

V

venial sin a choice we make that weakens our relationships with God or with others. Venial sin wounds and lessens the divine life in us. If we make no effort to do better, venial sin can lead to more serious sin. Through our participation in the Eucharist, venial sin is forgiven, strengthening our relationships with God and with others. [pecado venial]

viaticum the Eucharist that a dying person receives. It is spiritual food for the last journey we make as Christians, the journey through death to eternal life. [viático]

Vicar of Christ the title given to the pope who, as the successor of Saint Peter, has the authority to act in Christ's place. A vicar is someone who stands in for and acts for another. [Vicario de Cristo]

virtue an attitude or a way of acting that enables us to do good [virtud]

Visitation Mary's visit to Elizabeth to share the good news that Mary is to be the mother of Jesus. Elizabeth's greeting of Mary forms part of the Hail Mary. During this visit Mary sings the Magnificat, her praise of God. [Visitación]

vocation the call each of us has in life to be the person God wants us to be and the way we each serve the Church and the Kingdom of God. Each of us can live out his or her vocation as a layperson, as a member of a religious community, or as a member of the clergy. [vocación]

vow a deliberate and free promise made to God by people who want especially to dedicate their lives to God. Their vows give witness now to the kingdom that is to come. [voto]

Vulgate the Latin translation of the Bible by Saint Jerome from the Hebrew and Greek in which it was originally written. Most Christians of Saint Jerome's day no longer spoke Hebrew or Greek. The common language, or vulgate, was Latin. [*Vulgata*]

Vicario de Cristo título dado al papa, quien como sucesor de san Pedro tiene la autoridad de actuar en lugar de Cristo. Un vicario es alguien que actúa en nombre de otra persona. [Vicar of Christ]

vida eterna vida de felicidad con Dios en el cielo cuando morimos en gracia y amistad con él. Jesús llama a todas las personas a la vida eterna. [eternal life]

vida religiosa forma de vida reconocida por la Iglesia. En la vida religiosa, hombres y mujeres responden libremente al llamado de seguir a Jesús viviendo los votos de pobreza, castidad y obediencia en comunidad con otros. [religious life]

Vigilia Pascual la celebración de la primera y más importante de las festividades cristianas: la Resurrección de Jesús. Tiene lugar al atardecer del primer sábado después de la primera luna llena de la primavera. Los catecúmenos son bautizados, confirmados y reciben la Eucaristía por primera vez durante esta vigilia, que precede a la mañana de Pascua de Resurrección. [Easter Vigil]

virtud actitud o forma de actuar que nos permite hacer el bien. [virtue]

virtudes teologales las virtudes que nos ha dado Dios sin haber sido ganadas por el esfuerzo humano. Son la fe, la esperanza y la caridad. [Theological Virtues]

Visitación la visita que le hizo María a Isabel para compartir la buena nueva de que María iba a ser la madre de Jesús. El saludo de Isabel a María forma parte del Avemaría. Durante esta visita María canta el *Magníficat*, su alabanza a Dios. [Visitation]

vocación el llamado que cada uno de nosotros recibe en la vida para ser la persona que Dios quiere que seamos y la forma en que cada uno sirve a la Iglesia y al Reino de Dios. Cada uno de nosotros puede vivir su vocación como laico, como miembro de una comunidad religiosa o como miembro del clero. [vocation]

voto promesa hecha a Dios de forma deliberada y libre por las personas que quieren dedicar su vida a Dios de forma especial. Sus votos dan testimonio ahora del reino que está por venir. [vow]

Vulgata la traducción de la Biblia de los idiomas originales —hebreo y griego— al latín por san Jerónimo. La mayoría de los cristianos de los tiempos de san Jerónimo ya no hablaban ni griego ni hebreo. El idioma popular, o vulgar, era el latín. [Vulgate]

Y

Yavé el nombre de Dios en hebreo, que le reveló Dios a Moisés en la zarza ardiendo. *Yavé* significa "Soy el que soy" o "Soy la causa de todo lo que es". [Yahweh]

W

wisdom one of the seven Gifts of the Holy Spirit. Wisdom helps us to understand the purpose and plan of God and to live in a way that helps to bring about this plan. It begins in wonder and awe at God's greatness. [sabiduría]

Wisdom Literature the Old Testament books of Job, Psalms, Proverbs, Ecclesiastes, the Song of Songs, Wisdom, and Sirach. The purpose of these books is to give instruction on ways to live and how to understand and cope with the problems of life. [literatura sapiencial]

witness the passing on to others, by our words and by our actions, the faith that we have been given. Every Christian has the duty to give witness to the good news about Jesus Christ that he or she has come to know. [testimonio]

worship the adoration and honor given to God in public prayer [culto]

Y

Yahweh the name of God in Hebrew, which God told Moses from the burning bush. *Yahweh* means "I am who am" or "I cause to be all that is." [Yavé]

Índice temático

Index

Reconocimientos

Las citas bíblicas han sido tomadas de *La Biblia de nuestro pueblo* © 2007 Pastoral Bible Foundation y © Ediciones Mensajero. Reservados todos los derechos.

"Acto de Contrición" y "*Salve, Regina*" han sido tomados del *Compendio del Catecismo de la Iglesia Católica* © 2005, Librería Editrice Vaticana. Reservados todos los derechos.

"Oración del penitente" ha sido tomada del *Ritual de la Penitencia* © 2003, Conferencia Episcopal Mexicana. Reservados todos los derechos.

"Bendición de la mesa antes de comer" y "Bendición de la mesa después de comer" han sido tomadas del *Catecismo Católico de los Estados Unidos para los Adultos* © 2006, Conferencia de Obispos Católicos de los Estados Unidos (USCCB, por sus siglas en inglés). Reservados todos los derechos.

"Credo de los Apóstoles" y "Credo Niceno" han sido tomados del *Misal Romano* © 2003, Conferencia Episcopal Mexicana. Reservados todos los derechos.

Loyola Press ha hecho todos los intentos posibles por localizar a los propietarios de los derechos de autor de las obras citadas en el presente trabajo a fin de hacer un reconocimiento pleno de la autoría de su trabajo. En caso de alguna omisión, Loyola Press se complacerá en reconocerlos apropiadamente en las ediciones futuras.

Acknowledgments

Excerpts from the *New American Bible with Revised New Testament and Psalms.* Copyright © 1991, 1986, 1970 Confraternity of Christian Doctrine, Inc., Washington, DC. Used with permission. All rights reserved. No part of the *New American Bible* may be reprinted without permission in writing from the copyright holder.

The English translation of the Prayer of the Penitent from *Rite of Penance* © 1974, International Commission on English in the Liturgy Corporation (ICEL); the English translation of the *Salve, Regina* from *A Book of Prayers* © 1982, ICEL; the English translation of Prayer Before Meals and Prayer After Meals from *Book of Blessings* © 1988; the English translation of the Nicene Creed and Apostles' Creed from *The Roman Missal* © 2010, ICEL. All rights reserved.

The English translation of the Act of Contrition from the *Compendium of the Catechism of the Catholic Church* © 2005, Libreria Editrice Vaticana. All rights reserved.

Loyola Press has made every effort to locate the copyright holders for the cited works used in this publication and to make full acknowledgment for their use. In the case of any omissions, the publisher will be pleased to make suitable acknowledgments in future editions.

Arte y fotografía

Las imágenes que aparecen dos veces en una plana de dos páginas figuran solamente una vez en la lista, indicando la página correspondiente. Las excepciones se indican con una (a) para las que aparecen en las páginas de la izquierda y con una (b) para las que aparecen en las de la derecha. Cuando hay varias imágenes en una página, estas se mencionan de izquierda a derecha y de arriba a abajo.

Las fotos e ilustraciones que no se han identificado son propiedad de Loyola Press o proceden de fuentes sin regalías incluyendo, pero no limitadas a, Art Resource, Alamy, Bridgeman, Corbis/Veer, Getty Images, iStockphoto, Jupiterimages, Media Bakery, PunchStock, Shutterstock, Thinkstock y Wikipedia Commons. Loyola Press ha hecho todos los intentos posibles para identificar a los propietarios de los derechos de autor de las obras reproducidas en este libro y reconocerlos debidamente. En caso de alguna omisión, Loyola Press se complacerá en reconocerlos apropiadamente en las ediciones futuras.

Art and Photography

Images appearing twice on a two-page spread are listed once by page number. Exceptions are indicated by an (a) for left page numbers and a (b) for right page numbers. When there are multiple images on a page, they are listed left to right, top to bottom.

Photos and illustrations not acknowledged are either owned by Loyola Press or from royalty-free sources including but not limited to Alamy, Corbis/Veer, Getty Images, Jupiterimages, PunchStock, Thinkstock, and Wikipedia Commons. Loyola Press has made every effort to locate the copyright holders for the cited works used in this publication and to make full acknowledgment for their use. In the case of any omissions, the publisher will be pleased to make suitable acknowledgments in future editions.

Unidad 3 / Unit 3

43 Cima da Conegliano (*Dominio público*/Public domain), Wikimedia. **44** Gino D'Achille **44** ©iStockphoto.com. **45** ©iStockphoto.com. **45** Gino D'Achille **46** Design Pics Images. **46** ©iStockphoto.com/tepic. **47** ©iStockphoto.com. **47** ©iStockphoto.com/dlerick. **47** ©iStockphoto.com/sugapopcandy **48** RubberBall Photography/Veer. **48** Photodisc. **48** iStockphoto/Thinkstock. **49** Royalty free. **50** Colorblind/Digital Vision/Getty Images. **51** Psalm 100, 2004 (*acrílico sobre lienzo*/acrylic on canvas), James, Laura (*Artista contemporánea*/Contemporary Artist)/*Colección privada*/Private Collection/The Bridgeman Art Library International. **51** Image Source Photography/Veer. **52** Warling Studios. **52** ©iStockphoto.com/pixdeluxe. **52** Image Source/Corbis. **53** David Diaz. **53** Jupiterimages. **54** Warling Studios. **54** ©iStockphoto.com/Distinctive Images. **54** Jupiterimages. **55** Gordon Swanson/Shutterstock.com. **55** Stockbyte/Valueline/Thinkstock. **56** Phil Martin Photography. **56** The Crosiers/Gene Plaisted, OSC. **57** The Crosiers/Gene Plaisted, OSC. **57** W. P. Wittman Limited. **58** Blend Images Photography/Veer. **59** Royalty free. **59** Jeff Greenberg/Alamy. **60** ©iStockphoto.com/miflippo. **60** Siede Preis/Photodisc. **60** Blend Images Photography/Veer. **61** The Crosiers/Gene Plaisted, OSC. **62** ©iStockphoto.com/shaneillustration. **63** Thomas Northcut/Photodisc/Thinkstock. **63** Brand X Pictures/PunchStock.

Unidad 4 / Unit 4

64 The Crosiers/Gene Plaisted, OSC. **65** Peter Siu. **66** The Crosiers/Gene Plaisted, OSC. **67** ©iStockphoto.com/ParkerDeen. **67** Milwaukee Journal photo, *cortesía de*/courtesy of the Marquette University Archives. **68** Jupiterimages/Creatas/Thinkstock. **68** Jupiterimages/Comstock/Thinkstock. **69** David Sacks/Lifesize/Thinkstock. **70** The Crosiers/Gene Plaisted, OSC. **70** Gino D'Achille. **71** Ghislain & Marie David de Lossy/cultura/Corbis. **71** John Stevens. **72** The Crosiers/Gene Plaisted, OSC. **72** Warling Studios. **73** Phil Martin Photography. **73** Digital Vision/PunchStock. **74** ©iStockphoto.com/kryczka. **74** ©iStockphoto.com/EasyBuy4u. **75** iStockphoto/Thinkstock. **76** Digital Vision/PunchStock. **76** Jupiterimages/Comstock/Thinkstock. **77** Alloy Photography/Veer. **77** Jupiterimages. **78** Jupiterimages. **78** Warling Studios. **79** John Howard/Lifesize/Thinkstock. **80** Amos Morgan/Photodisc. **80** Brand X Pictures/Jupiterimages. **81** ©iStockphoto.com/skeeg. **81** The Crosiers/Gene Plaisted, OSC. **82** ©iStockphoto.com/cathyclapper2. **83** Christina Balit. **84** The Palma Collection/Photodisc. **84** Phil Martin Photography.

Unidad 5 / Unit 5

85 Jan Spivy-Gilchrist/St. Benedict the African Parish. **86** ©iStockphoto.com/wibs24. **86** ©iStockphoto.com/yuliang11. **86** ©iStockphoto.com/Likhitha. **86** ©iStockphoto.com/dra_schwartz. **87** ©iStockphoto.com/o-che. **88** Warling Studios. **88** The Crosiers/Gene Plaisted, OSC. **89** David Diaz. **89** Redchopsticks Photography/Veer. **90** Hill Street Studios/Blend Images/Corbis. **90** ©iStockphoto.com/FreeTransform. **90** ©iStockphoto.com/deeAuvil. **90** Buccina Studios/Valueline/Thinkstock. **90** Buccina Studios/Valueline/Thinkstock. **91** Zvonimir Atletic/Shutterstock.com. **92** Drew Myers/Fancy/Corbis. **92** ©iStockphoto.com/Cloudniners. **93** MarioPonta/Alamy. **93** Fancy Photography/Veer. **94** Klaus Tiedge/Fancy/Corbis. **94** Jupiterimages. **95** Jupiterimages. **95** ©iStockphoto.com/Jbryson. **96** Karin Dreyer/Blend Images/Corbis. **96** Jupiterimages. **97** ©iStockphoto.com/marivlada. **97** Golden Pixels LLC/Shutterstock.com. **98** ©iStockphoto.com/lisafx. **98** ©iStockphoto.com/ranplett. **99** Richard Levine/Alamy. **100** Ocean Photography/Corbis. **100** ©iStockphoto.com/mxtama. **101** Warling Studios. **101** ©iStockphoto.com/fotek. **101** Enigma/Alamy. **102** Hemera/Thinkstock. **102** ©iStockphoto.com/Liliboas. **103** ©iStockphoto.com/manfredxy. **103** ©iStockphoto.com/noticelj. **103** ©iStockphoto.com/ekvals. **104** W. P. Wittman Limited. **105** The Crosiers/Gene Plaisted, OSC. **105** ©iStockphoto.com/BCWH.

El año en nuestra Iglesia / The Year in Our Church

106 Julie Lonneman. **107** The Crosiers/Gene Plaisted, OSC. **107** ©iStockphoto.com/dra_schwartz. **108** Warling Studios. **109** Zvonimir Atletic/Shutterstock.com. **109** Pshenichka/Shutterstock.com. **109** ©iStockphoto.com/skilpad. **110** Laurence Mouton/PhotoAlto/Corbis. **111** Corbis Photography/Veer. **112** Hemera/Thinkstock. **112** The Crosiers/Gene Plaisted, OSC. **112** Warling Studios. **113** Galleria Querini-Stampalia, Venice, Italy/The Bridgeman Art Library International. **114** Big Cheese Photo/Thinkstock. **114** Royalty free. **115** The Crosiers/Gene Plaisted, OSC. **116** Warling Studios. **117** James, Laura (*Artista contemporánea*/Contemporary Artist)/*Colección privada*/Private Collection/The Bridgeman Art Library International. **118** Jupiterimages/Comstock/Thinkstock. **118** Jupiterimages. **119** Warling Studios. **120** ©iStockphoto.com/skeeg. **120** Musee d'Art et d'Archeologie, Moulins, France/Giraudon/The Bridgeman Art Library International. **120** Friedrich Stark/Alamy. **121** Royalty free. **121** The Crosiers/Gene Plaisted, OSC. **121** ©iStockphoto.com/mxtama. **122** ©iStockphoto.com/pixdeluxe. **122** Moodboard Photography/Veer. **122** ©iStockphoto.com/chrisboy2004. **123** ©iStockphoto.com/stevenallan. **124** ©iStockphoto.com/mxtama. **124** ©iStockphoto.com/DanielBendjy. **124** Zvonimir Atletic/Shutterstock.com. **125** Musee Conde, Chantilly, France/Giraudon/The Bridgeman Art Library International. **126** ©iStockphoto.com/laflor. **127** ©iStockphoto.com/botsman141. **128** Jupiterimages. **128** Glasgow University Library, Scotland/The Bridgeman Art Library International. **128** ©iStockphoto.com/colematt. **128** Jupiterimages. **129** Gino D'Achille. **130** Gino D'Achille. **131** The Crosiers/Gene Plaisted, OSC. **132** Louise Batalla Duran/Alamy. **133** Royalty free. **133** AgnusImages.com. **133** Royalty free. **134** Jupiterimages. **135** ©iStockphoto.com/kulicki.

Oraciones y prácticas de nuestra fe /
Prayers and Practices of Our Faith
136 Warling Studios. **136** ©iStockphoto.com/ajt.
136 The Crosiers/Gene Plaisted, OSC. **137**(a) Warling
Studios. **137** Christina Balit. **137**(b) Royalty free.
137(b) iStockphoto/Thinkstock. **138** The Crosiers/
Gene Plaisted, OSC. **139** BasPhoto/Shutterstock.com.
139 Royalty free. **140** Blend Images Photography/Veer.
140 Imagestate Media Partners Limited-Impact Photos/
Alamy. **140** ©iStockphoto.com/dra_schwartz. **141** JGI/
Blend Images/Getty Images. **142–147** ©iStockphoto.com/
abzee. **142** iStockphoto/Thinkstock. **143** Image Source
Photography/Veer. **144** The Crosiers/Gene Plaisted, OSC.
145 The Crosiers/Gene Plaisted, OSC. **146** The Crosiers/
Gene Plaisted, OSC. **147** ImageZoo/Corbis. **147** Warling
Studios. **148** Chiesa di San Ilario, Bibbona, Tuscany, Italy/
The Bridgeman Art Library International. **149**(a) Kletr/
Shutterstock.com. **149**(b) Greg Kuepfer. **150** The Crosiers/
Gene Plaisted, OSC. **150** The Crosiers/Gene Plaisted, OSC.
151 The Crosiers/Gene Plaisted, OSC. **151** The Crosiers/
Gene Plaisted, OSC. **151** ©iStockphoto.com/russellmcbride.
152(a) Zvonimir Atletic/Bigstock.com. **152**(b) Zvonimir
Atletic/Shutterstock.com. **152**(a) Zvonimir Atletic/Bigstock
.com. **153**(b) Zvonimir Atletic/Shutterstock.com.
154 Alessandra Cimatoribus. **155** Alessandra Cimatoribus.
156 Phil Martin Photography. **157** Royalty free.
158 Ultrashock/Shutterstock.com. **159** ©iStockphoto.com/
winterling. **159** ©iStockphoto.com/YuriSH. **160** Warling
Studios. **160** Rubberball/Corbis. **161** www.photodisc.com.
162 ©iStockphoto.com/wha4. **163** ©iStockphoto.com/slobo.
163 ©iStockphoto.com/sshepard. **163** Royalty free.
164 Jupiterimages/Cornstock/Thinkstock. **164** Christina
Balit. **165** iStockphoto/Thinkstock. **166** Darrin Klimek/
Lifesize/Thinkstock. **166** Alloy Photography/Veer.
166 Andrew Olney/Digital Vision/Thinkstock.
166 ©iStockphoto.com/dra_schwartz. **167** Hemera/
Thinkstock. **167** ©iStockphoto.com/LeggNet.
167 Jupiterimages/Brand X Pictures/Thinkstock.
167 Suzanne Tucker/Shutterstock.com. **167** Warling
Studios. **168** ©iStockphoto.com/JBryson.

Páginas para las láminas de arte / *Art Print Pages*
169 © Erich Lessing/Art Resource, NY. **170** Gino D'Achille.
171 © The Crosiers/Gene Plaisted, OSC. **172** Royalty free.
173 © The Crosiers/Gene Plaisted, OSC. **174** Gino
D'Achille. **175** Janet McDonnell. **176** Gino D'Achille.
177 Gino D'Achille. **178** iStockphoto.com. **178** Veronica
Maria Jarski. **179** David Diaz. **180** © The Crosiers/Gene
Plaisted, OSC. **181** Gino D'Achille. **182** Fran Gregory.
183 Royalty free. **184** David Diaz. **185** John Stevens.
186 Kantner's Illustrated Book of Objects. **187** Fran
Gregory. **188** © The Crosiers/Gene Plaisted, OSC.
189 Wikipedia Commons. **190** Hemera/Thinkstock.
191 iStock/dem10. **192** © The Crosiers/Gene Plaisted, OSC.
193 Phil Martin Photography.